EL MAYOR SECRETO DE LA HUMANIDAD

Moisès de Pablo / Joaquim Ruiz

EL MAYOR
SECRETO
DE LA
HUMANIDAD

SUMA
de letras

© 2007, Moisès de Pablo y Joaquim Ruiz Fluvià

© De esta edición: 2008, Santillana Ediciones Generales, SA de CV

Av. Universidad núm. 767, colonia del Valle

México, 03100, D. F.

Teléfono 5420 75 30

www.sumadeletras.com.mx

Diseño de cubierta: Alejandro Colucci sobre idea original de Moisès de Pablo
y Joaquim Ruiz

Adaptación de interiores: Miguel Ángel Muñoz

Corrección: Antonio Ramos Revillas

Cuidado de la edición: Jorge Solís Arenazas

© de la imagen de la página 222: Maeda Ikutokukai Foundation, Tokio, Japón.

© de la imagen de la página 265: Archivos Austriacos, Viena.

Primera edición: abril 2008

ISBN: 978-970-58-0352-9

Impreso en México

«Dios no juega a los dados.»

ALBERT EINSTEIN

Para Hermínia, por las ilusiones compartidas.
Y para mi padre, por la confianza.

Para mi hijo Pol, y mi familia.

EL MAYOR SECRETO DE LA HUMANIDAD

Parte I

Capítulo

1

Siempre le había asombrado lo poco que resonaban sus pisadas en el museo. Llevaba dos años haciendo este trabajo y todavía le causaba una grata impresión caminar por las pulidas losas y casi sentir que flotaba. Sólo lamentaba una cosa: el ruido que hacían sus papas chips al ser devoradas. El sonido lo transportó a las sesiones de cine a las que asistió en su infancia y este pensamiento lo llevó automáticamente a recordar algunas de las escenas de las películas de terror, su género favorito, que lo habían atemorizado.

Apartó el recuerdo de su mente, no era el momento ni el lugar, y continuó con la ronda hasta que lo vio. Las patatas chips que llevaba se desparramaron como una lluvia amarilla por el suelo. Asombrado, el vigilante presenció que, en la urna de protección, el tesoro más valioso del museo estaba duplicado.

Ante sus ojos no había un manuscrito, sino dos, como si se tratara de un original y su copia. Pensó que había bebido, pero no había tomado ni un vaso de whisky.

El recuerdo de los fantasmas, muertos vivientes y cuerpos mutilados que solía ver en sus películas favoritas volvió, y lo relacionó con lo que le sucedía. Acongojado, y sin saber qué hacer, sacó su revólver como había visto hacer en las películas de policías, otro género que le agradaba, y gritó al aire que dejaran el libro en paz o actuaría. Con voz desafiante, y temblándole las piernas, gritó de nuevo. Pero no hubo respuesta.

En ese momento, y casi sin pensarlo, comenzó a correr. Mientras se alejaba del lugar para pedir ayuda, percibió que sus pisadas tampoco hacían ruido, pero esta vez la sensación le recordó lo solo que estaba, y no fue agradable.

* * *

El inspector de policía acarició su cabeza desnuda, mientras observaba, estupefacto, en la pantalla de televisión del circuito de seguridad, la escena que había tenido lugar unas horas antes en el museo Walters de Baltimore, Estados Unidos.

—¿Han conseguido algo del guarda de seguridad?

—Nada. Sigue en estado de shock —respondía, con la voz entrecortada, un hombre de mediana edad, rubio, con gafas y vestido con un elegante traje inglés de tweed y corbata marrón.

—No hay ninguna tecnología en este planeta capaz de hacer eso. Estoy seguro —añadió el inspector.

—Exista o no exista, eso deben saberlo las autoridades. Y tienen que hacer algo.

Tras pronunciar estas palabras, el hombre rubio se arrellanó en la butaca de su despacho, completamente desolado. Como si se le hubieran agotado las fuerzas, dijo, mesándose el cabello:

—Nuestro tesoro más preciado está en peligro. Si le ocurriera algo al palimpsesto de Arquímedes, no me lo perdonaría nunca.

—¿Por qué es tan importante ese viejo libro?

—Este viejo libro, como usted lo llama, es el origen de la ciencia moderna.

—¡No me diga! —El policía no parecía demasiado admirado ante la revelación, más bien observaba, con cierta envidia, el mechón desordenado de su interlocutor.

El hombre elegante quiso poner en antecedentes al inspector de policía, aunque explicar la historia de un libro tan maravilloso en unas cuantas frases fuese un sacrilegio, y su oyente no fuese el público más apropiado.

Aun así, continuó:

—Así es. El análisis de este tesoro, escrito entre el 287 y el 212 a.C., no sólo permite conocer cómo razonaba el matemático griego, sino que explica el nacimiento de la ciencia moderna. El palimpsesto fue escrito en pergamino y encuadernado, probablemente en madera, en el siglo X. Hace once siglos, cuando el interés por la cultura griega era notable en el Imperio Bizantino, que se consideraba su continuador. Por eso existían grupos de escribas en los conventos dedicados a la copia de textos antiguos. En el siglo XII, tras la cuarta cruzada y el asalto de los caballeros católicos sobre Constantinopla para imponer el poder del papa de Roma sobre la iglesia ortodoxa, escindida por razones religiosas y políticas de la cristiandad occidental, el libro fue destrozado, sus páginas borradas y, como solía suceder en la época, aprovechadas para un volumen posterior de oraciones cristianas.

—¡Parece una película!

El comentario lo molestó. Se suponía que aquel hombre debía interesarse por el robo del museo y recopilar todos los datos de interés.

—Le agradecería que no me interrumpiera.

—Lo siento, continúe.

—Hoy el texto griego está medio borrado en cada página y en posición vertical. Sufre una plaga de moho. El disfraz de libro de oraciones le ha permitido sobrevivir, porque en el siglo XII muy pocos podían leer el texto griego, y mucho menos valorar su importancia. Su destino más probable, como el de tantas obras clásicas, hubiera sido la destrucción.

»El volumen pasó por varios monasterios de tierra santa hasta regresar a su ciudad de origen hacia el 1850. Su ubicación definitiva fue la iglesia del Santo Sepulcro. Una catalogación correcta, que mencionaba sus textos griegos, permitió que en 1906 Heiberg, un estudioso danés, tuviera acceso al manuscrito. Él fue quien valoró su importancia y quien hizo pública su existencia. Tras la Primera Guerra Mundial, el palimpsesto desapareció. Era una época de turbulencia política que condujo a la expulsión de los griegos de parte del territorio de la actual Turquía, donde habían vivido más de dos mil años.

—¿Pero Turquía no está muy lejos de aquí? —La pregunta era acertada, pero el responsable del centro empezaba a sentir una desconfianza intensa ante su acompañante.

—Está lejos, pero para eso le pagamos: para que investigue, ¿verdad? Bien. —El rostro del director estaba enrojecido y, en un gesto nervioso, se aflojó el nudo de la corbata—. Como le decía, el palimpsesto desapareció durante todo el siglo XX. Seguramente estaba en manos de un coleccionista privado, hasta que en 1998 apareció en una subasta de la casa Christie's de Nueva York. La iglesia griega lo reclamó, pero una orden judicial permitió la subasta.

»El gobierno heleno, representado en la sala, no pudo igualar la puja de un coleccionista privado y anónimo, que anunció que permitiría estudiar el manuscrito.

»El nuevo propietario cumplió la promesa, y el manuscrito se encuentra depositado aquí, en el Museo Walters, y está siendo estudiado por un equipo de científicos e historiadores de varios países. Le contaré una anécdota: dicen que Arquímedes exclamó su famoso «¡Eureka!» («¡Lo encontré!») tras verificar sobre sí mismo, en una bañera, su teoría sobre los cuerpos que flotan. El principio que lleva su nombre.

—No veo la relación de la bañera con el caso. —El aturdimiento del agente era visible.

—Quizá no lo entienda —continuó el responsable del centro. Aunque no le agradaba, sabía que la anécdota no aportaba nada a la investigación—. Pero todo lo que somos, todos los inventos que nos permiten alcanzar el relativo bienestar que disfrutamos, comenzaron con ese libro... —por un momento pensó cómo calificarlo— viejo.

—Ya, ya..., ¿y en dinero, qué significa todo esto?

—La ciencia no tiene precio, aunque para que se haga una idea... su propietario lo compró por dos millones de dólares de 1998.

Capítulo
2

Hacía media hora que había empezado la reunión en una de las oficinas subterráneas y acorazadas del Pentágono. El agente del MI5, el servicio secreto británico, John Abbot, analizaba las desapariciones relacionadas con Arquímedes y Galileo y exponía sus conclusiones. El informe, bautizado con el nombre en clave de ENIGMA GALILEO, debido al reciente robo producido en el Museo di Storia della Scienza en Florencia, no contenía demasiados puntos amenazadores, aunque existían elementos extraños que merecían ser estudiados.

Unos detalles que no parecían alarmar demasiado a ninguno de los oyentes del espía británico, sobre todo al general O'Connor, norteamericano, que se entretenía haciendo rodar su pluma con la mano derecha.

Frente a él, la agente Saldivar, la única persona interesada en el tema, tomaba notas, y el capitán Washington permanecía sentado a su lado. En silencio y cruzando los dedos.

Ambos esperaban el momento de intervenir.

Los asistentes se completaban con el mariscal Gérard, del ejército francés, acompañado de un ayudante que tomaba notas en su pequeño ordenador portátil.

* * *

Los reunidos acababan de ver en las pantallas de los ordenadores portátiles que tenían ante ellos las imágenes del circuito cerrado del Museo Walters de Baltimore, en la costa este de Estados Unidos. Eran espectaculares, pero Saldivar, fría y cerebral, las había interpretado como un probable trucaje de algún ladrón fracasado o una broma pesada de quién sabe qué mente enferma. Sin considerar, al menos «a estas alturas de la investigación», dijo, la existencia de una organización capaz de realizar un acto semejante.

—Supongo —dijo el general O'Connor— que estas desapariciones permanecen en el más absoluto secreto y que se ha aconsejado a los gobiernos afectados que oculten la información el máximo tiempo posible, hasta que tengamos alguna explicación.

—Por supuesto —corroboró Abbot—. Creemos que las desapariciones de los objetos mencionados son destacables, pero no de máxima prioridad. Además, parecen no guardar relación directa entre sí, y entran más en el terreno de la anécdota o la manía de algún loco coleccionista que en el de una amenaza potencial para la seguridad de nuestras naciones. Lo mejor es realizar la investigación junto a un elemento externo que libere a parte de nuestros agentes. Podemos colaborar en el caso con Víctor Bosco —concluyó el británico.

—Bosco. Muy bien. ¿Qué sabemos de él? —preguntó el general, con voz enérgica. O'Connor era calvo, y su escaso cabello era de un hermoso blanco plateado; algo entrado en carnes, aún conservaba un porte que sugería un pasado atlético no demasiado lejano.

Le tocaba hablar a Washington, el oficial negro con la cabeza afeitada encargado de las investigaciones personales.

—No demasiado, señor. Lo justo para no desconfiar. Ha trabajado para nosotros en alguna ocasión, indirectamente, gracias a la recomendación del director del Instituto de Tecnología de Massachusetts, el MIT.

—Me refiero a su pasado, capitán. Su pasado. Supongo que lo hemos rastreado.

El oficial, acostumbrado a las exigencias de su superior, tecleó en el portátil:

BOSCO, Víctor

Y abrió la carpeta con las interioridades arrancadas a este personaje.

En la pantalla apareció la lluvia de datos que definían una vida.

—Víctor Bosco, nacido en Birmingham, Reino Unido, en una familia de origen francés, de hecho, aún tiene familia allí. A los ocho años huyó de casa y apareció dos semanas después a más de ciento veinte kilómetros del hogar paterno. Cosas de chicos. Vino a estudiar a norteamérica, y aquí trabajó en el mundo de la publicidad. Fue un joven modelo desencantado del mundo de la moda y...

—¿Desencantado?, ¿de qué? ¿De tener a todas las mujeres a sus pies? —inquirió el mariscal Gérard, extrañado.

—A mí no me pregunte, señor. Le llamaban «el científico». Estaba muy dotado para la física y las matemáticas, le atraían más que las pasarelas, supongo, y siguió estudiando. Se doctoró en ingeniería aeronáutica y trabajó como profesor en el MIT y en la NASA. Hace unos años estuvo a punto de ser seleccionado para una expedición tripulada al espacio como científico. Pero el proyecto sufrió un recorte presupuestario y tuvo que buscarse otro trabajo. Fue tras el parón espacial provocado por el desastre del trasbordador *Challenger*. Por si fuera poco, es especialista en exobiología. Ya saben, la ciencia que estudia las posibilidades de vida en otros planetas. Vean sus fotos actuales —dijo, mientras pasaba a los presentes el amplio dossier fotográfico de que disponían los servicios secretos.

—El antiguo modelo ha perdido un poco la forma —apuntó O'Connor, irónicamente.

Gérard sonrió, sin decir nada.

—¿A qué se dedica actualmente? —inquirió Gérard, un poco intrigado.

—Imparte seminarios en universidades. Pero creemos que lo hace como un simple pasatiempo. Su estatus económico proviene de unas patentes en el sector del chip. Multiplicó por cien la velocidad anterior existente en el mercado de los ordenadores personales.

—¡Nuestro fauno es toda una lumbrera! Profesor, geofísico, ingeniero aeronáutico e inventor, parece el elemento externo que necesitamos para el caso —sentenció Abbot, orgulloso del resumen que había hecho.

—Verá, señor. No creo que sus servicios sean necesarios —dijo Saldivar al instante. Ni siquiera había revisado las fotos. Sabía demasiado bien quién era Bosco.

—¿Por qué razón, señorita Saldivar, podemos prescindir de sus servicios? —O'Connor miró el dibujo, casi geológico, de las estrías de la enorme mesa de roble pintada de negro, con el perfil de la gran águila de alas blancas en el cuello que completa el escudo de la agencia, tras lanzar una profunda mirada a la agente que tenía bajo sus órdenes.

—Bien... —la mujer contuvo el aliento—, creo que el equipo que formamos A, así llamamos a nuestro experto en ciencia e informática, y yo misma está lo suficientemente preparado para afrontar el caso sin ayudas.

—Usted es la máxima especialista en misterios de la casa. Nadie se lo discute y tampoco está en juego el mando del grupo. Tiene asegurado el cargo.

—Gracias, señor. —Saldivar sonrió, fingiendo satisfacción.

—¿Qué le parece el caso? —preguntó Abbot.

—Sí... —Julia midió sus palabras: era su oportunidad para borrar a Bosco del asunto—. El hueso del dedo medio de Galileo, en Florencia, y el palimpsesto del Museo Walters aparentemente no guardan ninguna relación. Los dos están a millares de kilómetros de distancia uno de otro. Excepto que para alguien pueden ser objetos de culto. Deseables. Habría que investigar la existencia de grupos basados en el culto a la ciencia y...

—Una ayuda no les vendrá mal —zanjó O'Connor—, parece un caso complejo. ¿No cree que Bosco tiene un currículo suficiente para sernos de utilidad... o hay otras razones que ignoramos para su negativa?

Julia, la pelirroja rojo fuego que era el centro de las miradas de los hombres de su departamento, con el cabello largo, algo ensortijado, y la nariz un poco aguileña, tragó saliva. Su sola presencia hacía que los hombres de la oficina se pusieran en estado de alerta, pero no podía controlar esta situación. Al menos, no de momento.

O'Connor no la había dejado explicarse y había caído en su trampa. Pero aún no estaba todo perdido: pensó en alguna manera de salirse con la suya. Si no exponía la verdad inmediatamente a su superior, el capitán Washington se la lanzaría a la cara sin compasión. Era un perro de presa bien entrenado.

—Estudiamos juntos en la universidad. Y..., no tengo por qué ocultarlo —no hubiera podido—, participamos en alguna manifestación de liberales contra la invasión de Irak.

Su superior la miró, impávido.

Gérard apuntó, quizás para evitar una discusión más larga:

—Los tres forman un gran equipo, señorita. Es un buen inicio para nuestro grupo de cooperación de agencias de seguridad occidentales. —Mientras hablaba, su bigote gris cuidadosamente nivelado se ondulaba como un tronco mecido por corrientes marinas.

—Todos hemos cometido errores de juventud... ¡Bosco formará parte de su equipo y no se hable más! —tronó O'Connor, pasándose la mano izquierda por la barbilla, en un gesto inconsciente, y levantándose del asiento.

Su homólogo francés le hizo un gesto de aprobación, y también se levantó.

El resto de los convocados, como impulsados por un resorte, se alzaron al instante.

3

Julia llegó a casa tras atravesar el Potomac en dirección al sur. Aunque trabajaba en Washington, prefería vivir en Virginia, el estado vecino. Para estar más alejada del bullicio y las luchas políticas de la capital. Le gustaba conducir con los Creedence a todo volumen sonando en los altavoces del vehículo. Le provocaban una sensación efímera, pero muy placentera, de libertad. En estos momentos le gustaría estar en una playa californiana desafiando las olas en una tabla de surf.

Hacía diez años que no veía a Víctor. Y la certeza de que se iban a encontrar de nuevo le produjo un regusto desagradable en la garganta. Algo que no pudo hacer desaparecer ni con un par de vasos de zumo de mango. Como solía hacer cuando estaba nerviosa, entró en el gimnasio a quemar kilómetros en su cinta de entrenamiento. A quemar en sudor los fantasmas del pasado.

* * *

El agente Abbot contempló su propio rostro en el espejo del retrovisor. Acababa de aparcar ante el rectorado de la universidad. Sus compañeros decían de él que era el típico ejemplar de la casa; necesitaría un cambio de imagen para parecer humano. El retrovisor no engaña: americana, corbata y pantalones negros; quizá por eso se dejó patillas, que crecían como dos enredaderas de color castaño, algo desaliñadas, a los lados de su rostro huesudo.

En la casa le llamaban «el Blues Brother». Sonrió. No le desagradaba el mote.

El inglés salió del coche y entró en el claustro de la universidad. En el despacho más pequeño del ala norte halló a Bosco revisando unos documentos en una mesa demasiado precaria para la cantidad de papel que soportaba.

—¿Qué se le ha perdido a un tipo de la CIA en la universidad? ¿Es que quiere reciclarse? —dijo el profesor, sin levantar los ojos de las fichas de los alumnos que revisaba, mientras con la mano izquierda pelaba cacahuetes y se los comía.

Este tipo rechoncho tiene intuición, pensó Abbot.

—Necesitamos su colaboración.

—Gracias. Sólo me dedico a la enseñanza —*¿Qué rayos hace un agente secreto vestido como uno de los Blues Brothers?*, se preguntó Bosco. Pero prefirió no exponer en voz alta su comentario.

El agente cerró la puerta.

—¿Le suena la expresión «reto científico»?

—Naturalmente. —Bosco miró fijamente al recién llegado, que permanecía de pie ante él, observando el cenicero lleno de cáscaras resquebrajadas de cacahuate.

De hecho, Bosco comía cacahuates a todas horas. Los pelaba con una facilidad pasmosa. Los cacahuates y él eran inseparables, formaban parte de su personalidad. Le encantaba el ruido que hacía la cáscara al romperla. Creía que era una metáfora de la fugacidad de la vida, aunque no sabía muy bien por qué.

Se diría que alguien le impuso ese pasatiempo para vencer el hábito del tabaco, y ya no se lo pudo arrancar. Al menos eso explicaba a quien se lo preguntaba. Las razones eran otras.

—Supongo que conoce el Museo di Storia della Scienza de Florencia...

El profesor lo miró, sin responder. Abbot lo interpretó como un asentimiento:

—Hace unos días, el expositor blindado que contiene la reliquia presentó un orificio de dos centímetros y medio, lo bastante grande para sacarla a través de él y llevársela. El intruso, o los intrusos, pasaron a través de un agujero circular de medio metro cuadrado de superficie, tallado en un ventanal de la sala del museo.

—Caso cerrado —cortó Bosco, al tiempo que se sumergía en sus papeles.

—Lo curioso es que desde allí no se puede deslizar una cuerda que soporte el peso de un hombre, por pequeño que sea, sin romper el ventanal y sin que salten las alarmas. Cuatro días después del robo, el dedo es restituido y el cristal y el expositor aparecen intactos, sin que ningún análisis pueda detectar ni la más mínima rozadura. Alucinante, ¿no le parece?

—¡Eh, sí, claro, claro! —refunfuñó el profesor, que a mitad de la explicación del agente había dejado de comer—. Es interesante. Pero, como le dije, estoy retirado. Incluso de convertirme en James Bond —sonrió.

—Y eso no es todo. Durante unas horas, en el Museo Walters de Baltimore, un testigo afirma haber visto dos palimpsestos de Arquímedes donde antes había uno.

—¡Ese documento es irremplazable: se le considera el origen de la ciencia moderna!

—Exacto. Y tenemos pruebas que confirman ese testimonio. Verá: le traigo una oferta que no va a poder rechazar, profesor Bosco. —Abbot colocó las manos sobre la superpoblada mesa y abalanzó su torso y rostro sobre su sorprendido interlocutor: era como verse actuar en una película de Hollywood, un subidón de adrenalina—. Queremos su ayuda a cambio de participar en la investigación espacial que hace años mereció realizar y no pudo. Hablo del proyecto Marte. Hablo de recuperar el tiempo perdido.

Bosco se quedó sin habla. Dejó las gafas sobre la mesa. Ya no recordaba su pasión por los cacahuates.

Capítulo
4

Tras cruzar con su vehículo el control de cámara informatizado de los muros de la mansión y ser guiada por un mayordomo estirado a la zona de aparcamiento, la agente Saldivar siguió a otro sirviente, casi un clon del anterior, a través de pasillos interminables y puertas cerradas, hasta llegar al sanctsanctórum del gran A, una sala subterránea de grandes dimensiones, repleta de ordenadores y aparatos cuya función no estaba nada clara para la mujer: la única luz que reinaba provenía de los enormes fluorescentes colgados del techo y las luces de emergencia, que garantizaban que en todo momento hubiera una claridad difusa.

El gran A, así se autodenominaba uno de los mayores expertos informáticos del mundo y el más peligroso de los hackers.

A había adoptado como símbolo la serpiente, y un gigantesco ejemplar de cobra era su mascota. Saldivar echó un vistazo al gran terrario donde solía estar y no pudo evitar un escalofrío al comprobar que se encontraba vacío. Esto sólo podía significar una cosa, el animal estaba suelto.

—¿Cómo limpias el polvo de esta choza? —preguntó Saldivar, intentando inculcar a su voz un tono amable que disimulase su nerviosismo.

La enorme butaca de cuero giró lentamente y A apareció sentado en ella, con las piernas cruzadas como un Buda. Era un joven bajito, sonriente —aunque con una poco deseable dentadura; de hecho, sus caries eran tan famosas como sus fechorías—, de facciones asiáticas y unos veinte años, con la lengua fuera, como un reptil en un gesto retador. Tenía el cabello verde, la piel casi translúcida, con el tipo de pigmentación algo malsana de la gente que casi nunca ve la luz del día. Unas ojeras rojizas muy profundas sobre sus ojos oblicuos le conferían un aspecto semidantesco, ajeno a su edad. Era como si su cuerpo no estuviera de acuerdo con los años que debía de tener. Lucía la cabeza afeitada a los lados del cráneo y un grueso anillo de oro ensartado en la nariz, a la manera de los aros que se colocan las tribus amazónicas y africanas.

Llevaba una tira de colmillos de tigre en el cuello y vestía una camiseta con el lema seudoanarquista: «¡Jode al gobierno!», unas zapatillas rojas y unos pantalones negros cortos, repletos de bolsillos, de un tejido moderno con aspecto metálico.

Sujetaba con la mano izquierda una coca-cola que movía con habilidad mientras hablaba, y abría desmesuradamente los ojos, como si quisiera succionar la realidad con su mirada demente.

—¿El polvo? ¡Oh, de eso se ocupan mis sirvientes! —dijo, distraídamente, mientras bebía un largo sorbo—. No me interesan los detalles de la vida. Hay semanas que no salgo de la habitación... ¿Para qué? Tengo el mundo aquí. Al alcance de mi mano...

Julia sabía que para él la vida era un detalle más, y que sus semanas sin pisar el mundo exterior eran meses.

Quizá llevara toda su vida allí dentro, devorando manjares exquisitos ante su línea de ordenadores conectados que destripaban los secretos de la red. Sus empleados decían de él que no había pisado toda su extensa mansión y lo llamaban «el Ermitaño».

—Investigamos una serie de casos, y te necesitamos.

—Lo supongo. —Ahora su sonrisa era un gesto triunfante, infantil y bastante ridículo. Como de mal actor de película televisiva—. Los mosaicos del Museo de Pella, en Macedonia, al norte de Grecia, donde vivió Aristóteles, también han desaparecido.

—¿Cómo lo sabes? ¡Tú no tienes acceso a esa información!

—Verás..., preciosa, ya sabes que no puedo estar quieto ni un segundo. Hay gente que se va de vacaciones: yo busco secretos. Siempre. Así me siento vivo. Y como hoy me aburría, he desencriptado el correo secreto del gobierno griego dirigido a la agencia. O'Connor me ha informado del robo del palimpsesto y del dedo de Galileo, y me ha dado instrucciones para iniciar la investigación. No es demasiado difícil atar cabos, ¿verdad, cielo?

Alarmada, la agente cogió su móvil y pronunció: «O'Connor».

El general ya estaba al corriente del acceso de un intruso al sistema de seguridad de la CIA, y al saber que ese intruso era A, respiró aliviado.

—Dígale al chaval que no haga más el payaso y que nos eche una mano. ¡Que respete el pacto!

El militar se refería a su acuerdo con A tras la última gesta del hacker: interrumpió las cotizaciones de Wall Street media hora seguida. Antes se había introducido en los programas informáticos más ultrasecretos, y había desvalijado cuentas bancarias y archivos de varios países, dejando el mensaje: «A estuvo aquí».

Meses antes, se introdujo en el Sistema de Defensa Nacional y colgó: «A os vigila».

Era el superhacker de moda, el pirata informático que ningún cortafuegos conocido o barrera de sotfware, por compleja que fuera, podía detener. Un especialista en criptografía, el lenguaje cifrado. Uno de los mejores del mundo.

Por eso el gobierno prefirió aliarse con él, tras detectar su escondrijo: era un colaborador demasiado valioso para ser eliminado. De hecho, el mismo sistema de seguridad de la agencia había sido probado por él y otros cuatro cerebros, resistiendo con éxito sus ataques combinados.

—No vuelvas a hacerlo. Sabes lo que te puede pasar —le riñó la centroamericana.

—Me aburría... —se defendió A, con el ronroneo pícaro en la voz de un gato que pide las caricias de su amo—. Acércate, bonita, en ese ordenador tienes toda la información que necesitas sobre Aristóteles y Arquímedes. Dos de los más grandes sabios de la Antigüedad. Por cierto, ¿sabías que Pella era la capital de Macedonia? Por esas calles paseó Aristóteles y su discípulo, un joven desconocido y soñador llamado Alejandro. Después le llamarían «el Magno», ¿lo conoces? ¡Intentó ser el emperador del mundo! Pues de esas casas que hoy visitan los turistas han desaparecido unos mosaicos que datan del siglo IV a.C.

—¡Veo que has trabajado a fondo! ¿Te interesa el tema?

—Las ambiciones y las locuras humanas siempre son interesantes. ¡En el fondo, somos unos salvajes con corbata!

Supongo que conquistar el mundo es un buen objetivo para pasar el rato, ¿no te parece? —La sonrisa de A era simiesca.

Saldivar no estaba muy atenta, ya que le había parecido ver la cabeza de la mascota de A entre un montón de revistas apiladas en el suelo.

Recobró la compostura a tiempo de contestar, tajante:

—No hay tiempo para psicología barata. ¿Has redactado un informe sobre Aristóteles y Arquímedes?

Un ejército de palabras se abrió en la pantalla del ordenador que A le había señalado.

—Bueno, si han robado una obra relacionada con los dos científicos, es mejor que sepamos todo lo necesario sobre ellos. Podemos encontrar alguna clave en su vida o en su obra que nos descubra una pista sobre el caso. En el detalle hallarás todas las respuestas.

»Y otra cosa. Aunque seáis muy inteligentes, tendréis olvidadas las lecciones de ciencias. Cuando me dé la gana os añadiré un pequeño resumen de las cosas más importantes.

Julia no contestó. Sentía curiosidad por saber qué les había preparado su extraño amigo y se concentró en la información.

ARISTÓTELES

Nació en Estagira, Macedonia, reino situado al norte de la Grecia clásica, el año 384 a.C.

A los dieciocho años se trasladó a la **Academia,** la escuela de filosofía de Platón en Atenas. Allí se formó como filósofo durante veinte años.

A la muerte de Platón, y en desacuerdo con las doctrinas de Espeusipo, el nuevo director, se dirige a Assos, en Asia Menor.

En el 354 a.C., el rey Filipo de Macedonia lo nombró maestro de su hijo: **Alejandro Magno.** Aristóteles educó e instruyó al joven heredero, y cuando éste ocupó el trono, regresó a Atenas. Alejandro iniciaba su reinado.

Como Platón, fundó su propia escuela: el **Lyceum,** llamada **«peripatética»,** porque el maestro daba las lecciones a sus discípulos en el paseo del recinto (*peripatos* en griego significa «paseo»).

Desarrolló un gran trabajo en ciencia y humanidades.

Alejandro, su mecenas, falleció a los treinta y dos años en una guerra de conquista en la lejana India. No pudo conquistar el mundo conocido, lo que provocó una revuelta antimacedónica en Atenas. El científico se exilió en la isla de Eubea, donde moriría el 322 a.C., a los sesenta y dos años.

- **Fue maestro de Alejandro Magno.**
- Es uno de los primeros sabios que consiguió una biblioteca propia.
- **Creía que los vegetales tenían alma, aunque no tan compleja como la humana.**
- **Introdujo la ética,** como un tipo de actuación correcta y moral.
- En París, hacia el 1210, se prohibió la lectura pública y privada de sus obras: se consideraban inmorales.
- Creía que las mujeres tienen menos dientes que los hombres. Aunque se casó dos veces, no comprobó la certeza de esta afirmación.
- Su escuela peripatética, llamada así porque se impartían las clases mientras se paseaba, a diferencia de la

Academia de Platón, **buscaba el aspecto práctico de las cosas.**

- Alejandro Magno lo ayudó: le proporcionó sirvientes, le organizó expediciones al Nilo y cacerías de animales para su zoológico.
- El rey respetaba la figura de Aristóteles tanto como a su propio padre. Decía: «De mi padre recibí la vida; y de Aristóteles, el arte de vivir».
- Dijo: «El sabio no dice todo lo que piensa, pero siempre piensa todo lo que dice».
- Creía que el sexo de los recién nacidos dependía de los vientos en el momento del nacimiento.
- Es el inventor del **empirismo,** que basa las ciencias en la experiencia y el conocimiento, los pilares de la ciencia actual. Y aunque **puso los cimientos del método científico occidental,** su sombra entorpeció los avances de la ciencia.

El centro del universo

Su **teoría geocéntrica** defiende que la Tierra es el centro del universo. No fue hasta el siglo XVI que científicos como Copérnico y Galileo arrancaron a la Tierra de su lugar de privilegio.

Desde la Tierra, hay épocas en que los planetas del Sistema Solar parecen moverse hacia atrás en el cielo. Este movimiento es aparente, porque la Tierra, como el resto de los planetas, gira alrededor del Sol con diferente velocidad.

Nuestro planeta describe una órbita más pequeña que la de los mundos exteriores, más lejanos al Sol y más lentos.

Tomemos como ejemplo nuestro coche adelantando a gran velocidad a otro vehículo más lento. Aunque los dos avanzan hacia delante, nos parece que el coche adelantado se mueve hacia atrás.

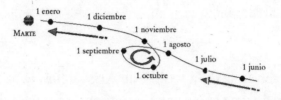

Movimiento aparente del planeta Marte. Visto desde la Tierra, dibuja un bucle en el cielo a lo largo del año y su velocidad no es constante.

Aristóteles creía que la Tierra era el centro alrededor del cual giraban los planetas. Explicó los cambios de velocidad y este movimiento «hacia atrás» suponiendo que los planetas se movían en círculo alrededor de otro punto también móvil.

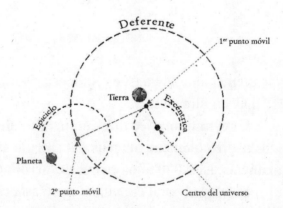

Los planetas describen una órbita menor (epiciclo) alrededor de un punto móvil (2º) que, a su vez, gira describiendo otra circunferencia (deferente) cuyo centro es otro punto móvil (1º) que también gira en una órbita (excéntrica) alrededor del centro del universo.

Hoy sabemos que este sistema es falso, pero permite predicciones correctas, y todavía se utiliza como herramienta de cálculo. La iglesia católica, que dominó el pensamiento científico occidental durante siglos, defendía esta teoría porque la Tierra ocupaba un lugar único en el universo.

Leyendo la vida y obra de Aristóteles, la agente Saldivar sintió como si volviera a sus años de universidad, y sonrió. A era muy bueno. Los tres formaban un equipo ideal. Con el paso del tiempo, cada vez veía con más simpatía su juventud. No por nostalgia, sino por la certeza de que le había ayudado a ser lo que era actualmente.

¿Qué papel jugaría Bosco en su nueva vida? Recordó momentos agradables y algunos que no lo fueron tanto... Siguió con la lectura de la vida y obra de otro de los sabios más importantes de la Antigüedad.

ARQUÍMEDES

Nació en el año 287 a.C. en Siracusa, Sicilia, y murió el 212 a.C. en Siracusa.

Es el matemático más importante de la Antigüedad; utilizó técnicas propias del cálculo superior, que tardaría casi 2.000 años en ser desarrollado.

Su ciudad natal era un próspero asentamiento griego en Sicilia, al sur de la Italia actual.

Se cree que era hijo de un astrónomo llamado Fidias.

Pertenecía a una clase social elevada. Probablemente era amigo o familiar del rey Hierón II.

Es famoso por su **teorema de hidrostática** (principio de Arquímedes): «Todo cuerpo sumergido en un fluido experimenta un empuje vertical y hacia arriba igual al peso del fluido desalojado», y por formular las **leyes de las palancas.**

Inventó la catapulta, la polea compuesta, los espejos cóncavos y el tornillo de Arquímedes.

Muchos de sus trabajos se han perdido y existen otros de autoría dudosa.

Murió al ser conquistada Siracusa por los romanos el 212 a.C., ocupación que sus inventos habían impedido durante años.

Su tumba fue descubierta por el sabio romano Cicerón en el año 75 a.C., durante una visita a la isla.

- Según la leyenda, **empleó enormes espejos planos que concentraban los rayos del sol en un punto para derrotar a la armada romana:** así quemó las velas enemigas, ante el horror de los marineros. Una fuerza misteriosa destruía las naves.

  Considerando la tecnología de la época, y el tamaño necesario **de los espejos, la historia es poco creíble.** Pero **participó en la batalla y bajo su dirección se construyeron catapultas y todo tipo de armas.**
- Dijo: **«Dadme un punto de apoyo y levantaré el mundo».** Ignoraba el enorme peso del planeta, ya que, considerando la fuerza que desarrolla un brazo humano, se necesitaría una palanca cuyo brazo mayor fuera 100.000 trillones (un 1 seguido de 23 ceros) de veces más largo que el menor.
- Calculó algunas cifras del número $\pi = 3,14159...$, la razón entre el perímetro y el diámetro de una circunferencia, un número básico para la matemática y la geometría.

- Con poleas compuestas y con la fuerza de un solo brazo, arrastró en línea recta un barco con el pasaje y sus mercancías, deslizándolo por el muelle hasta el mar.
- Mientras se bañaba descubrió el principio de Arquímedes. Estaba tan excitado que salió desnudo a la calle gritando: *Eureka, eureka!* («¡Lo encontré, lo encontré!») Desde entonces esta expresión se utiliza para celebrar un hallazgo o descubrimiento.
- Despreciaba las aplicaciones prácticas de la ingeniería. Plutarco decía que, a pesar de ser famoso por sus inventos, no había dejado ningún comentario sobre ellos.
- Enviaba teoremas sin demostración a sus colegas de Alejandría, incluyendo alguno falso. Si alguien reclamaba la autoría, le pedía la demostración: ¿y cómo demostrar lo imposible?
- Cuando Siracusa fue ocupada por los romanos, una tropa entró en su casa.

  Arquímedes resolvía un problema en el patio, con un dibujo trazado sobre la arena. Un soldado le ordenó que saliera, pero él se negó, hasta resolver la incógnita. El soldado, sin saber quién era, lo mató.
- Cicerón reconoció su tumba porque el epitafio era una esfera inscrita en un cilindro. Arquímedes demostró que el volumen de una esfera es igual a las dos terceras partes del cilindro que la contiene.

¿Movemos el mundo?

Una palanca es una máquina sencilla, pero permite levantar grandes pesos con poco esfuerzo. **Arquímedes**

descubrió que la fuerza (potencia) aplicada en un extremo se multiplica por la longitud de su brazo de palanca. Si tuviéramos una lo bastante larga, con un solo dedo levantaríamos una tonelada, o más. Por eso cuando lo descubrió dijo: «Dadme un punto de apoyo y levantaré el mundo». En teoría es posible, aunque sería necesario encontrar el punto de apoyo y fabricar un palo muy largo y resistente.

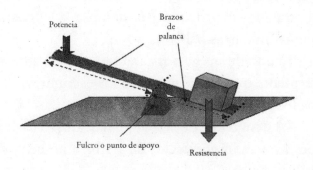

La ilustración representa una palanca. La potencia es la fuerza aplicada para mover la fuerza de resistencia que ofrece el peso.

—Has trabajado bien, A. Este sistema de información es ideal para enfocar el Enigma Galileo. Gracias —admitió Julia.

—Era lo mínimo que podía hacer por ti. —Le guiñó el ojo, mientras un sirviente le traía otra coca-cola y recogía la lata que tenía entre las manos, ya vacía.

—Me parece bien que nos informes sobre el científico del que han robado un objeto. Y que nos proporciones algunos datos sobre su vida que son interesantes, ¿pero necesitamos las curiosidades?

—¿Olvidas que somos detectives, y que yo soy un fanático de la ciencia? La pista más insignificante puede ayudarnos.

—Tienes razón.

—Sabes sacar de las personas su lado bueno, Julia. Ya conoces mi código de clave secreto. Muy poca gente en el mundo tienen esa suerte, compañera. Cuando me necesites, estaré aquí, husmeando la red de redes, con todos los datos del mundo a tu alcance. Tanto si son secretos como si no. Moveré mi lengua sólo para ti. Formamos un buen equipo... —El pirata informático movía siempre la lengua, como una serpiente, mientras hablaba.

Era uno de sus gestos característicos. La misma lengua de serpiente que entra en todos los escondrijos y descubre todos los secretos. Su símbolo.

—A, tengo que decirte algo más: Bosco forma parte del grupo. Lo han impuesto los de arriba y no he podido hacer nada.

—Lo han impuesto —balbuceó, como un boxeador sonado que increpa a un enemigo que hace tiempo que le ha ganado el combate—. ¡El muy maldito!

Capítulo
5

Ustedes y nosotros nunca hemos hablado. Desde ahora trabajan para una organización de seguridad internacional. Una pantalla que les permite una inmunidad relativa. Pero esta organización no existe. Estamos en la fase inicial de su creación, y no queremos despertar recelos en los países que no se han integrado en ella. Intentamos que en unos años se convierta en la Interpol de los agentes secretos. Pero oficialmente no existimos.

Bosco miró a Julia, admirado y sorprendido. Ni siquiera escuchaba la perorata del general O'Connor. Al principio no la había reconocido.

Pero era ella. Estaba seguro.

La vida tiene estas cosas; cuando menos te lo esperas, vuelve el pasado y te pide cuentas.

Y es mejor afrontar ese momento con buena cara. Sin rencores. Con energía.

O'Connor siguió:

—Ustedes no tienen ningún vínculo que les ate: ni familia, ni amigos, ni siquiera mascota. No tienen pasado y no pueden acudir a nadie en caso de problemas. No podemos enemistarnos con gobiernos amigos ni tensar las cuerdas con los que no lo son. Ya tenemos bastantes problemas para que ustedes nos fabriquen más. Ustedes y sus actividades no nos importan tanto. Perdonen la franqueza. Nosotros haremos los contactos que necesiten, y dispondrán de toda la información a nuestro alcance, pero desde este momento, se moverán solos. ¿Lo han entendido?

—Perfectamente. ¿Y la cuestión económica? —Julia hacía la pregunta que suponía que interesaba a Víctor.

—Sus cuentas estarán lo suficientemente saneadas. No se preocupen.

—Siempre quise ser James Bond —musitó el profesor, entre dientes.

—¿Cómo dice? —inquirió O'Connor, ajeno al sentido del humor del nuevo fichaje de la agencia.

—Bosco tiene un humor algo surrealista. —La mirada de Saldivar fulminaría a cualquiera, pero el científico arqueó las cejas y se mantuvo impasible.

El general se levantó de la mesa. Seguidamente, Julia y Víctor, ya solos, contactaron con A.

El pequeño genio comía una pizza con ademanes enfebrecidos, sin importarle que parte del queso fundido aterrizara en su camiseta con la estrella roja comunista. Una mancha más no tenía importancia. Hacía juego con el resto.

Al ver el equipo al completo, A dio un bote en la silla y dibujó esa sonrisa de psicópata que tanto impresionaba a los desconocidos.

—¡Hombre, Víctor! Veo que has crecido en amplitud. Las hamburgueserías del país lo agradecen. —Y rió con las carcajadas agudas e intermitentes que tanto incomodaban a sus interlocutores.

Una risa demasiado forzada para ser natural. *Un ina-daptado social con un cerebro privilegiado*, pensó Bosco.

—¡El bueno de A, pensabas que no volveríamos a ver-nos! Quizás fuera un alivio para ti..., ¡con lo que te gustan los juegos recreativos de los ochenta! —Era un ataque en to-da regla.

Bosco, de rostro regordito, sin ser obeso, piel blanca y ojos negrísimos, poseía una sonrisa contagiosa, apta para un anuncio de dentífricos. Con treinta y ocho años y tras unas gafas de montura clásica y redonda, oportunamente protec-toras, y un mechón de pelo algo rebelde que rompía la ar-monía de su cabello ondulado, tenía el aspecto de un fauno de la mitología griega. Era alto, de complexión fuerte y con una barriga algo prominente que descentraba el cuadro de la fotogenia perfecta.

—¿Cómo podría olvidarte? ¡Cada segundo del resto de mi vida me acuerdo de ti! —La afirmación del chaval in-tentaba ser espontánea, pero estaba teñida de un rencor muy hondo.

A se creía infalible y el profesor le dio donde más le dolía: introdujo un gusano informático que traspasó las ba-rreras defensivas de su equipo, colocando un virus en el sis-tema. Sus efectos eran cómicos: aparecía una risueña cara de *pac-man* cada vez que el joven hacker apretaba una tecla.

A tardaría una semana en erradicar del sistema la hu-millación más grande de su carrera.

Lo peor del caso era que Bosco lo había hecho sin la ayuda de nadie, sólo para demostrarle que era vulnerable. Y lo consiguió.

—Tus informes sobre los científicos son muy comple-tos. ¡Sólo un loco o alguien muy inteligente se habría toma-do tantas molestias!

—Me halagas —susurró A, sin aclarar en qué clasificación se sentía más a gusto.

—Es un método muy correcto —terció Saldivar, dispuesta a atajar cualquier discrepancia, por mínima que fuera—. Con tan pocas pistas, cualquier detalle de la vida o la obra de los científicos nos puede ser útil para las investigaciones.

No tuvieron más tiempo para hablar con A, porque en ese momento llegó a sus manos el vídeo de sus agentes en los Balcanes, con imágenes del robo del Museo de Pella, en la Macedonia griega. Y se pusieron a estudiarlo.

* * *

La introducción del vídeo explicaba la historia del territorio y del objeto robado, y había sido confeccionada por el agente de la casa en la zona:

«La ciudad de Pella se levanta probablemente sobre las ruinas de Eges, la antigua capital del reino de Macedonia. El museo se ha construido en el mismo lugar donde se realizan las excavaciones arqueológicas.

»Los mosaicos robados representan la caza del ciervo y a Dionisio montado en una pantera. Datan del siglo IV a.C. Fueron encontrados en diversas casas y edificios públicos de la ciudad. En este lugar pasó Eurípides los últimos años de su vida, y Aristóteles enseñó al joven heredero del trono de Macedonia, Alejandro Magno».

Las imágenes que vieron después eran sorprendentes. Ningún otro adjetivo las definía mejor.

Viendo las consecuencias que se mostraban, no costaba demasiado imaginar la escena que se había producido en el lugar unas horas o minutos antes.

Los hechos eran los siguientes: varios metros cuadrados de mosaico expuestos sobre el suelo del museo desaparecen misteriosamente, dejando un agujero de casi medio metro de profundidad. Hay que tener en cuenta que el peso de la pieza es de varias toneladas.

Julia apuntó en voz alta y con un tono inquieto:

—Los mosaicos han sido extraídos con una absoluta limpieza: la piedra del agujero presenta una superficie perfectamente lisa y pulida, como si hubiera sido tallada con un instrumento quirúrgico de alta precisión. Quien haya realizado la hazaña ha conseguido sacar un objeto de estas dimensiones sin hacer saltar las alarmas.

Casi como si lo hubiera cogido con la mano.

—¿Cómo han introducido el objeto cortante por debajo del mosaico sin excavar la superficie de alrededor? —preguntó Bosco, aunque fuera una pregunta retórica, repleta de asombro, y no esperara respuesta.

Su compañera no contestó.

—¿No detectas nada anormal? —preguntó ella, unos segundos más tarde.

—A simple vista no.

Tras aumentar la imagen de la pantalla, gracias al programa de ordenador, Víctor comprendió a lo que se refería Julia. Una pequeña inscripción en un resquicio de los muros aledaños. Casi como un pequeño graffiti, con un mensaje aparentemente imposible: «Salve umbistineum geminatum Martia proles».

—Quienes han hecho esto han tenido la desfachatez, o la soberbia, de firmar su obra.

Los dos se miraron. Ambos sabían lo que significaba la frase en latín.

Salve umbistineum geminatum Martia proles

Para combatir su terror a volar, Bosco repitió mentalmente la frase que apareció en el Museo de Pella tras el robo de los mosaicos. Aparentemente era una frase incomprensible para alguien que no fuera un latinista, o desconociera la historia de la ciencia. Pero Víctor, como el bueno de A, era un fanático de los científicos. Maravillado, tradujo: «Salve, ardientes gemelos, hijos de Marte». Maravillado porque un individuo o una organización secreta hubiera firmado su dudosa hazaña con una rúbrica como ésta.

¡Una firma con más de cuatrocientos años de antigüedad!

Ésta es la frase que envió por carta el científico Galileo Galilei, a través del embajador toscano en Praga, a su amigo el monje Johannes Kepler. El religioso, acostumbrado a resolver misterios, descifró lo que calificó de «bárbaro texto latino», para disimular. El científico italiano se atribuía con este mensaje el descubrimiento de los dos satélites de Marte: Phobos («Terror») y Deimos («Horror»).

Marte, el dios de la guerra, tiene compañía. Una buena manera de decir que la Tierra está acompañada por la Luna.

Estas observaciones ratificaban la teoría heliocéntrica formulada por Galileo, en la que la Tierra dejaba de ser el centro del universo. Algo que a la iglesia le costaba admitir, porque lo había adoptado como dogma de fe.

* * *

Julia sintió pena por Víctor y le cogió la mano con un gesto protector. Él cerró los ojos con aprensión.

La agente conocía el miedo a volar de Bosco. Aunque no se le ocurría nada para evitarlo. Dos días antes, el robo del dedo de Galileo había llegado a la prensa europea.

De momento era recibido con sorna por los medios.

Mientras atravesaban el espacio aéreo francés en dirección a Florencia, mediante una sofisticada internet inalámbrica, con ondas de muy baja intensidad, no detectable por los sistemas convencionales de rastreo, la pareja solicitó información del caso al gran A.

—¿Te suena la frase «Salve umbistineum geminatum Martia proles», Alfred? —inquirió Bosco, superando un poco su miedo a las alturas.

La posibilidad de enfadar al jovencito le proporcionaba nuevas energías. Y era una buena terapia para vencer su terror a volar.

—¡No me gusta que me llamen Alfred! Sólo se lo tolero a los militares. Y a nadie más.

—Sí, eres mucho más enigmático llamándote A. Por si no lo sabes, es una frase en latín, cerebrito.

—Conozco la lengua de Virgilio y Horacio, pero la frase no me es familiar. Si quieres, te buscaré una referencia en mi base de datos.

Bosco lo miró, suspicaz.

A continuó:

—Queríais información, ¿no? —A pretendía devolverle a Bosco la humillación—. Sólo os la daré si Víctor demuestra su inteligencia. Todo tiene un precio. Sobre todo, el saber.

—Venga, A, que esto no es un juego —dijo Bosco con seriedad.

—Entonces, adiós. —Su imagen en la pantalla empezó a perder nitidez, como si comenzaran unas extrañas interferencias.

—No, no. Por favor... —intentó mediar Julia.

—Bueno, veo que sabéis rectificar. Una virtud de sabios —dijo el hacker, envalentonado—. Víctor, en menos de cinco segundos debes encontrar los números que ocupan el quinto lugar, en cada una de las dos series que te voy a dar. ¿Te ves capacitado?

El profesor, con el entrecejo fruncido, no respondió.

En su pantalla aparecieron las dos series de números:

A) 21, 23, 27, 33, ◯
B) 21, 23, 27, 35, ◯

Casi al momento, exclamó:

—41 y 51.

A asintió con un gruñido de fastidio, mientras Víctor le explicaba a Julia:

—En la primera serie de números, llamada A, la segunda cifra se obtiene añadiendo dos unidades al primero; el tercero tras sumar cuatro unidades al segundo; el cuarto, añadiendo seis unidades al anterior... Cada nuevo número se consigue incrementado en dos unidades la diferencia existente entre los dos anteriores, de modo que para obtener el número que sigue al 33 hay que añadirle ocho unidades, y la respuesta es el número 41.

Y sin esperar que Bosco le explicara más detalles, Saldivar añadió:

—Sí, ya entiendo. En la segunda serie, la B, cada uno de los números se obtiene a partir del anterior, añadiéndole 2, 4 y 8 unidades. Los incrementos se consiguen multiplicando por 2, en vez de sumar 2 unidades. Siguiendo el razonamiento, el número que ocupa la quinta posición se calcula añadiendo 16 unidades al cuarto. O sea, el número 51.

El inglés pensó que a su compañera no se le escapaba una. Y cerró los ojos: por hoy había visto demasiado trozo de avión. La cabeza le daba vueltas y las piernas comenzaban a temblarle. Cuando le sobrevenía el pánico, necesitaba concentrarse para no arrancarse el cinturón de seguridad y salir corriendo.

Súbitamente apareció una gran cobra en la pantalla. Era la particular manera de A de decir que salía de la conversación.

—Bien, por ahora habéis ganado —dijo el hacker. Su imagen desapareció—. Aquí tenéis los datos del genio de Pisa.

Galileo Galilei

Nació en Pisa en 1564.

A los veinticinco años era profesor auxiliar de matemáticas.

Demostró a sus alumnos que la velocidad de caída es independiente del peso, dejando caer desde la torre inclinada de Pisa dos objetos de pesos diferentes.

Desmentía así a Aristóteles, que defendía que la rapidez de caída de los cuerpos era directamente proporcional a su masa.

A pesar de enseñar la teoría de Tolomeo y Aristóteles, que considera que la Tierra permanece inmóvil, **durante las clases comentaba la nueva perspectiva heliocéntrica de Nicolás Copérnico:** la Tierra y los demás planetas del Sistema Solar giran alrededor del Sol.

Se enfrentó a los prejuicios religiosos de la época, y algunos profesores se burlaron de sus descubrimientos. En 1615 viajó a Roma para defender su teoría del movimiento de la Tierra ante el cardenal inquisidor y jesuita, Roberto Bellarmino.

Sus argumentos no fueron bastante convincentes y, en 1616, la obra de Copérnico, *De Revolutionibus,* que explica los movimientos de los planetas y la teoría heliocéntrica, **se incluye en la lista de los libros prohibidos.**

Galileo es obligado a arrodillarse ante el tribunal y a renegar de sus teorías, aunque nunca dejó de pensar que estaba en lo cierto.

Antes de levantarse, murmuró: *E pur si muove,* **que significa «y sin embargo, se mueve», refiriéndose a las órbitas que los satélites de Júpiter describían alrededor del planeta.** Este hecho, crucial en la historia de la ciencia, a pesar de no ser corroborado por todos los biógrafos, refleja su pensamiento.

A pesar de retractarse, se le condenó a prisión perpetua. Dos años más tarde **la condena fue conmutada por la de arresto domiciliario.**

Murió ciego y desengañado de la vida en su villa de Arcetri, en 1642.

- **El 31 de octubre de 1992, más de 300 años después de ser condenado por hereje, el papa Juan Pablo II retiró la excomunión a Galileo.**
- **Inventó el pulsómetro, precedente del fonendoscopio,** con el que los médicos auscultan a sus pacientes, y **el termómetro.**
- **Construyó un telescopio con la potencia de un prismático moderno.**
- Envió un anagrama al emperador Rodolfo, del Sacro Imperio, en el que le comunicaba el descubrimiento de los anillos de Saturno. La baja resolución de su telescopio le hizo creer que los anillos eran dos lunas situadas en lados opuestos del planeta. El texto dice: *Altissimum planetam tergeminum observavi* («He observado el planeta más alto en triple forma»).
- En 1610 publicó *Sidereus Nuncios,* donde exponía sus teorías sobre el movimiento de los planetas y el Sol como centro del Sistema Solar. Sus ideas fueron acogidas por personajes célebres como el astrónomo alemán **Johannes Kepler,** quien descubrió las leyes del movimiento de los planetas, o el jesuita Clavius, autor del actual calendario gregoriano. Incluso tenía a favor a los cardenales romanos, deseosos de mirar por el nuevo telescopio y observar las maravillas que anunciaba Galileo. Pero se impusieron las mentalidades defensoras de una interpretación rigurosa de las Sagradas Escrituras.
- Una carta descubierta el 21 de agosto de 2003 confirma que **el papa Urbano VIII** hizo que el proceso de la Santa Inquisición se realizara con rapidez, debido a su estado de salud.

    El Papa era amigo del científico desde su juventud, cuando estudiaban física. Por eso desestima la petición de muerte de la Inquisición. Pero a pesar de su amistad, no podía ignorar sus «blasfemias». Propone que no lo torturen, una práctica habitual, y que se le asuste mostrándole los instrumentos de tortura.

Frases célebres

«Nunca me he encontrado con alguien tan ignorante de quien no pudiese aprender algo.»

«En cuestiones de ciencia, la autoridad de mil no vale lo que el humilde razonamiento de un solo individuo.»

Eppur si muove («y sin embargo se mueve»); según la leyenda, murmuró estas palabras ante el tribunal de la Inquisición tras renegar de sus teorías.

La Tierra no es el centro del universo

Con su telescopio observó cómo unos pequeños planetas (lunas) daban vueltas alrededor de Júpiter. Vio Venus y Marte girando alrededor del Sol... Comprobó que existían cuerpos celestes que no giraban alrededor de la Tierra; esta observación desmentía la teoría geocéntrica según la cual la Tierra es el centro del universo.

Galileo y los astronautas

Aristóteles, 2000 años antes, había dicho que la **velocidad de caída** de los cuerpos es proporcional a su peso.

Esto significa que si un cuerpo pesa el doble que otro, caerá dos veces más rápido. Si pesa el triple, tres veces más rápido...

Sobre la superficie terrestre parece cierto. Una bola de hierro cae más deprisa que una pluma, pero es debido a la atmósfera, que frena a los cuerpos en caída libre, a causa de la resistencia del aire.

Si dejamos caer un martillo y una pluma de ave en dos tubos en los que antes se ha hecho el vacío —la resistencia del aire es nula—, ambos caen a la misma velocidad.

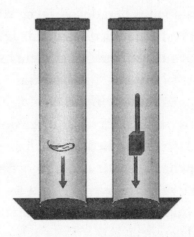

La pluma de ave y el martillo caen a la misma velocidad en el vacío.

Galileo se opuso a la teoría de Aristóteles que defendía que la velocidad de caída de los cuerpos es proporcional a su peso. Según Viviani, su discípulo y primer biógrafo, desmintió esta tesis dejando caer objetos de diferente peso desde la torre inclinada de Pisa.

El italiano comprendió que la velocidad de caída libre, debida a la gravedad, es constante e independiente de la masa o el peso de los objetos. **Los astronautas del *Apolo XV* le dieron la razón, al dejar caer una pluma de halcón y un martillo sobre la superficie de la Luna.**

Millones de telespectadores vieron a través de sus aparatos de televisión cómo ambos cuerpos descendían a la misma velocidad.

—¡La iglesia tardó más de trescientos años en retirar la excomunión de Galileo! ¡Eso es hacer las cosas con calma! —exclamó Bosco.

—Piensa que los herederos del cetro de San Pedro llevan dos mil años fijando la doctrina de la iglesia. Y la iglesia tiene su propio tiempo, que no es el de los hombres.

—Lo que tú quieras, Julia, pero me parece demasiado tiempo. Hasta para una religión.

—No nos pagan para tener discusiones teológicas.

—Está claro —dijo Bosco, con los ojos cerrados y casi un susurro de voz. Se sentía cansado, y mientras hablaba, se quitó las gafas y se frotó los ojos— que los causantes del robo en Pella y los que se han llevado el dedo de Galileo conocen la historia de la ciencia.

—Puede ser una manera de contarnos que están detrás de los dos robos: el del Museo de Pella y el del dedo de Galileo. O quizás sólo sea una estrategia para desviar la atención —comentó Julia, que conocía la manera de actuar de las sectas y otros grupos fanáticos de medio mundo.

Su compañero ya no pudo contestar. Acabó vomitando.

Por suerte llevaba bolsas de plástico.

* * *

En Florencia, el equipo de investigación consiguió la ayuda de un detective local que les mostraría los datos del extraño robo.

Estaban en la sala cuatro del Museo de Storia della Cienza, situado en la Piazza dei Giudici, al lado de la calle Lungarno de la Zecca Vechia, que bordea el río Arno y que cada día atraviesan centenares de turistas.

La ciudad es de una belleza serena y poderosa. Tomada por los extranjeros. Siglos antes, el joven escritor francés Stendhal había dado nombre a la sensación de ahogo que provoca la visión de tanta belleza concentrada: el síndrome de Stendhal.

—¿Y si no hubieran robado el dedo? —arguyó Julia.

—Mire, *signorina*, tenemos pruebas concluyentes de que fue robado —dijo el investigador, y mientras se rascaba la oreja, en un gesto que revelaba sorpresa, continuó—, pero no entendemos por qué rayos lo volvieron a colocar en su sitio.

—Entiendo lo que sugieres —terció Bosco.

Conocía la mirada de Julia. Esa mirada significaba muchas cosas. La primera y más importante, que era una mujer muy inteligente.

—Me explico para que nos entendamos todos: quizá robaron el dedo para devolverlo en un espacio de tiempo tan corto que pensaban que nadie podría notar su ausencia.

El detective sacó una libreta de su gabardina, como para apoyar su argumentación. Le faltaba el sombrero de fieltro negro. De hecho, parecía surgido de una película de cine negro de Hollywood.

—Eso es imposible, *signorina*. Verificamos los horarios del recinto. El robo se debió de realizar de noche, y a las seis de la mañana del día siguiente empieza su trabajo el servicio de limpieza. ¿Cómo se descuelgan por el ventanal sin que salten las alarmas, hacen un agujero en la vitrina de las mismas dimensiones que el diámetro del dedo y vuelven otra vez para simular que no ha pasado nada?

—Creo que la *signorina* —el profesor miró a Julia, con una sonrisa pícara— quiere decir que quizá él, o ellos, pensaron que podrían hacerlo en una noche. Que eran capaces...

—Exacto, *signore* —la voz de Julia no podía disimular cierto enfado con la bromita de su amigo entrado en carnes—. Quiero decir que quizá pensaron que en una noche podían hacerlo todo.

—No lo sé. Lo que sí sé es que aquí, oficialmente, no ha habido ningún robo. Hemos doblado la vigilancia en la zona para evitar que se repita. ¿Tienen idea de la cantidad de tesoros históricos que esconde esta ciudad? ¿Y el país? —El detective concluyó con una pregunta que no esperaba respuesta, mientras se guardaba la libreta y miraba de reojo la larga e imponente cabellera pelirroja de Saldivar.

Los dos agentes no se sentían tan aliviados como él. Tenían un gran problema: sabían demasiadas cosas.

Capítulo
7

Julia y Víctor descansaban en un agradable hotel de la campiña italiana, en las afueras de Florencia. La vista era tranquilizadora y bella: hileras de campos verdes y ordenados, con ese aire de misterio y eternidad que contagia la Toscana al viajero. Con sus pequeños pueblos, sus viñedos y sus campanarios que nos remiten al Renacimiento.

El profesor trató de olvidar la escena que había vivido al aterrizar en el aeropuerto, cuando había vomitado sobre el traje, carísimo, de una señora que parecía salida de un desfile de *prêt-à-porter* de Milán y que estaba cerca de donde se sentaban ellos.

¡Gajes del oficio!, pensó.

Pagaría los gastos de tintorería. Pero la vergüenza que había pasado le duraría mucho tiempo.

Los investigadores repasaban en la terraza del hotel la implicación en el Enigma Galileo de sectas, grupos paramilitares desconocidos o algo peor, sin encontrar una explicación convincente.

Julia no estaba de acuerdo.

—Mira, Víctor, cuando alguien no es lo bastante inteligente para encontrar una explicación lógica y racional, recurre a cosas extrañas, como a los extraterrestres.

—Creo que eres injusta con los investigadores serios del fenómeno ovni; olvidas que existen científicos que intentan captar señales de origen extraterrestre con potentes radiotelescopios y que son gente muy seria. ¿No has oído hablar del proyecto SETI? Es el acrónimo de *Search for Extraterrestrial Intelligence* («Búsqueda de Inteligencia Extraterrestre»).

—Sí, pero a nosotros nos pagan por hallar a los seres de carne y hueso que se encuentran tras estos robos. Creo que podemos hallar una solución sin recurrir a los hombrecitos verdes.

Víctor iba a responder cuando algo captó su atención y se quedó con la boca abierta. A través de la ventana de la habitación de la recepción distinguió algo en el televisor encendido que le llamó la atención.

Fue hacia el aparato para escuchar mejor el sonido.

El presentador del informativo explicaba con gesto cansado la extraña desaparición del manuscrito de Newton de la Biblioteca Nacional judaica de Jerusalén.

Julia lo siguió. Los dos se miraron: acababan de conocer su próximo destino.

* * *

El comisario de la policía secreta hebrea los introdujo en un despacho protegido en su exterior con sacos terreros y situado en una comisaría de la zona oeste de Jerusalén, relativamente a salvo del sector más inestable de la ciudad.

—Verán, el pergamino estaba siendo estudiado por el catedrático Ismael Peres, cuando desapareció de sus manos.

Esto nos lo ha explicado él mismo. Peres es uno de los expertos más importantes del país en historia de la ciencia. Hemos encontrado una sola pista: una pequeña moneda de oro que suponen que se le debió de caer al agresor durante el robo.

—¿Se trata de un robo político o hablamos de un móvil económico? —preguntó Julia, mientras transcribía en su cuaderno los pormenores que le narraba el policía.

—No lo sabemos —contestó el hombre, abriendo desmesuradamente sus grandes ojos negros—; lo extraño del caso es que los expertos en numismática no consiguen determinar su origen o procedencia. La aleación de la moneda tiene un porcentaje excesivo de oro. Nos ha explicado nuestro experto, Moshe Radzesky, que si cualquier gobernante hubiera cometido el error de acuñarla, habría llevado la economía del país a la ruina. Aunque fuera una edición con una tirada muy reducida.

—Existe otra posibilidad —continuó Saldivar, mientras movía sus largas piernas, bajo su falda gris, seguida por la mirada atenta y poco disimulada del policía—, el catedrático podría haber aprovechado la oportunidad para llevarse el pergamino.

El comisario sonrió. Esperaba un comentario parecido.

—Claro. De hecho, hay medios de comunicación sensacionalistas que ya aventuran esa posibilidad. Pero existen motivos para no creer en ella.

—Cualquier hombre, si considera el dinero que puede poseer llevándose ese tesoro y los sueños que puede realizar gracias a él, es capaz de hacer cosas que nunca se le habrían pasado por la cabeza en condiciones normales —dijo Víctor.

—Es un alto rabino.

—Los sacerdotes también pueden robar. Son seres humanos. La carne es débil —cortó el científico inglés, mientras buscaba en el bolsillo de su americana el paquete de cacahuetes comprado en el aeropuerto Ben Gurión.

La rapacidad de sus semejantes le provocaba hambre.

—Señor Bosco, ¿le parece posible que uno de los rabinos más respetados de nuestra comunidad, una institución, uno de los religiosos que defienden la paz con los palestinos a pesar de que sufrió un atentado terrorista que lo dejó en una silla de ruedas para el resto de su vida, y con sus ochenta y cinco años de edad, es el tipo de atleta superdotado que puede evaporarse de la Biblioteca Nacional con el pergamino, sin dejar rastro, y volver después explicando una historia tan surrealista? ¡Por el amor de Dios!

Bosco enrojeció. Dos segundos más tarde pensó que el anciano podía haber sido víctima de los efectos de una droga. Pero prefirió callar y no seguir con la polémica.

* * *

Ya en el hotel, Julia conectó su ordenador con el gran A, pero Víctor no quería saber nada de él, al menos de momento.

—Mira, Víctor, no quiero más suspicacias. Somos un equipo y debemos permanecer unidos.

El gran A tenía en su mesa de trabajo, repleta de equipos informáticos y fragmentos de pizza, una bandeja con exquisiteces italianas. Junto a él su mascota permanecía enroscada sobre un montón de papeles, bajo la luz de un flexo.

—Que aproveche —dijo la mujer.

—Gracias, he contratado un nuevo cocinero italiano. Antes de venir aquí era el chef del Casino de Montecarlo.

Sus fetuchini al pesto son deliciosos. Tienes que venir a probarlos. —La invitación no incluía a Bosco.

—Estaré encantada, siempre y cuando pongas a ese bicho fuera de mi vista —contestó Saldivar sin poder evitar un gesto de asco.

—Sabes que es inofensiva, la he criado desde que nació —replicó el joven.

—¿Qué has descubierto sobre el robo del manuscrito? —inquirió Víctor, que prefirió cambiar de tema.

—Antes os diré que Newton fija, en el documento robado, que el fin del mundo tendrá lugar en 2060. Son cálculos realizados a partir de los estudios de la biblia. Y Newton no era un tipo muy bromista que digamos. Al contrario.

—A, queremos datos. No chismes.

—La Biblioteca Nacional judaica de Jerusalén posee bastantes manuscritos del sabio inglés; fueron descubiertos en Inglaterra en 1930, y donados a este centro por su comprador.

—¿Existe algún dato útil en la biografía del científico?

—Supongo que sí. Pero ése es vuestro trabajo. —La amplia sonrisa de A le confería un rostro como de gárgola o animal mitológico. Aunque él no estaba hecho de piedra.

Víctor y Julia se apretaron ante la pantalla, que empezaba a mostrar la ficha sobre el científico.

ISAAC NEWTON

Nació el 4 de enero del 1643 en Woolsthorpe, una aldea 150 kilómetros al norte de Londres.

Asistió a la escuela primaria de Grantham. Se alojaba en casa del farmacéutico William Clarke, que poseía una biblioteca. Con la hijastra de éste tuvo su primer y último romance.

Allí aprendió latín y se inició en el estudio de la biblia.

Al enviudar su madre de nuevo, abandonó la escuela y un viejo sirviente lo instruyó.

Su familia quería que se hiciera cargo de la granja familiar, pero no tenía vocación de granjero. Construyó un molino de agua con presas y compuertas, mientras las ovejas invadían el maizal del vecino. Descuidaba sus obligaciones de granjero y **sobornaba a los sirvientes para que ocuparan su lugar los días de mercado.** Así podía leer e investigar.

En 1661 obtuvo una beca para alumnos pobres del **Trinity College de Cambridge,** y gracias al dinero de su madre y a trabajos para los estudiantes ricos pagaba sus gastos.

En 1665 es bachiller, pero interrumpe sus estudios y vuelve a Woolsthorpe al cerrarse la universidad a causa de una epidemia de peste.

En este periodo de casi dos años, en que sólo acudía a Cambridge para consultar los libros de la biblioteca, y antes de cumplir los 25 años, desarrolló la teoría de fluxiones (el cálculo diferencial, los fundamentos de la matemática superior), la base de la teoría de la gravitación, construyó un telescopio de reflexión y fijó la teoría de que la luz blanca es una mezcla de rayos de distintos colores, observando la descomposición espectral de la luz solar a través de un prisma.

Sus biógrafos califican este año —el 1666— como su *Annus Mirabilis,* por los descubrimientos hallados.

Escribió una de las obras más importantes de la ciencia: los *Principia Naturalis Philosophiae Mathematica*

(«Principios matemáticos de la filosofía natural»), donde sentó las bases de las **tres leyes del movimiento que rigen a los cuerpos terrestres y celestes.**

Cuando vivió en Londres fue presidente de la Casa de la Moneda y la Royal Society, y también investigaba. Fruto de este trabajo es su *Teoría corpuscular de la luz,* donde argumenta que la luz se compone de partículas individuales.

En 1705 es nombrado caballero por la reina Ana.

Abandona la capital por motivos de salud, y fallece en Kensington en 1727 a causa de una afección renal.

Fue enterrado en la abadía de Westminster.

- El economista más importante del siglo XX, John Maynard **Keynes,** compró un baúl lleno de documentos de Newton. Encontró profecías bíblicas y la reconstrucción del plano del templo de Jerusalén, que representaba un «emblema del sistema del mundo».

  Newton creía que el mundo es un reflejo de este templo, ya que lo había construido dios.

- **Fue parlamentario, y sólo intervino una vez en las discusiones. Al pedir el turno de palabra** por única vez, **se hizo el silencio: ¡el gran hombre tenía algo que decirles!**

  Pidió al conserje que cerrase una ventana por la que entraba una corriente de aire.

- Sufrió diversas crisis psicológicas, y algunos de los especialistas creen que pudieron ser debidas a diferentes experimentos de alquimia, en los que se habría envenado.

- Se dice que buscaba el elixir de la vida, la transmutación de los elementos y la piedra filosofal.

- Desconfiaba de la medicina oficial y se automedicaba, corriendo riesgos evidentes.
- Era muy despistado: su gata entraba en la casa por un orificio de la puerta. Cuando el animal parió, abrió siete agujeros para los cachorros.
- Alexander Pope le dedicó el epitafio: «La naturaleza y sus leyes yacían ocultas en la noche. Dios dijo: "Sea Newton", y todo fue luz».
- Mientras discutía con Leibniz la autoría del cálculo diferencial, utilizó su cargo de presidente para formar una comisión que investigara el caso. Después se supo que él redactó el informe de la comisión, acusando al alemán de plagio.
- Era aficionado a los anagramas.
- Al nacer sólo pesó un kilogramo.
- El filósofo John **Locke,** que se había negado a recibir a Voltaire, **quiso hablar con él sólo para comentar las Epístolas de San Pablo:** los dos se interesaban por los evangelios.
- Legó una gran colección de manuscritos y documentos personales referentes a textos bíblicos. Algunos temas de alquimia apuntan oscuras profecías, cálculos extraños y crípticos.
- **La manzana.** Tenemos dos versiones del incidente: en una se dice que al ver cómo una manzana caía de un árbol, comprendió que una fuerza procedente de la Tierra tiraba de ella. En otra, mientras meditaba sobre la fuerza que mantenía a la Luna en su órbita, cayó una manzana, y pensó que podía tratarse de la misma atracción gravitatoria.
- De joven se interesó por la mecánica, la astronomía (aprendió a predecir solsticios y equinoccios) y el viento. Cuando tenía dieciséis años se desató una violenta

tormenta. Mientras la gente buscaba refugio, él daba saltos a favor y contra la dirección del viento. Viendo las diferencias entre las longitudes de los saltos, calculó la fuerza del vendaval.

- El 29 de enero de 1667, a las seis de la tarde, recibió una carta con dos problemas del matemático Johann Bernoulli (1667-1748). A las cuatro de la mañana del día siguiente había resuelto unos problemas que matemáticos como Varignon, L'Hôpital o Gregory, que también recibieron la carta, fueron incapaces de resolver. A la mañana siguiente envió las soluciones al presidente de la Royal Society, que las publicó de forma anónima. Pese al anonimato, Bernoulli reconoció la firma del artista en la elegancia de las soluciones. Y dijo: *Ex ungue leonis* («He aquí las garras del león»).

- Newton creía que los rayos de luz están formados por **partículas** que viajan a gran velocidad a través del espacio. No obstante, un contemporáneo suyo, Huygens (1629-1695), decía lo contrario: que la luz estaba formada por **ondas** que se propagan a través del espacio y que debía de existir una sustancia invisible —*el éter cósmico*— que transmitía la vibración de estas ondas.

  ¿Quién tiene razón?

  Aunque parece extraño, hoy creemos que ambos estaban en lo cierto.

Ordenó el Cosmos

Su **teoría de la gravitación universal** fue un sistema perfecto, capaz de explicar y predecir el movimiento de todos los cuerpos del universo.

En *Principios matemáticos de la filosofía natural,* uno de los libros más importantes de la ciencia, Newton escribió las leyes de la dinámica, la ciencia que describe el movimiento de cualquier cuerpo cuando actúa sobre él una **fuerza.**

El universo es un lugar en constante movimiento y dedujo que la fuerza de gravedad es la que rige las trayectorias de planetas, meteoritos, galaxias... La Tierra, por ejemplo, gira alrededor del Sol gracias a la atracción de la gravedad.

¡Peligro, meteorito!

Explicó los movimientos de los planetas de nuestro Sistema Solar. Los planetas interiores: Mercurio, Venus, Tierra y Marte, son más pequeños y sólidos que los gigantes gaseosos. Éstos son Júpiter, Saturno, Urano y Neptuno, formados principalmente por gas y hielo, con un pequeño núcleo rocoso.

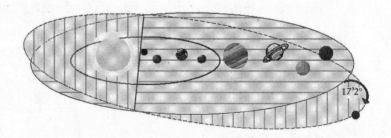

Plutón gira alrededor del Sol, en una órbita (rayas verticales) inclinada 17'2° respecto al plano de la eclíptica (rayas horizontales). La línea gruesa en negro separa los pequeños planetas interiores de los gigantes gaseosos exteriores.

En el año 2006, la UAI (Unión Astronómica Internacional) redujo a ocho el número de planetas del Sistema Solar. La nueva definición de planeta deja a Plutón fuera del sistema.

La teoría de Newton también describe el movimiento de los miles de millones de pequeños cuerpos que se encuentran más allá de los límites de nuestro sistema.

El **Cinturón de Kuiper** está más allá de Plutón. Es una región en forma de disco, y contiene pequeños cuerpos helados. Mucho más allá, encontramos una gran nube de cuerpos celestes, llamada la **Nube de Oort,** que envuelve el Sistema Solar y que contiene billones de estos cuerpos. De vez en cuando, alguno se precipita hacia el Sistema Solar, a causa de la gravedad de las estrellas próximas.

Quizá uno de estos meteoritos causó la extinción de los dinosaurios hace 65 millones de años. Es posible que el impacto de un meteorito, de sólo unos 10 kilómetros de diámetro, en la península de Yucatán (México) levantara millones de toneladas de roca pulverizada hacia la atmósfera. El planeta quedaría cubierto por una capa de polvo que impediría el paso de la luz solar, y las plantas morirían al no poder realizar la fotosíntesis. Pero no sólo se extinguirían las plantas. Desaparecerían los animales que se alimentan de ellas, y se rompería la cadena alimenticia de todo un planeta.

Quizás ésta sea la explicación de la desaparición de los dinosaurios, que dejaron paso a otros animales más pequeños: los mamíferos.

La teoría de Newton fue considerada, durante mucho tiempo, un sistema único capaz de explicar, y predecir —determinismo—, cualquier fenómeno del universo.

Hoy sabemos que esta afirmación queda lejos de ser cierta.

—Resulta increíble pensar cómo con los pocos instrumentos de los que disponía Newton pudo deducir la teoría de la gravitación universal, que explica el movimiento de cualquier partícula del cosmos —dijo Julia.

—Y ya veis que esta teoría no es la última palabra —añadió A, satisfecho por la acogida de su dossier.

—Estaba pensando que Newton puso fecha al fin del mundo: el 2060. ¿Intentará alguien descubrir nuevas pistas escondidas en el pergamino? —dijo Víctor.

—Quizá..., pero olvidáis otras razones. El pergamino puede valer millones en el mercado negro. También puede ser un robo por encargo que no tenga nada que ver con teorías del fin del mundo —añadió Julia—. Investigamos un robo. Es lo único que sabemos.

—El caso del manuscrito de Newton quizás sea un simple robo, pero olvidas que tenemos demasiados robos en lugares muy lejanos del mundo, y pueden tener relación entre ellos. No descartes nada. —Bosco no quería cerrar ninguna puerta.

—No insistas en tus teorías sin sentido. Todavía no he visto ninguna prueba evidente que relacione los robos. —se burló A.

—Pero hemos conseguido conectar la desaparición de los mosaicos de Pella con el dedo medio de Galileo en Florencia. Los que robaron el dedo de Galileo son los mismos que robaron el mosaico en Macedonia. Analicemos el robo de Jerusalén: ¿Newton acuñaba monedas de oro? —Bosco pasaba al ataque, aunque A lo ignoraba.

—¿Cómo? —el joven movió su lengua nerviosamente: parecía desconcertado por la pregunta. Calló. Una actitud poco habitual en él.

—Los investigadores israelíes han encontrado una moneda de una aleación imposible por su pureza, al menos para esta región. Y me preguntaba si podía ser el resultado de algún experimento de Newton.

A seguía con la lengua fuera. Su gesto nervioso fue la última cosa que vieron de él.

La pantalla se sumió en un negro profundo.

Víctor había presionado demasiado al genio informático.

Julia, ¿me oyes?

La mujer dormía plácidamente en la cama del hotel, mientras las palabras de A surgían del micrófono del portátil, conectado a internet. Dos segundos más tarde, el aparato empezó a emitir un sonido agudo e intermitente. Como una queja o un lamento.

La centroamericana abrió los ojos, como si unos poderosos brazos la arrancaran de su sueño más profundo y la lanzaran de golpe hacia una realidad demasiado dura. Somnolienta y arrastrándose, se levantó de la cama y fue hacia el ordenador, emplazado en el escritorio de la habitación.

No sabía ni lo que estaba haciendo.

—Pero, Alfred, ¿sabes qué hora es? —preguntó, mirando a la cámara web colgada en la parte superior del ordenador portátil.

—No me llames Alfred.

—Perdona, me parece que estoy soñando —contestó medio dormida y extrañada.

—La verdad es que no he mirado qué hora tenéis ahí. Llevo una eternidad trabajando y..., ¡uf! Estás muy sexy, Julia —dijo A, mirando su camisón de color rojo fuego.

—¿Me despiertas para intentar ligar? —preguntó molesta.

A tenía la lengua sobre la parte izquierda de su labio superior. Sus pensamientos no se concentraban en ningún problema filosófico, pero lo último que deseaba era enfadar a Julia.

—No. No. Tranquila. Sólo quiero explicarte que el satélite de comunicación me ha jugado una mala pasada y por eso ayer se colgó la comunicación. ¡Ah! Y no le des importancia a la moneda de los israelíes. Oriente Próximo es una de las cunas de la humanidad, y debido a las guerras, existen muchas monedas como ésa, sin datar ni catalogar. Sin signos distintivos. Parece algo increíble, pero es habitual, créeme. Puede ser una acuñación realizada para llevarse todo el oro y protegerlo de algún invasor.

El valor de un hombre se mide por la talla de sus enemigos, pensó Víctor, aunque no recordó de quién era la frase. Quizás de un tal Víctor Bosco.

Estaba conectado en red al mismo tiempo que Julia. Pero eso ya lo había detectado el gran A, y no le gustaban las conversaciones de dos que se convertían en diálogos a tres bandas.

Pero no dijo nada.

* * *

A la mañana siguiente, aprovechando que tenían tiempo, los dos agentes fueron hacia el Mar Muerto, el punto más bajo de la Tierra. Para llegar allí atravesaron una serie de caminos angostos y difíciles. Pero valió la pena.

La imagen bastante voluminosa de Bosco, flotando sobre una extensión de agua con ese contenido de sal, resultaba muy graciosa. Se hallaban a casi 400 metros bajo el nivel del mar, en un lago de 1.093 kilómetros cuadrados de extensión, que hoy es un atractivo más de la zona para los turistas. Gente de todas las edades que se zambullen en sus barros negros, muy codiciados en los centros de belleza de todo el mundo.

—No te rías, Julia —le recriminó Víctor—, algunos tenemos ciertas ventajas en este mar de sal.

Muy cerca de allí están las cuevas de Qumrán, donde se hallaron los famosos manuscritos del Mar Muerto, que contenían diferentes fragmentos apócrifos del Nuevo Testamento, con un Jesús casado con María Magdalena y mucho más cercano al pueblo que la visión tradicional que ha llegado hasta nuestros días. En todo caso, son documentos no aceptados por la iglesia católica.

Bosco estuvo magnífico: se zambullía sin éxito y volvía a la superficie con una voltereta sorprendente. Era como si corriera sobre las aguas. Fue una atracción extra para los turistas.

Comieron en la terraza de un restaurante cercano. Un sitio tranquilo al que no llegaban demasiados extranjeros. Y, de pronto, sucedió. Como si unos nubarrones le hubieran ensombrecido el rostro, Bosco se enroscó en un silencio prolongado.

—¿Te ocurre algo? —preguntó ella.

—Pensaba en la actitud extraña de Alfred de esta madrugada. Actúa como si quisiera desviarnos de nuestro objetivo. No me gusta. Y luego te llama cuando estás dormida para sacarse de la manga otra teoría sobre la moneda. Diría que quiere complicar la investigación.

—Ya sabes que es un poco especial. Tiene un carácter difícil. Se crió solo: no ha conocido a sus padres. Hace lo que le da la gana. Ni el ejército le hace obedecer. ¿Cómo es la frase que suele decir?

—En el detalle hallarás todas las respuestas.

—Exacto.

Los dos rieron la ocurrencia del gran A.

Víctor se dirigió hacia la pequeña tienda de revistas que estaba cerca del restaurante y compró *The New York Times*. Hay pequeños ritos diarios, un café, una pasta, un cigarrillo, que producen un placer extraño en las personas cuando los hacen fuera de su ambiente habitual. No se lo comentó a Julia, pero le emocionó que en el otro extremo del mundo tuvieran prensa norteamericana. Aunque en el caso de Israel le pareciera lógico, dada la relación entre los dos países.

Los agentes se relajaban en una terraza de bar, tomando dos cafés de Arabia. El líquido de las tazas desprendía neblinas onduladas de humo sobre el tapete blanco de la mesa. La temperatura era tan benigna y estaban tan cómodos que se diría que nadie podía querer matar o morir en aquella parte del mundo que había sido testigo del nacimiento de las tres grandes religiones. Y en cambio, así era.

De pronto, Julia, que leía el periódico, señaló al profesor una pequeña columna en la parte superior derecha de la publicación.

—¿Alguna novedad?

Víctor leyó la información que le señalaba su compañera, insertada a última hora, según informaban los redactores, y que explicaba la desaparición de un manuscrito sobre mecánica y física de uno de los científicos más importantes del siglo XVIII, Louis de Lagrange, que se conservaba en la Biblioteca del Instituto de Francia, en París.

El incidente estaba unido a una misteriosa explosión en las dependencias interiores del pequeño y valioso centro fundado a finales del siglo XVIII, bajo los aires renovadores de la Ilustración. En el suceso había muerto un viejo guardia encargado de los archivos.

La agente cogió su móvil y habló con O'Connor.

—¡El mariscal Gérard ya me ha puesto al corriente del caso! —El general parecía sorprendido de las novedades llegadas de Francia—. ¡Pero que me aspen, no entiendo nada! ¡Los franceses aseguran que se trata de una pequeña explosión nuclear controlada, pero nuestros expertos dicen que no existe una bomba capaz de crear ese efecto! ¡Para que se hagan una idea, hablamos de una reproducción en miniatura de las explosiones nucleares! Es incomprensible.

—¿Puede ser un error? —aventuró su subordinada.

—Por favor, Julia, los servicios de seguridad franceses están en el caso. Gérard me ha asegurado que no nos ocultan nada. Están muy nerviosos, piense que la biblioteca posee, entre otras maravillas, doce libros con notas y dibujos de Leonardo da Vinci sobre temas científicos. Tienen un valor incalculable.

—Lo comprendo, señor, y... —Su superior no la dejó acabar la frase.

—Quiero que se pongan a trabajar, y quiero hipótesis, ya. Este caso nos está desbordando. —La voz tronó en el auricular. La agente alejó el aparato unos centímetros de su oído.

Prefería no quedarse sorda.

Tras soltar algunas maldiciones, O'Connor colgó, farfullando algo sobre el maldito Enigma Galileo y los trabajos sencillos que se complican.

* * *

Una vez registrados los rincones de las habitaciones del hotel en las que se alojaban el inglés y la centroamericana para localizar un posible micrófono oculto, Bosco y Saldivar conectaron con el hacker del equipo.

Al instante el rostro de A inundó la pantalla.

—Víctor, no lo olvides. En el detalle se halla la verdad. Resuelve este nuevo acertijo. Si puedes.

—¡Por favor, más juegos no! —exclamó el profesor.

—Si las dos agujas de un reloj —el hombre serpiente, continuó, imperturbable— señalan las doce en punto, dirección que identificamos con el Norte geográfico, ¿en qué dirección apuntará el minutero cuando la aguja horaria ha recorrido un ángulo de 3'75°? Es un poco difícil, ahora te dejaré mucho más tiempo. Pongamos... ¡diez segundos!

Transcurridos nueve segundos, y tras unos veloces y frenéticos cálculos, Bosco respondió:

—La aguja horaria tarda una hora en recorrer la doceava parte de la esfera del reloj, que corresponde a un ángulo de 30°. El minutero describe una vuelta durante ese periodo de tiempo. De lo que se deduce que la aguja de los minutos tiene una velocidad angular 12 veces superior a la manecilla horaria. Cuando la aguja de las horas ha recorrido un ángulo de 3'75°, el minutero habrá recorrido una amplitud angular doce veces mayor y señalará hacia el noroeste (NO), si tomamos como referencia los puntos cardinales.

El gran A rió, nerviosamente.

—Sabía que no me defraudarías. —A cada nuevo éxito de su compañero, redoblaba su admiración por el científico.

Bosco sonrió: pensó que si no descubrían la verdad, al menos repasarían la historia de la ciencia.

Joseph Louis de Lagrange

Nació en 1736 en Turín, capital del reino de Piamonte-Cerdeña.

La lectura de las memorias de Sir Edmund Halley despertó su vocación matemática.

A los diecisiete años ya era profesor de matemáticas en la Escuela Real de Artillería de Turín. Estudiaba los problemas de física que le proponían sus compañeros usando técnicas matemáticas. Uno de sus amigos, Foncenex, llegó a ministro de Marina de Cerdeña por un trabajo que se dice que realizó él.

A los diecinueve años resolvió un problema irresoluble durante cincuenta años. Envió una carta con la solución al matemático Euler, que ocultó unos resultados parecidos, dejando que el mérito recayera en el joven Lagrange.

El rey Federico II de Prusia le llamó en 1776 para dirigir la Sección Físico-Matemática de la Academia de Berlín, donde realizó la mayor parte de su obra. El monarca le propuso que «el matemático más grande de Europa viviera en la corte del rey más grande de Europa». Conociendo su mala oratoria, lo liberó de las conferencias. Sus colegas alemanes estaban resentidos, pero Lagrange se desenvolvía bien en sociedad.

Federico valoraba su empatía, diferente al talante arisco de Euler, otro genio que había estado en la corte, a quien el rey llamaba «viejo cíclope de la matemática», debido a la pérdida de la visión de un ojo. Sobre él, el rey dijo: «He podido reemplazar en mi Academia a un matemático tuerto por un matemático con dos ojos que será bien recibido en la Sección de Anatomía».

Se casó con una de sus primas de Turín, y a la muerte de su mujer, se volcó más en su obra: «Mis ocupaciones se reducen a cultivar la matemática tranquilamente y en silencio».

Cuando murió Federico, 11 años más tarde, se trasladó a París, instalándose en el Louvre bajo la protección de Luis XVI. Cuando estalló la **Revolución Francesa, que llevaría a Napoleón al poder,** permaneció en el país, aunque la **Convención** expulsó a los extranjeros. En 1792 se casó con la hija del astrónomo francés Semonnier.

El emperador admiraba las matemáticas. Dijo: «El progreso y el perfeccionamiento de las matemáticas están íntimamente ligados a la prosperidad del estado». Hasta su muerte, el 10 de abril de 1813, Lagrange dio clases en la Escuela Normal y en la Politécnica. Y fue presidente de la comisión para la reforma del sistema de pesas y medidas que **estableció el sistema métrico decimal,** gran oficial de la Legión de Honor, conde del imperio y senador.

- Napoleón lo admiraba, y dijo: «Lagrange es la inmensa pirámide de la ciencia matemática».
- Era racional y poco comunicativo. Cuando su amigo D'Alembert le reprocha por carta que no le mencionara su boda, responde: «Si me he olvidado de informaros ha sido porque todo ello me parecía tan falto de importancia que no era digno de que me tomara la molestia de hacerlo».
- Su padre fue un especulador arruinado, aunque al físico no le importaba: «Si hubiera heredado una fortuna, probablemente no me habría dedicado a las matemáticas».

- Despreciaba la geometría. En el prefacio de su obra maestra, *Mécanique Analitique,* se lee: «En esta obra no se encontrará ninguna figura».
- **Predijo la existencia de unos puntos en el espacio adecuados para situar satélites.** Los «puntos de libración de Lagrange» son **los lugares geométricos donde un cuerpo ligero que se encuentra girando entre otros dos cuerpos pesados está en equilibrio gracias a la gravedad.** De hecho, un sistema de tres cuerpos, con los cinco puntos de Lagrange, lo forma el Sol con cualquiera de los planetas del Sistema Solar y alguno de sus satélites. Por ejemplo, el Sol con Marte y Phobos, uno de sus satélites, también crea los cinco puntos de Lagrange.

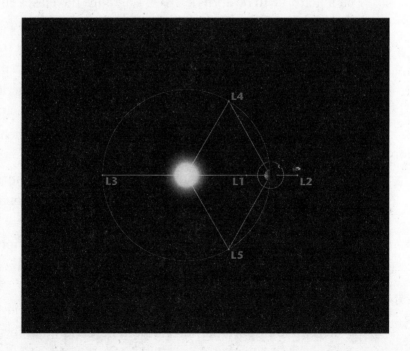

Posición de los puntos de libración de Lagrange (L1... L5) en el sistema Sol-Tierra-Luna.

El interés de estos puntos era académico, hasta que en 1906 el astrónomo alemán Max Wolf descubrió en la órbita de Júpiter un asteroide que parecía oscilar alrededor del punto L4 del sistema Sol-Júpiter, y al que llamó Aquiles. Y se descubrieron más asteroides alrededor de este punto, que recibieron nombres de héroes griegos.

Físico y matemático

A los veintitrés años ya se le consideraba un gran matemático.

Sugirió que podía localizarse una partícula en el espacio mediante cuatro dimensiones: tres coordenadas espaciales y una temporal. Esta concepción del movimiento se haría popular a partir de 1905, cuando Einstein la utilizó en su teoría de la relatividad.

Desarrolló unas ecuaciones que describen la trayectoria de un cuerpo en movimiento. Las **ecuaciones de Lagrange** son sólo herramientas matemáticas que, una vez resueltas, explican infinidad de problemas de forma elegante y sencilla. Su belleza radica en su simplicidad y su capacidad para describir muchos fenómenos.

Explicó el movimiento de libración de la Luna, gracias a la ley de la gravedad universal propuesta por Newton 100 años antes. Nuestro satélite no presenta siempre la misma cara a la Tierra, sino que existen desviaciones en la posición que el científico explicó.

Con veintiocho años resolvió este problema y fue galardonado con el Gran Premio de la Academia Francesa de Ciencias en 1764, distinción que obtuvo tres veces más por trabajos relacionados con el movimiento de la Luna y los cometas.

El hacker seguía conectado con sus compañeros, esperando que acabaran de leer el informe.

El dossier de A dejó a Bosco sumido en un mar de dudas.

—Hasta ahora —dijo— todos los robos parecían relacionados con científicos que han trabajado en temas de física. ¡Pero Lagrange era matemático!

—Sí, pero no olvides —recordó Julia— que desarrolló unas ecuaciones que sitúan un objeto en movimiento en el espacio y el tiempo. Y eso es física, ¿no te parece?

El profesor no contestó.

—¡Nunca haréis nada en la vida si sólo os preocupa la superficie de las cosas! —gritó A desde la pantalla del ordenador, mientras sus compañeros le miraban como si vieran a un chalado—. No quiero interrumpir vuestras discusiones filosóficas, pero el último informe que nos ha enviado la CIA explica que algunos grupos terroristas radicales islámicos poseen armamento nuclear táctico, y la poca intensidad de la bomba pudo ser debida a fluctuaciones de los átomos. Al simple azar.

—Hablas de suerte, A. La ciencia no es una lotería.

—Los descubrimientos también son fruto del azar, Víctor. No lo olvides.

Cuando cortaron la comunicación, la pareja tenía demasiada información en la cabeza y pocas certezas, en una investigación que cada día les ofrecía nuevas sorpresas.

Saldivar vio el rostro preocupado de Bosco y antes de poder preguntarle nada, éste expresó sus pensamientos.

—¡Lo de Francia es increíble! Piensa en la posibilidad de que grupos terroristas, poseedores de una tecnología superior a la admitida por la ciencia convencional, estén involucrados.

—Quizá sean científicos de alguna potencia descontrolada —dijo la agente Saldivar, mientras enviaba un correo electrónico cifrado a sus centros de investigación del Oriente Próximo.

«Descontrolado» era una manera elegante de la CIA para calificar a países enemigos.

—Lo que es seguro es que una gran inteligencia, o un grupo de ellas, mueve los hilos de esta cadena de enigmas; debemos descubrir lo que pretenden, antes de que sea tarde.

El sonido del móvil de Julia rompió sus elucubraciones. *Born in the USA,* de Springsteen.

—¡Todavía te gusta Springsteen!

Saldivar sonrió. Le vinieron a la mente demasiados momentos agradables para ser olvidados. Pero cortó en seco el conato de nostalgia. La habían entrenado para ello.

—Tenemos algo, viejo profesor. ¡Por fin, tenemos algo! —Al otro lado de la línea telefónica parecían saber algo que ellos no habían descubierto.

¡Por fin han encontrado una pista que nos ayudará a resolver el caso!, pensó Víctor.

Bosco se dio cuenta de que no le gustaba la idea de abandonar un hotel tan agradable.

Pero Saldivar ya tenía las maletas casi hechas. Él ni las había abierto. ¿Para qué?

Normas de la organización: nunca cojas cariño a ningún lugar, siempre estás de paso.

Toda una filosofía de vida.

* * *

En Osaka, al otro lado del mundo, una sombra se deslizó con agilidad felina a través de los tejados del paisaje hormigonado de la ciudad dormida. Una sombra más en el reino de las sombras. Alguien como él se entrena toda la vida para vivir un momento así. Ser un pequeño susurro de vida. Pasar inadvertido. Hacer de la capacidad de la mente una extensión de la voluntad.

Además de otras cosas muy poco comunes para la mayoría de la gente. Como lo que sucedió después, tras introducirse en el edificio.

Ninguna alarma lo detuvo. Desenvainó una espada forjada en la antigua tradición de los samuráis, y clavó su katana en los cuerpos de dos vigilantes, que ignoraban el peligro que los amenazaba. Cuando lo hizo, tuvo la sensación de estar viviendo un sueño, participar de algo ajeno a él, y, sin embargo, sabía que acababa de matar a dos personas.

Como si siguiera un plan trazado de antemano con minuciosa exactitud, atravesó una serie de pasillos hasta llegar a su objetivo.

Pasados cinco minutos, se plantó ante una vitrina que contenía una reliquia muy especial, sumergida en un gas conservante que mantenía su interior a una temperatura bajo cero. Rompió el cristal de protección y con sumo cuidado depositó su contenido en un pequeño armazón de plástico duro.

Luego lo introdujo en una pequeña bolsa negra, camuflada en su traje oscuro. Como movido por un resorte interior, inició una endiablada carrera de huida, mientras oía las sirenas y los primeros policías que llegaban al lugar de los hechos.

Millares de ideas le martilleaban la cabeza mientras corría. Ideas contradictorias y aparentemente sin sentido.

Hacía días que no encontraba la paz. Algo en su mente amenazaba con romper su equilibrio interior. Se sentía un intruso de sí mismo. Como si algo o alguien se hubiera alojado en su conciencia y le obligara a hacer cosas que no debía.

Achacó sus dudas al cansancio y no le dio importancia.

Pero en ese momento ya no entendía nada.

Las alarmas del edificio emitían un sonido estridente y continuo, y él había matado y robado. Matado y robado, dos palabras que eran ajenas a su código de conducta.

Escaló el edificio que tenía ante sí, se encaramó al tejado y siguió corriendo, con la misma facilidad que si lo hiciera a ras de suelo. Tras un par de minutos, oyó el sonido de las sirenas que se acercaban gradualmente. *Más policía*, pensó. Pero no le importaba.

Ya estaba a la distancia suficiente para pasar inadvertido y no correr ningún peligro.

Descendió hasta el suelo, y atravesó una serie de callejuelas abigarradas, alumbradas por débiles haces de luz provenientes de farolillos de papel. De pronto, volvió a escalar la pared de un pequeño edificio de un par de pisos y se encaramó hasta el tejado.

Era noche cerrada, presidida por una luna llena risueña que, cuando las nubes desparramadas la dejaban, se reflejaba sobre los objetos y las formas, y los dotaba de un aire surrealista o de sueño incongruente. Un mundo desafiante y bipolar, hecho de amenazas potenciales y grandes descubrimientos. Se detuvo ante una zona de sombras.

—¿Llevas lo que acordamos? —preguntó la voz sumergida en la penumbra.

Yoshi buscó en el bolsillo lateral del traje de camuflaje. Corrió la cremallera y sacó una pequeña caja de plástico. En silencio, extendió sus brazos hacia el desconocido.

—Nunca mates a nadie que no lo merezca —dijo incoherentemente.

El Bushido, el código de honor del guerrero, decía algo parecido.

La caja le temblaba en las manos. Y lo peor es que no sabía por qué.

—Recuerda: no matarás, a menos que... —el desconocido bajó la voz hasta convertirla en un susurro peligroso.

Con oír el principio de la frase, pensó, ya era suficiente.

Su acompañante tenía que limitarse a repetirla y a actuar.

—No matarás, a menos que sea necesario para... —dijo el ladrón, en un tono de voz casi inaudible. Y mientras repetía mecánicamente la frase, sabía que su significado destruía todo aquello para lo que había trabajado y en lo que creía.

Su acompañante surgió de la zona de sombras. Caminaba lentamente, e iba cubierto con una capa negra que le tapaba el rostro.

—... a menos que sea necesario para la hermandad —musitó el japonés.

—Era necesario. La sabiduría contenida en esta caja no tiene precio —dijo su interlocutor al tiempo que recogía la caja y la depositaba en un bolsillo interior de la capa.

El profesor de artes marciales cerró los puños hasta hacerse sangre, con sus uñas alargadas, en la palma de la mano.

El dolor que inflige el mal sobre el bien. El dolor de la vida.

—Ahora cumple lo pactado. El día que esperabas ha llegado.

—Un día, te integrarás en el universo. El día que esperabas ha llegado. —El guerrero se sorprendió diciendo esto, y lo hizo como si repitiera un eco lejano.

Desenvainó su espada y la blandió en el aire ante el desconocido. La katana trazó dos semicircunferencias segando el aire. Hizo el mismo movimiento con el arma, una vez más. Su acero amenazante pasó cerca del rostro sumergido en sombras. Un movimiento pasmosamente rápido y que podía ser letal. Pero su acompañante ni se inmutó.

Ninguno de los dos lo hizo.

El ladrón se arrodilló. El rito debía continuar.

La punta del acero amenazaba ahora el estómago del hombre que había robado el cerebro de Einstein.

—No, Yoshi. Este final es demasiado fácil —musitó la sombra.

El resplandor de la luna iluminó el tejado, y Yoshi pudo ver claramente el rostro de su interlocutor. Al menos, sus ojos. Los ojos que inundaban su mente de una sabiduría grandiosa y, al mismo tiempo, de un dolor hiriente.

Todo sucedió sin un ademán. Sin un grito. Una crueldad gratuita y simple cayó sobre él como una maldición o una lluvia inesperada.

Yoshi rectificó con frialdad glacial la trayectoria del arma y dirigió la espada hacia su garganta.

Con un gesto enloquecido y en completo silencio la hundió en su cuello.

* * *

Mientras agonizaba, miró a su alrededor. Atenazado por el sufrimiento y el cansancio, apenas distinguía el paisaje que le acompañaba. Pero sabía que estaba solo.

Una duda lo dejó perplejo.

¿Había estado siempre solo? ¿Era real la persona con la que había hablado?

Las sombras se adueñaban del lugar. Pero su cerebro parecía más libre, en estas décimas de segundo de certeza y lucidez, de dolor y muerte, que en las semanas anteriores. Por fin había conseguido zafarse de su perseguidor. Volvía a ser él mismo. Como si su percepción fuera una casa con las persianas bajadas y, tras descorrer las cortinas y alzar las persianas, irrumpiera la luz del día para borrar toda la oscuridad del mundo. Y descubriera, de pronto, el significado de las cosas importantes de la vida.

En ese momento sucedió lo peor. Porque sólo entonces Yoshi comprendió que no soñaba. Que los ojos de su percepción veían la verdad de carne y hueso, de sangre y odio. Que aquello no era un sueño, y que a veces la realidad es mucho peor que la más terrible de las pesadillas.

Y por fin llegó la calma.

Capítulo
9

La agente de la cabellera pelirroja conectó con A desde el ordenador portátil. Saldivar no se maquillaba nunca, lucía una piel blanca intensa y resplandeciente, que contrastaba aún más, si cabe, con su cabellera pelirroja. Nada en ella delataba su origen centroamericano.

Quería toda la información posible sobre Einstein. Uno de los fragmentos en los que estaba dividido su cerebro había sido robado en Osaka, Japón.

La silueta de la isla de Okinawa, al sur del archipiélago nipón, era ya apenas un recuerdo en el horizonte.

El aparato de American Airlines atravesaba el mar del Japón, y llegaba al futurista aeropuerto de Kansai, en la bahía de Osaka, construido en 1994 por el arquitecto Renzo Piano sobre una isla artificial a cinco kilómetros de la costa. Y unido al continente por un puente y una línea férrea ultrarrápida de casi cuatro kilómetros.

Un aeropuerto que en 2003 demostró que podía resistir incluso los efectos de un terremoto.

Fue entonces cuando el joven anarquista de la red se comunicó con ellos.

—El informe sobre Einstein demuestra hasta qué punto el hombre es supersticioso. ¡Oh, perdón, quería decir religioso! —El joven rió teatralmente, y agarró el anillo de su nariz como si quisiera arrancárselo. Un nuevo gesto teatral de su repertorio que Bosco y Julia desconocían.

Un gesto, aparentemente, doloroso.

El carácter sarcástico de A atacaba a uno de los científicos más idolatrados de la historia:

—Einstein deseaba que su cerebro lo estudiara la ciencia. Teniendo en cuenta el alto concepto que tenía de sí mismo, lo encontraba natural. ¿No os parece? La materia se transforma. ¡Ah, claro! Pero queréis datos sobre su vida.

—Por supuesto, A —dijo, conciliadora, Julia.

ALBERT EINSTEIN

Nació en Ulm, Alemania, el 14 de marzo de 1879.

El médico del parto se sorprendió por el gran tamaño de su cabeza. Esa cabeza abultada les hizo temer que sufriera algún retraso mental.

Completó sus estudios de física y matemáticas en el Instituto Politécnico de Zúrich, donde ser alemán le convirtió en el blanco de las burlas de sus compañeros.

Sufrió privaciones económicas y pasó hambre. **Fue un estudiante mediocre que hacía novillos y aprobaba con la nota justa,** gracias a apuntes prestados.

Prefería estar en una mesa del bar pensando teorías que sus profesores ni se atrevían a soñar.

Terminó los estudios en 1900. Pocos años después, consiguió una plaza como técnico de tercera clase en la Oficina de Patentes de Berna.

En la mesa de un oficinista de patentes se desarrollaron las teorías que revolucionarían la física y la concepción que el hombre tenía del universo.

Publicaba sus estudios en los diarios científicos más importantes. Ya utilizaba el método *Gedankenexperimente* («experimentos mentales»). Consiste en imaginar situaciones, a menudo imposibles, y explicar cómo evolucionaría un sistema bajo ciertas condiciones. Con esta técnica indagó en problemas que lo intrigaban desde joven: ¿cómo se vería el mundo cabalgando sobre un rayo de luz?

Antes de los veintisiete años, en 1905, publicó tres trabajos de gran valor científico en la revista *Annalen der Physik*. Estos trabajos revalorizaron su prestigio académico y en 1909 fue nombrado profesor del Instituto Politécnico de Zúrich, **donde había estudiado sin destacar.**

Cuando los nazis tomaron el poder en Alemania, los Einstein emigraron a Estados Unidos.

El 1 de septiembre de 1939, los nazis invaden Polonia y estalla la Segunda Guerra Mundial. Einstein, pacifista convencido, animado por otros científicos, **escribió una carta al presidente Roosevelt** en la que le recordaba las consecuencias de la desintegración nuclear.

Antes de que Hitler desarrollara un arma como ésa, lo apremió a fabricar la bomba atómica.

Pero desde que las ciudades japonesas de Hiroshima y Nagasaki se desintegraron en medio de un hongo de fuego nuclear, nunca volvió a ser el mismo. Con sus íntimos comentaba que era un error haber iniciado la era atómica: **si los hombres estaban lo bastante locos para que estallase una tercera guerra mundial, la cuarta se libraría a palos.**

En 1948 le ofrecen la presidencia del estado israelí, recién creado. Se desconocen los motivos, pero rehusó. **Hubiera podido ser el primer presidente israelí.**

Pasó los últimos años de su vida en el Instituto de Estudios Avanzados de la universidad de Princeton (New Jersey). Escuchaba música y navegaba a vela. Allí llevó una vida tranquila dedicado a buscar una teoría «del todo» capaz de explicar cualquier fenómeno físico del universo.

Pero no lo consiguió.

Falleció el 18 de abril de 1955 en el hospital de Princeton.

Es un icono del siglo XX, y su imagen aparece en camisetas y pósters: lo vemos con el pelo revuelto, sacando la lengua, y se recuerdan sus frases, humanistas e irónicas. Su fama es tan grande que una teoría tiene prestigio si se la asocia con su nombre.

Los trabajos atribuidos al genio parecen multiplicarse, aún después de muerto.

Parecía torpe, distraído, pero su imaginación no tuvo límites, y aunque no respondió a todas las preguntas, planteó las cuestiones fundamentales. Alguien afirmó: «Cuando dios creó a Newton dijo: hágase la luz, pero cuando nació Einstein diría: que vuelva la oscuridad».

- No habló hasta los tres años.
- Fue educado en el judaísmo. A los once años se escapaba de la escuela o de casa para predicar el evangelio.
- Marilyn Monroe le propuso: «Profesor, deberíamos tener un hijo juntos; el niño tendría mi apariencia y su inteligencia». Él respondió: «Señorita, con mi suerte, el experimento podría ocurrir al revés».

- Tuvo varios romances: Anna Smith, su amada Tony y una espía de la Unión Soviética.
- Pagando a un taxista, no sabía darle el importe exacto. El taxista cogió las monedas y lo echó del taxi llamándolo analfabeto.
- No llevaba ropa interior ni calcetines. Tampoco usaba pijama.
- Diarios tan prestigiosos como *The New York Times* publicaban en primera plana y con grandes titulares sus fórmulas.
- Era descuidado y odiaba cortarse el pelo. Su mujer Elsa lo perseguía con unas tijeras para adecentarlo.
- Tras publicar la teoría de la relatividad, las universidades lo invitaban a impartir conferencias, y pusieron a su disposición un automóvil con chofer.

Einstein recibía los aplausos del público, que ante un tema tan complejo no hacía preguntas.

Un día el chofer le propuso: «Profesor, no entiendo nada de lo que dice, pero tengo muy buena memoria, y lo recuerdo todo exactamente, incluso las fórmulas. Me imagino que está cansado de repetir lo mismo y, como nadie pregunta nunca nada, he pensado que podría dar la conferencia mientras usted descansa».

El sabio comprueba que puede dar la conferencia, e intercambian sus papeles: el conductor, caracterizado con el cabello largo como el físico, da la clase, mientras Einstein se pone el traje azul oscuro, la gorra, y se sienta en la primera fila.

Todo iba bien hasta que fueron a una universidad de Baviera. Cuando el chofer termina la exposición y los asistentes aplauden, en el fondo de la sala alguien alza la voz, preguntando el significado de los términos de la tercera ecuación.

El conferenciante contesta: «Mi querido profesor, me extraña que me haga esta pregunta. Lo que quiere usted saber, lo sabe cualquiera. Mi chofer, aquí presente, se lo explicará».

Esta historia no ha sido comprobada, pero muestra que a principios del siglo XX no disponían de una sociedad de la imagen tan avanzada como la actual.

Hoy una falsificación así sería impensable. ¿O no?

- La vida de su hijo, Hans Albert, fue difícil. Cuando murió Einstein, Princeton le dedicó una estatua. Hans, ante ella, dijo: «Es muy difícil tener a una estatua como padre».
- Cuando Einstein fue a Estados Unidos, el científico Langevin comentó: «Este hecho es tan importante como la mudanza del Vaticano al Nuevo Mundo. El Papa de la física se ha mudado de casa».
- Le dijo a Charles Chaplin: «Goza de una envidiable popularidad en todo el mundo y comprendo que así sea, porque todos lo entienden con facilidad». Charlot respondió: «Pues mucho más envidiable me parece la popularidad de usted, profesor: ¡todo el mundo lo admira y nadie lo entiende!»
- Su lectura favorita era *El Quijote* de Cervantes.
- Chain Weizmann, antiguo compañero y primer presidente de Israel, cuenta que Einstein contestó al ofrecerle el cargo de presidente del país: «Estoy profundamente conmovido por el ofrecimiento del estado de Israel y, a la vez, tan entristecido que me es imposible aceptarlo».

- Un entrevistador le dijo al astrónomo y físico inglés Eddington (1822-1944): «He oído que usted es una de las tres personas que realmente entiende la teoría de la relatividad general». Eddington se asombró. Cuando el periodista le preguntó por qué, aclaró: «Estoy pensando quién puede ser la tercera persona».
- Una joven le dice: «¿A qué se dedica?» Él: «Me dedico al estudio de la física». Ella añade: «¿Tan mayor, y todavía estudia? ¡Yo me gradué en física el año pasado!»
- Se acostumbró a la fama, y a los fotógrafos. Cuando le preguntaron: «¿Usted a qué se dedica?», dijo: «¿Yo?... ¡Soy modelo!»

Una de sus mejores fotografías se obtuvo cuando cumplió setenta y dos años: sacando la lengua, con los cabellos revueltos. El espíritu rebelde del científico.

Frases célebres

«Sólo hay dos cosas infinitas: el universo y la estupidez humana.»

«Dios no juega a los dados.» Con esta frase expone su rechazo a la nueva teoría de la mecánica cuántica, que defiende que no es posible conocer con exactitud las medidas hechas sobre una partícula subatómica.

«No sé con qué armas se lucharía en la tercera guerra mundial, pero seguro que la cuarta sería con piedras y palos», respondió cuando le preguntaron si sabía con qué armas se lucharía en la tercera guerra mundial.

«Lo único que me impide aprender más es mi propia educación.» Con esta frase, el genio expone que nuestros conocimientos previos son un lastre que nos dificultan interpretar correctamente los nuevos descubrimientos y ser objetivos a la hora de aceptarlos.

«La religión sin la ciencia estaría ciega, y la ciencia sin la religión estaría coja también.» Einstein apuntaba que la ciencia y la religión pueden coexistir perfectamente.

«Para castigarme por mi desprecio a la autoridad, el destino me convirtió en una autoridad.» Así expresaba su talante liberal y poco amante de las normas. Este carácter lo hizo tener disputas con sus profesores.

«Una cosa he aprendido en mi larga vida: que toda nuestra ciencia, confrontada con la realidad, es primitiva e infantil, y con todo y eso es la cosa más preciosa que tenemos.» Expresaba así que nuestros conocimientos son ínfimos, comparados con la complejidad del universo.

¿El reloj nos engaña?

El tiempo universal no existe; es distinto para cada observador.

La relatividad tiene otro efecto sorprendente: la **dilatación del tiempo.** Este efecto puede medirse en la Tierra con dos **relojes atómicos** de alta precisión. Mientras uno permanece en el suelo, el otro se coloca en un avión que vuela alrededor del planeta. Antes de iniciar el vuelo, se sincronizan, pero cuando el avión aterriza y se comparan los cronómetros, siempre existe una pequeña diferencia: el reloj del avión ha ido un poco más lento. Se atrasa una pequeñísima fracción de segundo respecto al que está en el suelo.

Masa y energía: una misma cosa

Aunque construyéramos naves espaciales impulsadas por la energía nuclear de millones de bombas atómicas, no alcanzaríamos la velocidad de la luz. Ningún objeto material puede superar esta velocidad. En nuestro universo de cuatro dimensiones —tres espaciales y una temporal— es imposible superar este límite. Es una consecuencia de la teoría de la relatividad, y de la relación entre la **masa** y la **energía.**

$$E = mc^2$$

Hace unos 15.000 millones de años se produjo una gran explosión, el *Big Bang,* que originó el universo. Durante los primeros instantes sólo existía energía pura a una temperatura elevadísima. Pero a medida que transcurre el tiempo, el universo se enfría y la energía se transforma en materia: han aparecido estrellas, planetas o galaxias.

Podríamos decir que la masa es energía congelada.

En la fórmula, la velocidad de la luz $(c = 299.792$ kilómetros por segundo) está elevada al cuadrado, lo que a efectos de cálculo supone un número enorme. Este orden de magnitud nos explica que la conversión de un pequeño trozo de masa es equivalente a una inmensa cantidad de energía.

La teoría final del universo

Hoy existen dos teorías —aparentemente incompatibles— para explicar el universo: a grandes escalas (agujeros negros, galaxias...) se utiliza la **relatividad general.** Pero si miramos hacia lo infinitamente pequeño, lo que ocurre a escala microscópica se comprende con otra teoría: la **mecánica cuántica.**

La «teoría del todo», tan buscada por Einstein, sigue sin encontrarse y, aunque se ha desarrollado la teoría de supercuerdas, candidata a ocupar ese lugar de honor, todavía no ha recibido confirmación experimental. En el marco de esta teoría, la relatividad general y la mecánica cuántica no son incompatibles, sino que se complementan para explicar los fenómenos del universo.

La vida de Einstein era simple y sencilla. **Su concepto de belleza se unía con el de simplicidad.** Por eso durante sus últimos años buscó una teoría del campo unificado —teoría del todo—, capaz de explicar todos los fenómenos del universo a través de una teoría única.

Desgraciadamente, murió sin conseguirla.

—Las teorías de Einstein son sorprendentes. Creo que nunca conseguiré entenderlas del todo —confesó Julia a Víctor.

—A veces sus teorías contradicen el sentido común. La relatividad, sin ir más lejos: ¿no es increíble que alguien pueda imaginar lo que ocurre cuando se viaja a la velocidad de la luz?

—Desde luego —admitió ella—. Y lo que todavía me parece más increíble son sus consecuencias: dijo que el espacio y el tiempo son relativos. Algo que ahora parece una frase hecha de tanto repetirse, pero es cierta. Significa que la medida de la distancia, o del tiempo, dependen de la velocidad a la que se mueve quien hace la medición. Al menos esta teoría la he entendido.

—Cierto, ¿y qué me dices de la relación entre la masa y la energía? Eso sí que es sorprendente, y tuvo consecuencias inimaginables para la humanidad: la bomba atómica.

Julia miró a Víctor. Éste detectó en su mirada un gesto de desaprobación.

Y quiso defenderse:

—¿Qué pasa? No he dicho nada malo. Que yo sepa.

—Hasta ahora no, ¿pero me equivoco si no ibas a culpar a Einstein de la bomba atómica? Es como acusar a Winchester, el inventor del rifle, de todos los asesinatos cometidos con sus rifles. Él sólo formuló una teoría, que no tenía nada que ver con la bomba. Y aunque más tarde escribió una carta al presidente Roosevelt, de los Estados Unidos, animándole a que construyeran la bomba ante la amenaza que suponían los nazis, se arrepintió el resto de su vida.

—Estoy de acuerdo contigo, no te sulfures. Aunque no sé si Winchester y Einstein son comparables. El inventor del rifle ya sabía que su arma iba a ser utilizada, y no precisamente para repartir caramelos —le dijo Víctor en tono conciliador—. Lo que iba a decir es que Einstein mostró que era posible convertir la masa en una gran cantidad de energía. ¡Fue él quien nos abrió las puertas de la era nuclear!

—Sí, pero ya sabes que existe más de una manera de convertir la materia en energía. Hasta hoy las únicas centrales que funcionan son las de fisión nuclear. En los reactores de estas centrales se rompen los núcleos de los átomos de los elementos radiactivos, pero a pesar de que producen mucha energía, sólo una pequeña parte de la masa se convierte en energía durante la fisión, y se generan residuos radiactivos muy peligrosos. Algunos de ellos no desaparecerán hasta dentro de miles de años.

—¡Caramba! No conocía la cara ecologista de la pelirroja de hielo. Cada día me sorprendes más. Supongo que ahora añadirás lo del peligro de un desastre nuclear, como los de Chernobil y Three Miles Island. Soy consciente de las consecuencias de esta energía: nubes radiactivas, peligro de contaminación...

—No dramatices. Creo que la energía nuclear es bastante segura. Está claro que tiene riesgos e inconvenientes, pero ¿hay algo que no sea peligroso hoy en día? Además, es necesaria. Otro tipo de centrales, como las térmicas, también contaminan. Arrojan dióxido de carbono a la atmósfera. Y el dióxido de carbono es el principal responsable del efecto invernadero que calienta el planeta. Además, algún día se agotarán las reservas de combustibles fósiles. El petróleo, el carbón y el gas natural no pueden durar eternamente. ¿Sabías que se calcula que tenemos petróleo para poco más de cincuenta años? Y por ahora parece que las energías alternativas no son suficiente. La energía que nos llega del sol, o la fuerza del viento, el agua, las mareas... no serían capaces de satisfacer la demanda energética mundial. Nos guste o no, dependemos de la energía nuclear.

Víctor no añadió nada. Su expresión concentrada y su silencio mostraban que estaba bastante de acuerdo.

—Anímate, hombre. Las cosas no están tan mal. Vivimos una nueva fase de la era nuclear —dijo Julia—. Pronto dominaremos la energía de fusión. La misma que mantiene el Sol encendido. Ya sabes, la fusión es un proceso nuclear en que los átomos no se rompen, se fusionan. Además, un reactor de fusión es muy seguro, casi no genera residuos radiactivos y el combustible nuclear es fácil de conseguir. Puede obtenerse a partir del agua, y se libera mucha más energía que durante la fisión. Unos pocos litros bastarían para producir la electricidad que consume una gran ciudad durante meses. Es la energía del futuro.

—Sí —afirmó Víctor—, pero conseguir la fusión no es tan fácil. Un horno de fusión no se enciende a menos que se consiga alcanzar la temperatura que existe en el interior del Sol. Unos cien millones de grados, nada menos. No hace falta que te diga las dificultades a las que se tienen que enfrentar los físicos e ingenieros: son inimaginables.

—Ya lo sé. Pero lo conseguirán. El ingenio del hombre no tiene límites..., aunque a veces somos muy estúpidos. Siempre ha habido genios y siempre los habrá. Mira Einstein o...

—¿Por qué me miras así? ¡Ya sé que también soy un hombre, pero no tengo nada que ver con Einstein!

—No me hagas mucho caso. Pensaba que todos los grandes genios, en el fondo, están llenos de puntos oscuros y que debe de ser odioso compartir la vida con ellos.

—¿Me adulas? —El profesor no sabía si su compañera le tomaba el pelo.

—Bueno, tú también eres un genio. A tu manera. ¿Qué deduces del informe de A?

—Sobre el científico te diré que tiene luces y sombras, como todos los seres humanos. Incluido yo. Si te refieres al robo de su cerebro y a qué pueden buscar los ladrones, quizás la capacidad tan increíble de razonar que tenía. La llave maestra de la inteligencia. Estudiar la inteligencia más grande del siglo XX. Creo que es uno de los pocos científicos que podía trabajar sobre puras abstracciones. Que buscaba respuestas desde preguntas que parecen terrenos de la ciencia-ficción. Todo un personaje.

—Con un poco de suerte los japoneses nos aportarán más datos —deseó la agente, aunque no hubiera apostado demasiado por ello.

* * *

Japón aún les deparaba muchas sorpresas. Allí reconstruían los pasos del profesor de artes marciales suicida que robó el cerebro de Einstein. Víctor y Julia, a medida que descubrían los hechos con detalle, sólo podían admirar la secuencia de acontecimientos que tuvieron lugar la noche del robo del fragmento de cerebro del científico conservado en la universidad de Osaka.

Los acompañaba un delegado del gobierno japonés alto y moreno que dominaba la lengua de Shakespeare a la perfección, y destruía cualquier tópico acerca de la imagen del nipón como un individuo bajito y siempre un poco descolocado fuera de su país. Su acompañante los había agasajado con todo tipo de atenciones desde que descendieron del avión.

—Este hombre es tan atento que parece del servicio diplomático —comentó, entre dientes, la agente de la CIA a su compañero.

Bosco le miró y susurró al hombro de la agente:

—Sí, pero fíjate que responde a nuestras preguntas sin aportar detalles, guardándose un as en la manga.

El nipón continuó su narración: la escalada imposible del intruso, la eliminación de los enemigos, el robo y la huida a través de unas paredes que nadie normal podría escalar.

—Dígame, señor, ¿es habitual que los profesores de artes marciales realicen este tipo de acciones? —preguntó Saldivar.

—No, por supuesto. Pero el dominio de la mente y el cuerpo que consiguen estos individuos los hace muy peligrosos. Por suerte para todos, se dan pocos casos de este tipo. De hecho, Yoshi era una persona muy centrada. Regentaba una academia y era respetado entre los entendidos en la materia. Era un ejemplo para el resto de practicantes de este arte marcial que, más que una técnica de lucha, es una filosofía de vida.

El profesor recordó el caso del rabino Ismael Peres, acusado de robar el manuscrito de Newton. Su frágil figura era el centro de una virulenta polémica entre los israelíes que creían en sus palabras y los que pensaban que había robado el documento.

La imagen de A volvió a surgir de nuevo en su mente. *En el detalle se halla la verdad, ¿pero en qué detalle debemos fijarnos? El mundo está lleno de detalles*, pensó.

El japonés miró a los ojos de Julia y, adoptando una actitud misteriosa, les pidió que lo siguieran a un lugar donde nadie pudiera oírlos. El recorrido acabó en un bar del centro de la ciudad, atestado de jóvenes con uniformes escolares y alguno que otro rebelde que pretendían ser los reyes de la discoteca o de los videojuegos de moda. Con sus gafas de sol y su cabello peinado con laca hacia atrás.

En un apartado en semipenumbra, protegido por dos tipos trajeados, su guía habló:

—El gobierno japonés posee una nota del suicida. No se lo he dicho hasta ahora porque he recibido órdenes de mantener la máxima discreción posible sobre este hecho. En fin —el hombre tragó saliva—, supongo que deben saber que un suicida que se hace el harakiri no hunde su espada en su propia garganta. Más bien, ejem..., parece algún tipo de venganza hacia los saberes que estudia el Bushido. Una manera de dejar en ridículo el...

—No querría ser grosera, señor, pero la nota... —La centroamericana no soportaba a la gente que se va por las ramas y sabía que su interlocutor estaba demasiado acongojado para ser claro.

—El contenido de la nota es lo que queremos saber —terció Bosco, sin complejos ni demasiada diplomacia.

¿Cómo se tomaría el nipón su comentario?

—Sí, claro, aquí tienen una trascripción a su lengua —les dijo, ofreciéndoles un folio satinado. Parecía algo descolocado. Pero se mantenía en una postura digna.

Ambos devoraron las palabras del texto: «No quiero hacerlo pero me obliga la magia de la Hermandad de los...»

La Hermandad de lo que sea, otra secta de chalados, pensó Bosco. ¿Pero cuál sería la palabra que el agredido no llegó a escribir?

—El texto está incompleto. Por su reacción, entiendo que ninguno de los dos puede aportarnos demasiados datos sobre alguna hermandad europea o americana que haya actuado hace poco. —El hombre parecía decepcionado—. De todos modos, como esta organización parece ser más propia de su civilización que de la nuestra, les ruego que investiguen el caso y nos mantengan informados. No debería decírselo, pero Yoshi era mi hermano, y creo que esta nota demuestra que... es inocente.

Es increíble, pensó Bosco, *la fuerza que las tradiciones ejercen sobre esta gente. Le importa muchísimo más el honor de su hermano que su muerte.* Este descubrimiento lo dejó perplejo, pero aparentó una dureza que a él mismo le sorprendió, incluso resistió la imagen de las pupilas llorosas de su acompañante. Quizás las enseñanzas de Julia le influenciaban más de lo que quería admitir.

—No se preocupe, tan pronto como sepamos algo, le informaremos —mintió Saldivar, al tiempo que colocaba la mano derecha en su hombro, en un fingido gesto amigable.

* * *

Víctor se sirvió un whisky en la soledad de su habitación y pensó en la muerte horrible del hermano de su acompañante japonés, en la terrible fuerza de voluntad que logró atesorar para, en el último momento, explicar la verdad.

Su hermano parecía un buen hombre, merecía saber la verdad. Dijera lo que dijera Julia.

El hotel, construido en su parte externa en vidrio, en lugar de proporcionarle una sensación de libertad y amplitud, le parecía claustrofóbico. Al menos para él. Para alguien en su situación. *Todo resulta demasiado funcional, demasiado estético para ser agradable*, pensó Bosco.

Fue hacia la nevera y descubrió la típica bolsa de cacahuates en un rincón. ¡Su pasatiempo preferido! Con el crepitar de la primera corteza, empezó a atar los cabos sueltos del Enigma Galileo. Se sentía intranquilo. Y tenía una sensación desagradable en la garganta que ni siquiera los cacahuates hacían desaparecer.

Buscó un papel y un bolígrafo. Rápido.

Cuando quería ordenar sus ideas y conseguir que el mundo pareciera más habitable, cogía un bolígrafo y trataba de ordenar el caos. Luego todo se hace más fácil. Más llevadero. Era como si al poner negro sobre blanco sus ideas, éstas deshicieran los nudos de los problemas que lo atenazaban. Todo se volvía más sencillo. Y al mismo tiempo, más cálido. Cada hombre tiene su método particular de análisis, Aristóteles enseñaba filosofía a sus discípulos paseando y Platón creía en el esfuerzo físico para mantener la mente despierta.

Éste es mi método. Sobre el papel, todo parece más claro. ¿Qué hay en la escritura que tranquiliza el alma?, se preguntó el inglés.

No lo sabía. Pero era cierto.

Por no hablar de las virtudes del whisky. Otro relajante. A su lado los cacahuates son sólo un sucedáneo.

Hasta el momento, sabían:

a) La misteriosa moneda de oro encontrada obliga a pensar que detrás de los robos está una organización poderosa que controla una gran riqueza.

b) Los fantásticos medios que se han utilizado para realizar los robos sugieren que detrás de todo el entramado del Enigma Galileo existe un grupo de personas muy inteligentes que dominan las tecnologías más avanzadas.

c) La nota del profesor de artes marciales suicida, quien se supone que ha tenido que recurrir a toda su fuerza de voluntad para escribirla, nos lleva a pensar dos cosas: lo han obligado a realizar el robo empleando algún tipo de control mental y la referencia a una hermandad indica que es un grupo oculto y misterioso.

d) Los científicos a los que pertenecen los objetos robados han hecho aportaciones importantes sobre cuestiones relacionadas con las fuerzas y leyes del movimiento (dinámica y cinemática). Los robos se han realizado en orden cronológico.

Mientras escribió esto, el inglés volvió a pensar en A, y en el momento en que les habló de Aristóteles. ¿Por qué lo hizo? No lo recordaba.

Fue como el estallido inicial, el *Big Bang* de la investigación. El punto cero del Enigma Galileo.

¿Qué existía antes del *Big Bang*? ¿El vacío absoluto o el paraíso? Quizá las dos cosas fueran las dos caras de la misma moneda.

Este punto lo llevó a añadir un nuevo apartado. El quinto y definitivo. De momento.

e) *Alfred parece saber más de lo que dice.*

* * *

A la mañana siguiente, mientras almorzaban en el bar del hotel, el profesor comentó a Julia sus sospechas sobre A.

—Lo que te pasa es que no soportas que alguien tan joven como él tenga ese nivel de inteligencia. En una frase: le tienes envidia.

—No me hagas reír. ¡Cómo quieres que envidie su reclusión continua, parece que lo han condenado a cadena perpetua! ¿Soy yo el que pone acertijos absurdos para demostrar que mi ego está muy por encima del de cualquier ser vivo?

—A vive a su manera, y no quiere dar cuentas a nadie. Es su filosofía de vida y es feliz así. ¿Quién eres tú para juzgarlo? No lo censures. Admito que es un poco pedante. De acuerdo. Pero no puedo creer que tenga nada que ver con el Enigma Galileo. Estoy harta de tus sospechas. Desde el principio supuse que no os llevaríais bien. Eso lo tenía claro. Pero tus sospechas me parecen de locos.

—Es una posibilidad.

—Quítatela de la cabeza. Por favor.

El «por favor» en los labios carnosos de Julia era una frase muy poco habitual, pero, acompañada de un rostro con un gesto realmente feroz, sonaba peor que una orden.

Le recordaba a aquella jovencita que luchaba contra todo y contra todos, y que conseguía sacarlo de sus casillas en la universidad. Hay cosas que no cambian.

Un sonido agudo e intermitente interrumpió la conversación.

Saldivar se puso de pie y se alejó unos metros de Bosco. Y tras revolver un poco en el interior de su maletín, sacó la agenda electrónica.

Su rostro denotaba incredulidad.

¿Qué más podía suceder?

Ni tan siquiera en sus peores pesadillas podía imaginar todo lo que les esperaba. Para lo bueno y para lo malo.

EL MAYOR SECRETO DE LA HUMANIDAD

Parte II

Capítulo
10

Los puertos comerciales del Mediterráneo tienen algo de postal y de dolorosa inyección de realidad. Teñida de un azul intenso. Casi hiriente. En todos estos lugares descubrirás a algún joven pensativo y solitario, con una camiseta de un equipo lejano de fútbol, quizás sentado sobre el muro del espigón, mirando el infinito.

Soñando con llegar a la otra orilla y encontrar su Ítaca particular.

Junto a la armazón del puerto, los barcos de pesca descargan cajas repletas con la captura recogida la madrugada anterior. El aroma salobre del mar se une a los vapores del pescado. El hedor de gasolina lo invade todo. Los peces mutilados, hechos jirones y maltratados por el vaivén de las olas, flotan en el agua como náufragos precarios, acribillados por los vuelos rasantes de las gaviotas; y los niños, en bañador y sin camiseta, juegan a ser felices, ignorando el duro trabajo y las preocupaciones de sus padres.

El puerto de Alejandría, el mayor centro de importaciones y exportaciones de Egipto, fundado por Alejandro Magno en el 332 a.C., no es ninguna excepción.

Aquella mañana de principios de junio, las embarcaciones de los pescadores se concentraban en la dársena. Los tripulantes hablaban entre ellos, sin escucharse apenas. Moviendo frenéticamente los brazos y prorrumpiendo en acaloradas discusiones.

Estaban alarmados ante un acontecimiento extraordinario. Varios de aquellos lobos de mar explicaban que, durante el amanecer y tras observar un resplandor rojizo, habían visto desaparecer varias estatuas de la zona donde se ubicaban el antiguo puerto de la ciudad griega y los palacios reales.

Se supone, aunque no se sabe con exactitud, que la famosa y antigua biblioteca de Alejandría, donde el sabio Herón pasó buena parte de su vida, se encontraba en esta zona.

Allí también estaba el famoso Faro de Alejandría, construido por el mismo Alejandro, y que fue una de las siete maravillas del mundo antiguo.

* * *

Cuando los dos investigadores llegaron al lugar, los monumentos submarinos parecían haber vuelto a su situación original. Habían reaparecido «por arte de magia», como afirmó un viejo pescador de la zona que faenaba a las cuatro de la madrugada.

El mismo pescador les explicó que, cuando sucedió todo, dos individuos vestidos con una especie de túnica de color rojo permanecían de pie, inmóviles, sobre un muelle; mirando un punto del mar; parecían observar sin ver nada en concreto, con la vista perdida en el horizonte, como abstraídos, pero lo que más le llamó la atención fue que por unos instantes le había parecido verlos flotar a escasos centímetros del suelo.

Pensando que los extraños habían perdido algo, el pescador se acercó remando con su barca, lentamente, y les preguntó si necesitaban ayuda. Entonces ellos lo miraron como si no se hubieran percatado de su presencia hasta ese momento y le dijeron: «Buscamos a Herón». «No lo conozco. ¿Con qué barco faena?», preguntó él. Casi al instante, le dieron la espalda y se alejaron. Al hombre le llamó la atención que parecía que se desplazaban sin mover las piernas apenas.

La agente Saldivar se lo hizo repetir dos veces al intérprete árabe, y tomó nota en su agenda electrónica.

De improviso, dos coches de la policía aparecieron en el muelle. El grupo heterogéneo de ancianos, jóvenes, pescadores y muchachos, que se habían concentrado por curiosidad alrededor de los extranjeros, comenzó, perezosamente, a disgregarse.

Seis agentes vestidos de marrón con una gorra negra en la cabeza descendieron de los vehículos, cuatro de ellos lucían un bigote negro bien poblado que les confería un aspecto de parentesco familiar. Como si fueran hermanos, o parientes cercanos. El que parecía llevar la voz cantante dio un paso al frente con gesto resuelto y les preguntó algo.

Pero los dos agentes no podían responderle porque no entendían su idioma.

—¿Qué rayos dice este bigotudo? —preguntó Bosco, mientras vio palidecer a su intérprete. Un tipo enjuto y de piel requemada por el sol.

—Dice que qué rayos hacen en nuestro país preguntando a los pescadores.

—Explícale que somos de la Organización Internacional de Policía. La OIP. Seguro que nos conoce. Recogemos datos para una investigación. Colegas, somos colegas, ¿cómo se dice? *Habibi,* somos *habibi.* —Saldivar mostró al hombre la mejor de las sonrisas de su repertorio, mientras éste escuchaba al intérprete y les respondía en árabe, antes de que acabara de traducir sus palabras.

—Señorita...

—Venga, Ahmed, traduce.

Bosco presintió lo peor. Su sexto sentido no solía fallarle. Aunque en esos momentos deseaba que fallara de todo corazón.

—El capitán quiere ver sus placas.

Lo obedecieron. Sus identificaciones eran muy convincentes, aunque sospechosamente parecidas a las de la Interpol.

Pero confiaban en que no tuvieran que ser contrastadas nunca con el original.

El egipcio recogió la placa de Julia sin dejar de mirarla con severidad, se la acercó a su rostro como si descifrara un lenguaje incomprensible y, tras observar de arriba abajo a la mujer pelirroja, dijo algo más.

El traductor permaneció con la cabeza agachada.

—Ahmed, esta situación me está poniendo nerviosa...

—Pues si le traduzco lo que dice el policía, se va a poner más nerviosa todavía, señorita.

La mirada de Julia fue fulminante.

—Si insiste... Pregunta si son americanos. Aparte de otras cosas.

El profesor y la oficial de inteligencia se miraron.

Los dos asintieron con la cabeza.

Ante su sorpresa, el oficial, que aún conservaba la acreditación alzada a tres palmos del rostro como si se hubiera quedado congelado en esa postura, puso cara de asco, escupió teatralmente sobre la tarjeta, la dejó caer y la pisó enérgicamente, mientras intentaba decir en un inglés macarrónico algo sobre que la América descreída e imperialista se fuera al carajo.

La centroamericana no tenía pelos en la lengua y fue hacia él, lanzando los insultos más espantosos que se le ocurrieron.

Bosco y el traductor consiguieron frenarla. Pero el mal estaba hecho. Los tres fueron reducidos por los agentes con algún que otro puntapié, golpes de porra y bastantes insultos. Los condujeron a empellones hasta los vehículos y finalizaron su trayecto en la comisaría de la zona.

Allí los separaron de Ahmed.

Por más que reclamaron un abogado, acabaron en un calabozo solitario con las paredes desconchadas.

Uno de los antros más tristes que habían tenido el placer de visitar.

—¡Joder!, Julia, ¿no podías contenerte? —preguntó el profesor. Ante su silencio, continuó—: ¡Y no tengo ni una miserable bolsa de cacahuates! ¡Me la han quitado!

—¡Es que sólo piensas en comer! ¿Pero qué clase de enfermo eres?

—No estoy enfermo. Me sirve de pasatiempo. ¿Se te ocurre algo mejor que hacer en esta cloaca?

—Se nota que no te has mirado en un espejo últimamente... Creo que estos tipos te ofrecerán un tratamiento de adelgazamiento gratis.

—Antes no eras así, Julia. ¿Qué te ha pasado? —La frase era mucho más que una observación. Sin duda, las personas cambian con el tiempo, pero había cosas de Julia que Bosco no lograba entender.

La mujer bajó la vista y se sentó en un rincón, inclinando el rostro hacia delante y tapándose la cara con las manos. Quizá no quería ver el paisaje que la rodeaba.

Víctor pensó en asomarse entre los barrotes de la celda y, como había visto hacer en las películas, reclamar un abogado en todas las lenguas que chapurreaba.

Pero recordó la dureza hiriente de las porras y se contuvo.

Ella seguía parapetada en un mutismo que ponía mucho más nervioso a su compañero.

Una hora después, tras contar más de doscientas vueltas histéricas de Bosco en la celda, dijo, en voz baja, con un susurro y marcando las sílabas muy despacio:

—No puedo comprender la razón, pero esos cerdos no me han quitado el teléfono móvil. Quizá para no registrarme y evitar pecar. O algo así. No debían de tener ninguna mujer a mano que lo hiciera por ellos. Aunque ya sabes que O'Connor nos advirtió que en caso de peligro la agencia no existía.

—¿No tienes algún colega europeo que mantenga buena sintonía con los países árabes? Algún contacto, no sé. Alguien que pueda contactar con un tercero que a su vez... ¡Ya no sé lo que me digo!

Su compañera parecía hundida; de pronto, buscó en la chaqueta, tecleó algo en el móvil y esperó.

A los tres minutos, un bip casi inaudible le notificaba un mensaje recibido.

—¡En la situación en la que estamos y te pones a enviar mensajitos!

Julia le miró con su cara más clásica de pantera dispuesta a lanzarse a la yugular de su oponente, un gesto que era capaz de desarmar al tipo más violento.

—Muy bien, tienes un plan. —Víctor se acercó poco a poco, midiendo los pasos, por si debía retroceder rápido ante un puñetazo o una patada. La imagen le recordó los machos de ciertas arañas o, peor aún, la suerte de la mantis religiosa devorada por su compañera de procreación.

—Sí, tengo un plan. No como otros, que se conforman con reclamar cacahuates.

El científico puso cara de niño bueno que nunca ha roto un plato y se sentó a su lado.

Ella continuó:

—Acabo de recibir el número de teléfono de las oficinas de la sede central de Griffith desde nuestra embajada en El Cairo.

—No sé quién es ese Griffith.

Ella le miró a los ojos. Decía la verdad. *¡Benditos científicos, viven en una burbuja!*

—Veo que no lees diarios económicos. ¿No inviertes en bolsa? Supongo que te conformas con las revistas *Science* o *Nature*. Griffith es conocido en el mundo de los negocios como El Misionero, un mecenas multimillonario que ayuda a los desfavorecidos. Debido a su prestigio, tiene gran influencia en amplias zonas del mundo. Es un benefactor a escala mundial. Como un Soros, pero sin especular en bolsa.

La comparación no era casual. Soros era un multimillonario norteamericano de origen húngaro que, entre sus dudosas hazañas financieras de finales del siglo XX, podía presumir de haber retirado la libra esterlina inglesa del sistema monetario internacional. El banco central inglés no resistió el ataque del tiburón de las finanzas y sus ganas de especular a costa de la moneda británica.

—Y, claro, tú lo conoces.

La agente reclamó silencio con el dedo índice de la mano izquierda, mientras buscaba un número de teléfono en la agenda del móvil, con gesto nervioso.

—¿Puede ponerme con el señor Griffith? Es una emergencia.

Tras repetir cinco veces la misma pregunta, parecía haberse perdido en una maraña de telefonistas, burocracia y departamentos.

Su gesto era de circunstancias.

—De parte de Julia Saldivar. Sal-di-var. Señorita, es un caso de vida o muerte.

La centroamericana vio al otro lado de la pantalla un rostro familiar, medio borrado de la memoria por el paso de los años.

—Se conserva muy bien —dijo, para romper el hielo. Aunque pensó que desde que cumplió los diecisiete años no había vuelto a ver a aquel hombre, y su afirmación era un poco extraña en aquellas circunstancias.

La pantalla del teléfono, a pesar de su buena resolución, no era excesivamente grande.

—¡Pero, niñita, cuánto tiempo! —Su interlocutor sonrió. Parecía muy feliz al volver a verla.

—Necesitamos ayuda. Mi compañero y yo, junto con nuestro guía, estamos detenidos en alguna comisaría de Alejandría cercana al puerto, sin saber el motivo. Investigábamos un caso y no han tenido ningún tipo de consideración con nosotros...

* * *

Media hora más tarde, un tipo grueso y de movimientos cansados abrió la puerta de la celda y los invitó a que lo siguieran. Mientras hablaba, parecía mascar tabaco y el idioma en que se expresaba era para ellos totalmente incomprensible.

En un abrir y cerrar de ojos, se encontraron en la puerta de la comisaría, que daba a una concurrida calle repleta de vendedores callejeros y grupos de hombres que hablaban entre ellos con un bullicio ensordecedor.

Mientras se mezclaban entre la gente, un chico avispado con aspecto de diablillo tocó la espalda de la oficial de la Agencia. Saldivar se giró y, al ver al pequeño, le sonrió, pensando que era un chiquillo más del enjambre que pulula por las calles alejandrinas. Pero su reacción fue sorprendente: le entregó un enorme ramo de rosas rojas.

—Caramba, parece que tienes admiradores en Egipto —comentó Bosco.

La mujer descubrió entre las flores del regalo un sobre de pequeño tamaño.

Lo abrió y leyó la nota de su interior, una fotocopia de una hoja escrita a mano, y con una caligrafía exquisita:

«Querida Julia:

Hubiera deseado que nos hubiéramos reencontrado en otras circunstancias. Pero el tiempo guarda este tipo de sorpresas. En cualquier caso, la fragancia de estas rosas no supera la fuerza de tus ojos de azabache.

Disculpa la actuación del capitán de la policía. Y no te preocupes por vuestro guía: será liberado pronto. En todas partes hay gente que juzga a los demás no por lo que son, sino por una falsa imagen que se han construido de los que no conocen. Es imperdonable.

Espero verte pronto.

Griffith»

—Son de Griffith. Es todo un caballero.

La disciplinada y resistente Julia, tan endurecida por las vivencias y por el deber que debía cumplir, no pudo evitar sonrojarse. *Quizá para él no haya sido demasiado difícil sacarnos del atolladero, pero es probable que la investigación no hubiera continuado sin su ayuda,* pensó. Y el hombre lo había hecho sin una aclaración y sin reclamar un porqué.

Bosco prefirió no hacer ningún comentario. Aunque se le ocurrieron varias cosas.

* * *

Unas horas antes, mientras Bosco y Saldivar hacían escala en Londres para tomar el vuelo con destino a Egipto, los investigadores habían conectado con Alfred. Y esperaban más información del gran A. El genio no los defraudó: tenía un dato sorprendente. El satélite que cubría la zona revelaba que la temperatura del agua en el momento de la desaparición se elevó varios grados, hasta llegar a los 30°, muy por encima de su temperatura media en esa época.

—¿Sabíais que la Biblioteca de Alejandría fue una de las más antiguas del mundo? La fundó el faraón Tolomeo I en el siglo IV a.C., y poseía en sus buenos tiempos entre 200.000 y 700.000 rollos de papiro. Pero los conquistadores, en este caso Julio César, en el año 48 a.C., tienen la fea costumbre de incendiar lo que conquistan. Aunque fue el califa árabe Omar quien, en el siglo VII, destruyó la Biblioteca del periodo helenístico. Y claro, no quedaron ni las cenizas.

—Una pérdida que quizás haya retrasado muchos siglos el progreso —comentó Julia, en voz baja.

El gran A les hizo un breve repaso de los sabios que pasaron por ese templo del saber. Entre ellos, Herón de Alejandría, que parecía que era el que buscaban los intrusos, según el pescador egipcio.

—Éste es el que necesitamos, A, ve al grano —pidió Bosco.

—Muy bien, Bosco, pero la impaciencia es el peor defecto del científico.

A rió con sus carcajadas histéricas. Y en la pantalla del ordenador apareció el dossier sobre el sabio helénico.

Herón de Alejandría

Se discute el siglo en el que vivió y su origen, aunque posiblemente fuera egipcio de tradición griega y viviera en el siglo II a.C.

De origen humilde, de joven fue zapatero.

Escribió obras sobre ingeniería y mecánica, y construyó máquinas muy ingeniosas.

- La máquina de vapor, ideada por James Watt en el siglo XIX, fue el motor de la Revolución Industrial de Inglaterra, pero la única aplicación de la máquina construida por Herón que se le ocurrió a la gente de su época fue la fabricación de algunos juguetes.
- Construyó unas puertas automáticas que se abrían al sonido de trompetas.
- Pensaba que sus inventos eran sólo juguetes.

La primera máquina de vapor

Imaginó máquinas y artilugios aplicando el principio de la palanca de Arquímedes y el principio de acción y reacción.

Construyó una de las primeras máquinas de vapor (*aeolípile*).

Ilustración de la máquina de vapor construida por Herón de Alejandría.

El fuego calienta el agua contenida dentro de una esfera que, al convertirse en vapor, se expulsa por los tubos, produciendo un efecto de giro.

También diseñó unas puertas automáticas que, mediante el fuego y una serie de dispositivos de cuerdas y poleas, se abrían al mismo tiempo que sonaban unas trompetas. Otro de sus inventos fue un órgano *(aneumonion)* que funcionaba gracias al viento producido por un molino.

—Como veis, el griego sólo pensó en el vapor como un juguete infantil. Necesitamos 2.000 años para descubrir que podía servir para algo más útil: por ejemplo, ser la fuente de energía de toda una Revolución Industrial.

—Sí, quizás tienes razón cuando dices que lo importante es la perspectiva con la que miras las cosas. Puedes estar ante la verdad y no verla, porque no estás preparado para verla.

—Los árboles no te dejan ver el bosque —añadió Julia.

—En el Enigma Galileo necesitamos saber qué se esconde tras los árboles, es decir, tras los robos —dijo Víctor.

A rió de nuevo con sus carcajadas mortificantes. Siempre fuera de lugar. Como si el hecho de que aún no tuvieran una pista clara sobre el caso le divirtiera.

—Supongo que aún no estáis preparados para entender la verdad. Espero que no tardéis 2.000 años.

Capítulo
11

T odo esto *no tiene sentido*, pensó el profesor Bosco. Aunque odiaba volar, estaba de nuevo en un avión de viajeros, como un ejecutivo más de una multinacional o un espía legendario dispuesto a salvar el mundo.

La tortura de volar se estaba convirtiendo en una costumbre demasiado habitual.

Su nuevo destino era París.

Pero él no era ningún héroe. Estaba en una situación demasiado ridícula para ser un héroe: asía con fuerza el antebrazo de Julia mientras un terror frenético lo dominaba. Su miedo patológico a despegar descartaba cualquier parecido entre él y James Bond. *Una lástima*, pensó, *los dos somos muy guapos*.

—Concéntrate en los datos que tenemos del nuevo caso. Te ayudará —dijo ella, mientras le daba una palmadita en la espalda y hojeaba una revista de moda con aire despreocupado: las dietas de la mujer de hoy.

¿Era otra indirecta sobre su peso?

Bosco trató de seguir el consejo de su compañera: mantener el cerebro ocupado como terapia para no pensar en el peligro. El nuevo objeto robado era la bicicleta de un antiguo sabio francés, Sadi Carnot. ¿Para qué demonios querría nadie la bicicleta de un científico de principios del siglo XIX? Si al menos fuera la bicicleta de campeones legendarios como Lance Armstrong, Eddy Merckx o Induráin...

El lugar del robo: el Museo Cadouin de bicicletas, situado en Le Buisson de Cadouin, en Francia. Donde se conservan, entre otras joyas, la bicicleta primitiva de Víctor Hugo o el velocípedo de Julio Verne, aparte de piezas valiosísimas de ganadores del Tour de Francia, desde sus lejanos inicios en 1903.

Un par de días antes de la llegada de los investigadores, los últimos visitantes que se disponían a salir del edificio del museo, una antigua iglesia, observaron asombrados cómo una de las bicicletas, la de Carnot, concretamente, empezaba a moverse por sí sola.

Primero, sólo los pedales. Muy, muy lentamente. Para después comenzar a rodar y, tras desplazarse unos metros, salir volando en medio de una niebla azulada, a través del ventanal más cercano, que pareció abrirse como por ensalmo.

¿Pero es que todo el mundo se ha vuelto loco? El científico tenía los nervios de punta. *¿Y si padecían un caso de histeria colectiva no catalogado hasta ahora? ¿La primera alucinación conocida a escala planetaria?*, se preguntó.

Sí. Todo el mundo se había vuelto loco. Sería una buena respuesta.

Pero las pruebas que recopilaban por medio mundo descartaban esa posibilidad. Y ninguna teoría es correcta si las pruebas la pueden rebatir.

Regla número uno: abandona las teorías fácilmente descartables.

Regla número dos: piensa, piensa, piensa. Necesitas otras teorías.

Llegaron a Cadouin a primera hora de la mañana. El pueblo está situado en el corazón de un estrecho valle. En la privilegiada región de Bergerac, en Aquitania, que se abre a los vientos suaves del Atlántico y donde reinan los vinos de Burdeos.

En el cruce de la carretera, a un par de kilómetros del pueblo, conectaron con A.

Parecía de mal humor, pero se animó ante la posibilidad de vencer a Víctor con un acertijo.

Un nuevo reto.

—Bien, Bosco, vamos a ver lo listo que eres. Te propongo que descubras el número que sigue a esta serie endiablada de números. Sólo tienes diez segundos. Como ves, soy muy generoso. Si no lo descubres, buscaros la información por vuestra cuenta. Ya sois mayorcitos. Los números son:

$$\{19, 15, 60, 30, 26, 104, 52, 48, 192, 96...\}$$

»Nueve segundos, ocho, siete, seis... —exclamaba A en voz alta, para molestar a Bosco.

—¿Quieres callarte? ¡No me dejas pensar! —gritó el inglés.

—¡Adiós, Bosco! ¡Hasta nunca! Tres, dos...

—No tan deprisa, A: el número es el 92 —exclamó Julia.

—Si no fuera por ella, Bosco, no serías nadie —dijo A, con su risa desagradable.

La guapa pelirroja explicó la resolución del acertijo:

—El segundo número de la serie, el 15, se obtiene tras restar cuatro unidades al primero. El siguiente, el 60, es el resultado de multiplicar por cuatro el número anterior. El cuarto número de la lista, el 30, puede calcularse dividiendo 60 entre dos. Esta secuencia de operaciones: −4, x4, ÷ 2 se repite dos veces más. Y volvería a empezar tras el décimo número de la serie, que sería el 96. El número de la siguiente posición se obtendría restando cuatro unidades a la cifra anterior. Queda claro entonces que el resultado es 92.

Mientras hablaba, la mujer escribía unos números en una hoja de papel.

—La secuencia de números que te envío aclara la explicación y te demuestra que he descifrado tu código —dijo, mientras alzaba el folio y lo colocaba ante la cámara web del ordenador portátil para que A pudiera seguir su razonamiento:

$$19 \rightarrow 15 \ (19-4), 60 \ (15 \times 4), 30 \ (60 \div 2)$$
$$30 \rightarrow 26 \ (30-4), 104 \ (26 \times 4), 52 \ (104 \div 2)$$
$$52 \rightarrow 48 \ (52-4), 192 \ (48 \times 4), 96 \ (192 \div 2)$$

—Es cierto. Me has derrotado, preciosa —le dijo, guiñándole el ojo.

Mientras sus compañeros hablaban, Bosco seguía la conversación con el ceño fruncido. Estaba harto de las ocurrencias infantiles de A y de su sentido del humor de niño consentido.

—¿Qué te ha pasado, Bosco? ¿Era demasiado difícil para ti?

—¡Hacer cálculos mentales con una taladradora humana al lado es casi imposible!

A rió con ganas.

—Eres un enemigo muy fácil de vencer. La próxima vez no te molestaré, pero tampoco dejaré que Julia haga los deberes por ti. Estás avisado.

Bosco no respondió.

—Vamos, A, pásanos la información que nos debes sobre el científico francés —dijo Julia, con tono conciliador.

—Con esa voz que tienes, nadie puede negarte nada —exclamó el hacker, dando un bote teatral en su sillón ergonómico.

Nicolas Léonard Sadi Carnot

Nació en París en 1796. A los dieciséis años ingresó en la Escuela Politécnica.

Posteriormente se alistó en el cuerpo de ingenieros del ejército. Aunque su padre había sido ministro de la Guerra durante la Revolución Francesa, no prosiguió la carrera militar.

Se interesó por las propiedades del calor y sus aplicaciones.

Murió a los treinta y seis años. Nos queda la duda de qué nos hubiera proporcionado si hubiera tenido una vida más larga.

• Fue pionero en el estudio de las máquinas térmicas. **Es el «padre» de la termodinámica.**

¿Qué es el calor?

A principios del siglo XVIII se desarrollaron métodos para medir la cantidad de calor que entra y sale de un cuerpo, y vieron que, cuando dos cuerpos están en contacto térmico, la cantidad de calor que entra en uno es equivalente a la que sale del otro. Se consideró el calor —que recibía el nombre de *calórico*— como una sustancia material, invisible y sin peso que no podía ser destruida ni creada. Simplemente se transmitía de un cuerpo a otro.

Pero a finales del siglo XVIII, dos experimentos desmintieron la teoría del calórico. Thompson, un aventurero aficionado a la física, observó cómo se calentaba la vara utilizada para limpiar cañones y el químico David vio cómo se derretían dos bloques de hielo al ser frotados. Ambos pensaron que el calor tenía que ser algún tipo de vibración, y no una sustancia material.

Motores y máquinas térmicas

La máquina de vapor, creada por el ingeniero escocés James Watt en el siglo XVIII, impulsó la Revolución Industrial inglesa. Y es el nacimiento de la **termodinámica,** ciencia que estudia la relación entre calor y trabajo.

El rendimiento de las máquinas de vapor pasó a ser un tema de interés para los empresarios, que prestaron atención a la relación entre el trabajo producido y el coste del combustible utilizado.

A finales del siglo XIX apareció otra máquina térmica basada en el mismo principio, pero funcionaba con un combustible diferente: el **motor de explosión.**

La tecnología de los motores ha mejorado con el tiempo. **En 1894 se celebró una de las primeras carreras de coches de la historia, entre París y Ruán.** Los vehículos apenas tenían medidas de seguridad y llegar sano y salvo era un éxito.

En aquella primera carrera venció un modelo Daimler, que hizo el trayecto a 32 km/h de velocidad media.

A principios del siglo XXI, la NASA, la Agencia Espacial Americana, construye motores hipersónicos capaces de impulsar pequeños aviones a velocidades de vértigo.

El 16 de noviembre de 2004, **el avión experimental X43-A alcanzó** la increíble **velocidad de 11.265 km/h** (casi *mach 10:* diez veces la velocidad del sonido).

Pero a Carnot no le interesaban los diferentes tipos de motores.

Imaginó una máquina térmica que funciona con un gas perfecto, que describe un ciclo ideal, es decir, que se expande y se comprime, pero sin fricción y muy lentamente (de un modo reversible).

¿Máquinas eternas?

Las ideas de Carnot son el origen de varias teorías sobre motores y todo tipo de aparatos.

El **segundo principio de la termodinámica** dice que no es posible que exista una máquina cuyo único resultado sea convertir calor en trabajo sin producir otro efecto. Este principio destruye uno de los grandes sueños del hombre moderno: la construcción de máquinas que trabajen sin interrupción y sin consumir energía.

Si fuera posible convertir todo el calor en trabajo, se podría construir un **móvil perpetuo de segunda especie:** el sueño de cualquier ingeniero. Existirían neveras, o enfriaríamos nuestras casas con aparatos que extrajeran calor y lo enviaran hacia el exterior, sin necesidad de estar conectados a la red eléctrica, ni consumir energía.

Podría construirse maquinaria, aviones, transatlánticos... que absorbieran el calor del aire o del agua, utilizaran su energía para generar el impulso y expulsaran el hielo resultante.

Si fuera posible su construcción, la economía mundial sufriría una revolución.

Tras hospedarse en una típica fonda de la región de Bergerac, donde aparentaron ser pareja, los investigadores fueron a buscar a la mujer encargada de la limpieza del museo.

La aldeana resultó ser una bretona arisca y con cara de pocos amigos. Una de aquellas mujeres con numerosísimas arrugas en el rostro y una edad indeterminada, con los labios siempre cerrados, y que parecen eternamente enfadadas con el mundo.

Se identificaron, pero ella se negó a hablar. Meneaba la cabeza a un lado y otro, en un gesto repetitivo, hasta que Saldivar abrió la cartera y paseó varios billetes ante su rostro. Entonces se irguió, incluso pareció crecer. En voz baja, y tras aplastar los billetes con sus manos callosas, como sopesando su volumen, les confirmó la versión de los turistas.

—Pero, señora —inquirió Bosco—, ¿por qué no le dice a la Suretée o la gendarmería lo que nos acaba de contar a nosotros?

—Si les digo la verdad, me tomarán por más loca de lo que estoy —respondió la mujer, mientras recogía los utensilios de limpieza y se alejaba tranquilamente.

Era todo un carácter.

Julia añadió:

—No me extraña que la anciana no quiera hablar. En la abadía cisterciense del pueblo tienen la reliquia más famosa del Périgord, un retal que durante mucho tiempo se consideró del Santo Sudario. ¡Creo que la mujer piensa que es un milagro divino!

—Francamente, yo empiezo a creer lo mismo —remató el profesor.

* * *

Julia y Víctor se reunieron con el general O'Connor, el capitán Washington y el agente Abbot mediante vídeo-conferencia, desde Quantico, Virginia.

O'Connor parecía muy enfadado.

—Profesor Bosco. Hemos estudiado el informe que nos envió. Un informe con un extraño apéndice aclaratorio de la señorita Saldivar en el que nos decía que no comparte sus sospechas.

—Lo mantengo en todos sus puntos.

Julia intervino:

—Yo le aconsejé que no pusiera sus dudas sobre Alfred en el informe, señor. Son sólo teorías sin ninguna prueba, pero quiso mantenerlas a toda costa. Sabe de sobra que estoy en desacuerdo con ellas.

—Hace bien en estarlo. A es un poco particular, hay que reconocerlo. Es anárquico y hace lo que le da la gana. Lo conocemos y lo soportamos. Sabemos cómo tratarlo. Pero de ahí a decir que puede estar implicado en la trama...
—Su superior parecía contrariado—. ¿Quién les proporciona los datos que estudian en cada investigación? ¿Quién, dígame?

—Si no me quieren, me voy. No me realizo con sus persecuciones de fantasmas.

Víctor se levantó y, tras dar un puñetazo en la mesa, se alejó.

Julia hubiera querido refugiarse bajo la mesa.

—Perdónelo. Me avergüenza su actitud, señor —consiguió farfullar—. Estos días estamos sometidos a mucha tensión.

—Sé que es un novato y eso lo salva. ¡Pero no toleraré la indisciplina! Ni de él ni de nadie. —bramaba el general con su voz poderosa.

Washington y Abbot no sabían dónde meterse.

—No se preocupe, general. Lo haré razonar.

—Eso espero, señorita Saldivar. Eso espero.

* * *

Julia encontró a Bosco en el cuarto. No se molestó en llamar a la puerta, porque sólo estaba entornada. Ni siquiera la había cerrado. Permanecía en silencio, incapaz de verla. Aunque la tuviera delante.

Estaba tumbado en la cama, cambiando el canal de la televisión cada cuatro segundos. Rítmicamente. Como un ejercicio hipnótico. Sonreía de forma absurda: se dejaba hipnotizar por las imágenes encadenadas de la gente que brotaban de la pantalla, rostros y vidas que parecían encantados de aparecer en la televisión.

—Víctor, no deberías dejarte llevar por los nervios. El Enigma Galileo nos sobrepasa a todos. Y eso, para el general O'Connor, significa jugarse el cargo. Ni más ni menos —dijo ella, conciliadora.

El profesor la miró. Tenía los ojos enrojecidos. Ella pensó que seguía siendo tan sensible como cuando lo conoció, y esa certeza, que no había cambiado tras los años pasados, la dejó perpleja. Había cosas que no cambiaban, aunque pasaran mil años. Entendía perfectamente lo que pasaba por su cabeza: se sentía despreciado. Él mostraba todas las dudas que lo asaltaban y se encontraba con un muro de incomprensión.

Se acercó a él y le acarició sus rizados cabellos castaños.

—¿Quieres saber el día que estuve más cerca de Griffith?

Víctor la miró sin decir nada.

—Supongo que recuerdas que mi familia siempre ha tenido buena posición económica. Podría decirse que mi país era nuestro. Cuando cumplí los quince años, Griffith, un amigo de mis padres, me dijo: «¿Quieres saber lo que es la vida?» Entonces yo era muy, muy feliz. Y también muy inconsciente. Tenía la ropa más cara y para mí la vida era sólo diversión, juegos y comodidades. Le contesté que sí, y me hizo subir a su 4x4.

»Salimos de nuestras tierras, llenas de cuidados jardines, con plantas exóticas y mil colores, casi como un particular paraíso terrenal y, apenas a un par de kilómetros de casa, me mostró las chabolas de la gente más pobre del mundo. ¿Entiendes lo que quiero decir? ¡No podrías imaginarte en qué condiciones vivía aquella pobre gente! En qué cuchitriles crecían, hacían sus necesidades, tenían hijos y trataban de ser felices. Entonces Griffith me dijo: «Sí, niñita. Tú eres feliz, pero muchos no lo son. Y viven al lado de tu casa. Saber eso es el mejor regalo que te puedo hacer». Aquello me marcó muchísimo. Me cambió para siempre.

—¿Fue tu novio?

—¿Mi novio? —Ella rió con ganas—. ¡Si era como un padre para mí! Era su niñita. Siempre lo he admirado. Ayudó a los indígenas de mi país y evitó que muchas tribus soportaran las condiciones inhumanas que les imponíamos bajo el cartel del progreso. Cuando cumplí los diecisiete años, Griffith se fue. Nunca supe los motivos por más que pregunté. Más adelante se convirtió en El Misionero. Un ejemplo para muchos.

—Lo entiendo. Nada es como parece, ¿verdad? —Se le veía algo más animado.

—Sí, Víctor. ¿Qué me dices si te invito a cenar en ese restaurante tan acogedor que vimos desde la carretera?

—No dejaré que me lo repitas. Acepto.

Mientras cenaban y degustaban un Burdeos de la región, Julia recibió un mensaje codificado a través del pequeño aparato reservado para las comunicaciones oficiales. Fueron a la habitación de la pensión para conectarlo al ordenador portátil en el que la agente disponía de un código de desencriptación.

Su contenido les sorprendió:

«Se ha producido un nuevo robo. Se trata de un objeto que perteneció a James Prescott Joule. Tenemos información que mostraros desde nuestras instalaciones de Quantico, Virginia. Reunión, en treinta minutos a partir de ahora».

Abbot caminaba a través de un pasadizo estrecho. Estaba en las instalaciones subterráneas y secretas de la agencia. Un antiguo refugio nuclear construido durante la Guerra Fría, y reconvertido en la sede central de la organización. El recorrido parecía interminable. Cada cuarenta pasos se detenía ante los detectores más diversos: reconocedores de voz, escáneres de retina, huella dactilar de la mano... y el último de los jueguecitos de la casa: un analizador de ondas cerebrales que identificaba al personal a través de los impulsos eléctricos que emite el cerebro.

Los científicos de la agencia habían desarrollado un sistema para detectar y reconocer el patrón de ondas cerebrales propio y único de cada individuo, que lo hace diferente y lo distingue del resto.

Un tipo de señal imposible de falsificar.

Pero John se tomaba todas estas medidas de seguridad con humor: se sentía como un corredor de cien metros vallas. Imparable. Rápido. Indestructible.

Cuando nadie le veía, bailaba claqué entre control y control. No podía negarlo. Le gustaba su trabajo. El proyecto de cooperación entre agencias de investigación, una especie de Interpol de los espías, le había venido como anillo al dedo. Era un enamorado de Estados Unidos y de su cultura, de su modo de vida y de ese aire de libertad y aventura que creía distinguir en cada esquina.

Era un romántico.

Acababa de hablar con el general O'Connor minutos antes. Sus instrucciones habían sido categóricas y sorprendentes: «Vaya a Londres después de la reunión, y no pierda a la pareja de vista. Hay algo en todo esto que no me gusta. Y no deje a Bosco ni a sol ni a sombra. No me fío de él».

Al llegar a la sala, saludó de nuevo, cuadrándose ante el general. Su superior estaba acompañado por el mariscal Gérard; los dos interrumpieron su diálogo al entrar el agente.

—Siéntese, muchacho. Vamos a ver qué tienen los ingleses —dijo Gérard.

—Estamos en línea con Alfred y con nuestros hombres en Francia —informó Washington—, en una comunicación a tres bandas.

—General O'Connor... —terció Bosco.

—¿Qué demonios quiere ahora, Bosco? —El alto mando dio un respingo en su sillón; su compañero francés le puso la mano en el antebrazo, en un gesto conciliador.

—Sólo quería decirle... —el científico tragó saliva— que siento lo de antes. Perdone mi precipitación. No creo que usted tenga manía a ningún país. Al contrario, sé que siempre trata de tener a los mejores a su lado. Sean de donde sean.

—Vamos a ir al grano, las comunicaciones por satélite no son baratas. —El general tenía la buena costumbre de no ser rencoroso, de mirar siempre hacia delante y confiar ciegamente en sus hombres. Las cosas dichas cara a cara se tenían en cuenta si merecían la pena y, si no servían para mejorar el trabajo, se olvidaban.

Un comportamiento que le había permitido llegar hasta donde había llegado.

El capitán Washington hizo la introducción:

—Lo que vamos a ver ahora, señores, es una grabación de vídeo del aparato de ruedas de palas de Joule, construido el 1849. Es uno de los primeros dispositivos fabricados para observar cómo la energía del movimiento se transforma en calor. Está expuesto en el Museo de la Ciencia de Londres.

—Bien, bien. Póngalo —tronó la voz del general.

Lo que vieron los presentes les dejó atónitos. Las imágenes mostraban un resplandor amarillento alrededor del aparato y, de pronto, sin que se ejerciera una fuerza sobre las palas del aparato, éstas empezaron a girar vertiginosamente hasta detenerse. Fueron apenas unos minutos. El artefacto se puso en funcionamiento y durante unos segundos desapareció de la pantalla, como si lo hubieran borrado de la imagen.

—*Mon dieu!* —El alto oficial galo no tenía palabras.

—Sorprendente. Señorita Saldivar, ¿qué podemos pensar de esto? —inquirió el norteamericano.

—En fin. ¿Han robado el aparato?

—No. No lo han robado —corroboró Abbot.

—Lo suponía. Esto nos coloca en un callejón sin salida. Puede ser otro truco de magia. Es como cazar fantasmas. Sabemos que nos enfrentamos a algo misterioso y oscuro. Otra explicación razonable podría ser que por alguna razón que desconocemos aún... alguien nos esté gastando una broma, quizá para distraernos de sus verdaderos intereses.

—A no ser que... —Bosco se decidió a hablar de nuevo.

O'Connor jugueteaba con su pluma. Esta vez no toleraría la más mínima insubordinación.

—... ¿Recuerdan el robo del dedo de Galileo, en Florencia? Los ladrones descendieron por un ventanal, aunque desde allí no se puede deslizar una cuerda que soporte el peso de un hombre. A no ser que vuele. Y eso sin tener en cuenta las alarmas del edificio. Cuatro días después del robo, el dedo es restituido a su lugar de partida y el cristal y el expositor aparecen intactos. Sin que ningún análisis con el microscopio nuclear más potente pueda detectar el más mínimo resquebrajamiento en la vitrina. Alucinante, ¿no les parece? Pero imaginen que la Hermandad de los Científicos, o como se llamen los ladrones, haya conseguido mover objetos a distancia, y posea un aparato de antigravedad que les permita desplazarse por el aire y desplazar objetos. Y que tenga algo parecido a un copiador de materia.

—Exacto —añadió A, abriendo la boca y mostrándoles la sonrisa más hiriente que era capaz de ofrecer gracias a su lengua de serpiente, sus dientes enfermos y su rostro de loco—, no estamos en un capítulo de *Expediente X*. —Rió—. ¿Bosco, dónde has dejado al comandante Spock? ¿Qué te pasa?, ¿crees que *Star Trek* es la realidad?

—Tus comentarios son muy graciosos —dijo Bosco, con el ceño fruncido—, pero estoy hablando de por qué rayos alguien roba objetos tan valiosos como bicicletas o tan extraños como el dedo medio de Galileo. Cómo alguien roba sin robar.

La voz de O'Connor tronó y se impuso sobre los presentes. Todos callaron.

—Lo que plantea Bosco es ridículo: casi de ciencia-ficción, pero propone algo, y es una cualidad que me gusta. ¿De verdad piensa que pueden hacer lo que ha dicho?

—Señor, científicamente es posible.

—Por el bien de todos, espero que esté equivocado. Pero si es cierto lo que dice y esos ladrones pueden volar y reproducir objetos, quiero arrebatarles sus secretos. Ustedes dos —dijo, señalando a Julia y Víctor— irán a Londres a investigar.

Todos asintieron, y el general, tras lanzar una última mirada cómplice al agente Abbot, se alzó y dio la reunión por concluida.

El grupo que investigaba el Enigma Galileo permaneció en comunicación.

—Tu problema es que confundes el colegio de Harry Potter con la ciencia —se burló A.

—Y el tuyo, A-l-f-r-e-d, que sólo tienes imaginación en el mundo virtual. No hace falta que se invente *Matrix,* tú vives en ella. Pero la vida real es otra cosa.

—Estoy harta de vosotros. ¡Parecéis dos críos! Por favor, A, pásanos los datos que has recopilado de Joule —rogó la agente.

—Haga caso a lo que le dice la señorita —aconsejó el mariscal Gérard, con cara de pocos amigos.

—Por ti haría cualquier cosa, ya lo sabes, Julia. —La sonrisa de A contrastaba con unos pendientes alargados y rojos que hacían juego con un gran cuadrado del mismo color que le adornaba la nariz.

James Prescott Joule

Nació en Salford el 24 de diciembre de 1818, en una familia que elaboraba cerveza.

De pequeño sufrió **una malformación en su columna vertebral,** y se educó en la residencia familiar. A los dieciséis años, el científico John Dalton, descubridor del daltonismo, fue su tutor.

Durante su juventud construyó un laboratorio en un cobertizo, e investigó la relación entre las formas de energía: calor, electricidad, magnetismo, energía del movimiento. **Se financió todas sus investigaciones.**

A pesar de la libertad que tenía para elegir proyectos, sus recursos eran insuficientes para comprar un equipo adecuado. En 1875 se arruinó, y una enfermedad degenerativa cerebral le provocó la muerte en 1889.

- **La unidad de energía, el julio (J), se llama así en su honor.**
- Era un fanático de la experimentación.
- No salía de su mansión sin aparatos científicos... ¡Ni siquiera cuando visitó una catarata durante su luna de miel en los Alpes!
- Tenía una cervecería familiar. Este trabajo hizo que la comunidad científica no lo tomara en serio al principio de sus investigaciones.
- Cuando varias revistas científicas y la Royal Society le rechazaron un artículo que relacionaba calor y trabajo, lo presentó como lectura pública, y lo publicó un periódico de Manchester donde su hermano había sido crítico musical.
- Quiso mejorar el rendimiento de los motores de locomotora, y sufrió un accidente ferroviario donde murieron tres personas.
- Durante su juventud, junto con su hermano, investigaban el origen de las auroras boreales, la profundidad del lago Windermere, el eco en las montañas...
- Se arruinó financiando sus investigaciones.

Experimento de Joule

Es famoso por investigar la transformación del trabajo en calor.

Construyó un aparato formado por unas palas giratorias, dentro de un pequeño depósito lleno de agua. Una manivela lo conectaba a un sistema de poleas, colocado de tal manera que al caer unos pesos movían las palas y calentaban ligeramente el agua por fricción, al rozar la pared interna del recipiente.

Agitador de paletas del aparato de Joule.

Usando un termómetro muy preciso vio que una misma cantidad de trabajo mecánico (la caída del peso) producía el mismo aumento de temperatura en el agua. **El gran mérito de Joule es que midiendo las pérdidas de calor, debidas al roce, demostró que la energía se conserva.**

La agente Saldivar fue al cuarto de Víctor. Se hospedaban en un hotel moderno y nuevo construido por Norman Foster, situado a poca distancia del aeropuerto de Heathrow. Habían llegado unas horas antes. Encontró a su compañero, abstraído, buscando información en libros de ciencia. Ni siquiera la vio.

—Nuestro viaje a Londres puede ser más provechoso de lo que creíamos. Mira —le dijo, mostrándole una foto recibida por fax diez minutos antes.

—¿Qué es este objeto borroso que me enseñas?

—Un oftalmoscopio. El instrumento médico que permite a los especialistas reconocer las partes interiores del ojo. Este aparato pertenecía a...

—No me lo digas. ¿A otro científico famoso?

—Exacto. Es el oftalmoscopio de Von Helmholtz. Un avispado turista japonés ha captado el momento en que se volatilizaba ante sus narices en medio de una neblina amarillenta. ¡Splash! —Bosco chasqueó los dedos—. En el Royal College of Ophtalmologists, en Cornwall Terrace, Londres. Después volvió a reaparecer. El grupo de turistas comentó el hecho al personal del museo, pero se ha silenciado el asunto. Ha sido como unos fuegos de artificio. Un golpe maestro: después de verlo, te preguntas si lo has vivido o no.

—Sí, como un *déjà vu*. Nunca sabes si has experimentado antes una situación como la que te está sucediendo o si tu cerebro sufre un bloqueo que hace que te parezca que algo nuevo ya lo has vivido.

Capítulo
13

Han llegado demasiado lejos, ¿no crees? —Las apariciones del Iniciador tenían un punto inquietante que cultivaba con habilidad. Formaban parte de su carácter, y era una de las cosas que más desagradaban a los Hermanos.

Él lo sabía. De pronto, estaba ante ti, sin que le hubieras oído llegar. Como si siempre estuviera vigilándote.

A dejó de rastrear en internet, y rogó amablemente a su huésped que se sentara junto a él. Éste permaneció donde estaba. Sin moverse.

Mala señal.

—Iniciador, déjeme solucionar el problema a mi manera. Víctor Bosco es incapaz de llegar al fondo de la cuestión. Lo conozco muy bien. Y aunque es muy listo, es imposible que llegue hasta nosotros. Él es como nosotros, pero sin nuestra disciplina. Le falta tenacidad.

—Sabes de sobra que prefiero tener cerca a mis amigos, pero quiero aún más cerca a mis enemigos. Sólo sé que Bosco es un tipo que no deja pregunta sin respuesta. Si llega al final, tendrás que acabar con él. Recuerda: «No matarás, a menos que sea necesario para la hermandad».

—Es imposible que eso suceda, Iniciador.

—Subestimar al enemigo te convierte en un perdedor. Confías demasiado en ti mismo, Hermano. Es comprensible: eres joven, y no has aprendido a conocer el rostro del fracaso. Pero aprende de mi experiencia. El fracaso es un gran maestro. —Esta última frase, en su boca, adquirió un tono frío y desalmado que hizo palidecer al joven hacker.

Un escalofrío cruzó su cuerpo. ¿Qué tono utilizaría el Gran Guía cuando amenazaba a alguien? Prefería no saberlo. Iba a responder, pero se dio cuenta de que estaba solo. Su visitante se había volatilizado. Como si nadie lo hubiera acompañado y esa voz estuviera alojada en algún lugar remoto de su cerebro, desde donde siempre lo vigilaba.

Con las manos temblorosas, dominado por los nervios, paseó sus dedos sobre el teclado del ordenador. Unos segundos después, Julia apareció en la pantalla.

Junto a ella estaba Víctor. El inevitable Víctor. A no se encontraba de humor y fue inmediatamente al grano:

—Hola a los dos. Me toca hablaros de Hermann von Helmholtz, que expresó la relación entre energía mecánica, calor, luz, electricidad y magnetismo, considerados como diferentes manifestaciones de la energía. Por cierto, las fotos de los japoneses se han publicado en *The Sun:* poca gente se resiste al dinero fácil. Aquí tenéis los datos.

HERMANN VON HELMHOLTZ

Nació en 1821 en Postdam, actual Alemania. Fue el mayor de cuatro hermanos.

La influencia de su padre y su delicada salud lo retuvieron en casa los siete primeros años de vida. Esto marcó su carácter.

Aunque se interesaba por la física, aprovechó una beca estatal de medicina. En 1838 ingresó en el instituto médico Friedrich Wilhelm de Berlín, bajo la condición de servir ocho años en el ejército como médico de guerra.

Aprendió matemáticas y piano. Cinco años más tarde, tras licenciarse, pasó al destacamento de Postdam, donde **construyó un laboratorio casero en los barracones.**

Más tarde, y a pesar de que trabajó en un museo de anatomía y llegó a ser profesor de fisiología en la universidad de Bonn, la física seguiría siendo su gran pasión.

En 1871 le ofrecieron el puesto de profesor en la universidad de Berlín y, siete años más tarde, el de director del Instituto físico-técnico de Berlín, puesto que ocuparía hasta su muerte, el 8 de septiembre de 1894.

La energía se conserva

Interpretó los trabajos de Joule sobre la energía, y en 1847 expuso la ley de la conservación de la energía, con las siguientes palabras: *La energía no se crea ni se destruye, solamente se transforma.*

Esta ley también se conoce como el **primer principio de la termodinámica.**

Tras volver del 17 de Cornwall Terrace, la sede del Real Colegio de Oftalmólogos, Julia le dijo a Bosco que quería ir hasta Harrods, a ver las novedades de la moda de la nueva temporada. Un capricho en medio de tanto trabajo.

—No entiendo por qué es tan interesante ver todos esos modelitos que se repiten cada cierto número de años. La moda consiste en copiar lo de veinte años antes y hacerlo pasar por nuevo.

—Algún día me explicarás por qué dejaste el mundo de la moda para intentar competir por el título de Mister Dunkin' Donuts —le susurró, guiñándole un ojo.

Su amigo no se molestó por la broma. Se arregló el cuello de su camisa gris, para que estuviera equilibrada por encima de su americana, de pana, de un tono verde pálido. Un gesto de presunción que procedía de su época de modelo.

Quiso contestar, pero se le escapó una pequeña carcajada. A su manera, seguía preocupándose por la moda.

—Sí, supongo que algún día te lo explicaré. Cuando te lo hayas ganado.

* * *

Quizás Julia Saldivar no debería haber ido a Harrods. Pero no por los prejuicios de Víctor. Más bien por el tipo alto y delgado, con una cicatriz que le cruzaba la mejilla izquierda, que le proporcionaba un inquietante aspecto bipolar. Los venía siguiendo, al menos desde la planta baja, cuando se pasearon por las primeras salas del recinto, con sus joyas espectaculares, sus columnas decorativas y su decoración egipcia, que incluye estatuas y figuras alegóricas. Un recuerdo del Egipto donde nació el propietario de la empresa, Al Fayet.

Quizás también los hubiera seguido cuando almorzaron en el restaurante un plato de *sushi* regado con champán. Bosco se quedó con las ganas de probar las ostras. Pero en cambio, compró un libro sobre la alquimia en la historia que le pareció curioso, porque los alquimistas, a su manera, fueron auténticos científicos, aunque sus teorías estuvieran impregnadas de brujerías y signos cabalísticos extraños.

Una buena manera de proteger sus ideas y descubrimientos ante la dureza de la Inquisición.

Incluso ese extraño que los observaba los habría visto descender al subterráneo, cuando pasearon por el monumento conmemorativo levantado en honor de Lady Di y Dodi Al Fayet, hijo del empresario propietario del establecimiento.

Allí vieron en una vitrina las últimas copas que tomó la pareja y el anillo de compromiso que no llegaron a utilizar nunca.

Julia llegó a tirar unas monedas a la fuente de agua que enmarca las fotografías de los dos y que, según explican en la gran superficie, se destinan a causas benéficas. El profesor no dijo nada, pero miró con suspicacia a su compañera, que sonrió.

Estaba segura, los seguían desde el mismo momento que entraron. Saldivar cogió el ascensor para ir a la sección de mujer, y cambió de dirección dos veces. Cumpliendo punto por punto el método de la agencia, detectó a otro hombre. Un desconocido con bigote de piel muy morena, baja estatura, amplias espaldas y aspecto amenazador, embutido en un traje negro con una corbata amarilla demasiado vistosa para pasar desapercibido.

La mujer cogió el móvil con disimulo, como si consultara algún teléfono en la agenda, y, en apenas tres segundos, marcó el número de emergencias exteriores de la agencia. En unos minutos, y según obligaba el protocolo de defensa norteamericano, el cuerpo de seguridad de la embajada más próxima, en cualquiera de los doscientos dos países del planeta fuera de las fronteras estadounidenses, se movilizaría y llegaría al lugar del aviso.

—Escucha bien, Víctor —la dureza del tono de Julia sorprendió al profesor—, no quiero que te pongas nervioso. Pero hace un buen rato que dos tipos, uno alto y desgarbado y otro regordete, con bigote y muy fuerte, nos están siguiendo. Quiero que estés preparado para salir corriendo. Será a vida o muerte, ¿entiendes? Aquí no hay lugar para las bromas...

Su compañero inclinó la cabeza en señal de asentimiento.

—¡Qué vestido más bonito! —dijo la agente, mientras miraba de reojo al tipo que los seguía, que, a su vez, hacía como que miraba unas corbatas tan estridentes como la que llevaba puesta. ¿Sería una oportunidad para huir?

—Separémonos —musitó Julia—. Al dividirnos, ellos tendrán que separarse también, y si no lo hacen, uno de nosotros tendrá la oportunidad de escapar.

—Preferiría que pasáramos este mal trago juntos. Pero tú mandas.

* * *

A una señal convenida, el científico comienza a correr como un loco. En esos momentos echa de menos no haber seguido con el entrenamiento de atletismo que empezó de joven. Pero prefirió las pasarelas. Dinero fácil. Todo fácil. Mira hacia atrás, no tiene suerte.

Lo sigue el tipo más corpulento de los dos. El hombre bajito de piel cobriza tiene un aspecto amenazador. Bosco lanza objetos, aquí y allá, para entorpecer su avance.

¿Dónde estarán las escaleras mecánicas? *Los grandes almacenes siempre las esconden para que pasees un poco más,* recuerda. *Para que compres algo más.* Se le acaba el resuello. Su corazón está a punto de explotar. La gente grita a su alrededor. Hay oleadas de compradores y curiosos por todas partes que le entorpecen la huida. Pero los guardas de seguridad no llegan. Tiene que abrirse paso a empujones. Y las escaleras mecánicas parecen haberse volatilizado. El inglés calcula mal el siguiente paso, y se da de bruces contra un maniquí vestido con un traje de Carolina Herrera. Él y el maniquí caen al suelo, como en una película de Cary Grant.

—Dios santo —grita la vendedora. Su grito, intenso y agudo, parecería indicar que ha sido ella quien ha caído al suelo.

El profesor intenta levantarse. A pesar de su barriga, se conserva ágil. Nota todo su cuerpo anegado en sudor. Pros y contras. Entonces ve al perseguidor que lo acecha. Está apenas a un par de metros. Sonríe, mostrándole tres dientes de oro. Al mismo tiempo, busca algo en el bolsillo interior de la americana. Seguramente la pistola.

Como profeta no tenía precio: es un arma de fuego. El desconocido levanta el arma. Bosco cree que ha llegado su hora. Escucha un disparo. Y por instinto, cierra los ojos, como si ese negro momentáneo que invade la conciencia cuando entornamos los párpados, la falta de visión, pudiera evitar la realidad, negar el dolor. A los pocos segundos, nota un peso sorprendente en su estómago. ¿El dolor de la muerte? ¿La punzada del dolor? Su corazón bombea sangre con tanta fuerza que parece que quiera salirse de la caja torácica.

Cree haber muerto. Pero quizás no. Aún no.

¡Se piensan tantas cosas cuando el final está cerca! Crees ocupar entonces un estadio intermedio entre la vida y la muerte. Un no lugar. Un estadio donde los sentidos, todavía vigentes, se resisten a abandonar el cuerpo y te juegan una mala pasada. Cinco, seis, siete segundos apenas. Abre los ojos por inercia, y ve el rostro del agresor enganchado a su cara. Lo retira lejos de él, espantado, en un gesto reflejo, y se palpa la americana de pana, buscando la señal de un orificio de bala. La ropa teñida de rojo. Pero no es su sangre. Aquella sangre no le pertenece.

Es la del desconocido.

Levanta la vista, aliviado, y no cree lo que está viendo. No puede ser. Le parece vislumbrar, erguido a su lado, a un par de metros escasos, la figura de Abbot, empuñando una pistola de pequeño tamaño, ante el murmullo general. Su ángel de la guarda particular le sonríe. En ese momento, desde el suelo y excitado por el caudal de adrenalina que fluye por su sangre, su salvador le parece un gigante. *¿Habré muerto ya?*, se pregunta.

Pero no pasan ni cuatro segundos cuando se escucha una nueva detonación y la figura del cíclope salvador se tambalea.

El agente Abbot esboza aún una sonrisa fuera de lugar. Como si la historia no fuera con él. Acaba de hacer un acto heroico: le ha salvado la vida a su compañero. Palpa la sangre que mana a borbotones de su costado derecho y abre los ojos desmesuradamente, como si no creyera lo que le pasa. Le han disparado por la espalda.

Está muerto, pero se niega a reconocerlo.

Y acaba cayendo, fulminado.

El antiguo modelo mide sus opciones. *Alguien ha disparado a Abbot desde detrás de los maniquíes vestidos por John Galiano, a quince metros de donde estoy yo. Alguien que ahora viene a por mí.* Él es la siguiente víctima.

Saca fuerzas de flaqueza y se levanta. *Debo huir, joder. Si no, estoy más muerto que Abbot.* Uno de los cristales de las gafas, el derecho, se ha roto, y le parece que el universo se hace añicos a su alrededor. Empieza de nuevo su huida frenética, que le parece eterna, buscando una puerta de salida que le conduzca a la libertad.

Justo cuando sube al ascensor, escucha un disparo. Pero la puerta se ha cerrado a tiempo.

No sabe ni el número de planta que ha marcado. Comparte espacio con un grupo de diez personas que le miran, sorprendidas. Una anciana le pregunta si es un terrorista islámico.

Jadeando, le responde, pero en un tono muy alto:

—¿No ha visto mi aspecto, señora?

Podía ser un profesor sudado y humillado, alguien poco atlético que no sabía qué narices estaba haciendo en Londres, viviendo esa situación de pesadilla, pero no un terrorista islámico. No, señora.

Al abrirse la puerta los pasajeros permanecen instintivamente inmóviles, excepto los situados al lado de los botones del ascensor, que aprietan, desesperados, cualquier número del panel con tal de huir del sudoroso desconocido. Bosco está mareado. ¿Será capaz de abrirse paso a codazos? Toma impulso para intentarlo, pero sus asustados acompañantes se apartan y cae de bruces en la sección de televisores.

—¡Mierda! —grita; en ese momento hubiera deseado ser el campeón olímpico Michael Phelps y poder salir huyendo dando brazadas como un pez habilidoso y plateado.

Con dificultades, se yergue de nuevo y pasa entre televisores de plasma que emiten vídeos de la MTV, con adolescentes modernos y sonrientes, mezclados con partidos de fútbol del Mundial de México 86 y un Gran Baile de Navidad grabado en Berlín en 2003, con un público mayoritariamente jubilado. Los grandes clásicos de la tele nunca mueren. Ni siquiera presta atención a unos enormes bafles en forma de trompeta a un precio sorprendente.

Una lástima. Es una buena oferta.

Maradona hace la jugada de funambulista de su vida, driblando a media defensa inglesa desde su propio campo, cuando Bosco cree ver, entre la multitud, las escaleras.

Las escaleras salvadoras.

A una veintena de metros, entre las cabezas y peinados de la gente, el otro perseguidor avanza a su encuentro. El tipo larguirucho ha subido a toda velocidad para alcanzarlo.

No lo dejará escapar.

El científico hace un esfuerzo y, con las últimas fuerzas que le quedan, llega hasta la escalera, en el momento en que su perseguidor lo sujeta con los dos brazos por los hombros para impedirle que descienda por ella. Víctor intenta zafarse y se desequilibra. Ya sólo oye las imprecaciones del otro, en un idioma desconocido. Cada palabra extraña le hiere el alma. La vista se le nubla, y parece dibujar círculos concéntricos y alucinados. Después pierde la noción del espacio y el tiempo. Durante unas décimas de segundo creer flotar, ser etéreo, tan ligero como una pluma, pero esta sensación fantástica desaparece rápido, y en su lugar se extiende, como una metástasis por todo su cuerpo, un dolor enorme que le invade la consciencia y le provoca la pérdida de visión momentánea.

En ese momento sólo piensa en la muerte, en la muerte como algo abstracto. Como si ya no fuera con él y no le afectara. Y decide rendirse. Rendirse a su propio destino.

Pero en el último momento, de algún lugar inhóspito de su voluntad que no podría describir, le llega una descarga imprevista de pundonor y rabia. Unas ganas que desconocía de seguir viviendo y seguir luchando.

Y entonces, sólo entonces, abre los ojos, y se exige a sí mismo ver lo que está pasando.

Ahora se halla a un par de metros de la base de las escaleras, como si lo hubieran escupido. ¿Cómo ha recorrido los metros que lo separaban de las escaleras? No podría explicarlo. Sólo sabe que está tumbado en el suelo, de bruces, como si hubiera salido despedido tras un choque o una colisión. Hay gente a su alrededor. Pero no se atreven a acercarse. Otros se alejan a toda prisa.

Gira el cuello y ve una imagen que lo deja congelado.

El asesino enjuto y desgarbado que forcejeaba con él hace unos segundos está sentado junto a la escalera mecánica, recostado sobre su propio vientre, con la cabeza ligeramente inclinada hacia el lado derecho. Como si calibrara algo muy profundo. Tiene la boca abierta y los ojos parecen mirar directamente hacia Bosco. No parpadean. Son dos estanques negruzcos en calma. Uno de sus brazos está extendido con los dedos abiertos, intentando asir algo, quizás.

El último intento de aplastar a una víctima demasiado escurridiza.

Entonces, y sólo entonces, el cerebro del científico parece ceder: ha llegado a la meta.

Cuando llegan los servicios de seguridad, acompañados por los sanitarios, Bosco no tiene ninguna frase inteligente o profunda que decir: de hecho, ha perdido el conocimiento.

Capítulo
14

A partir de ahora procuraré no hacerte enfadar. ¡Joder, Víctor! ¡Te los has cargado tú solito! —Éstas fueron las primeras palabras que escuchó el magullado profesor al volver en sí.

La alegría de Julia era contagiosa.

—Así que liquidé a los malos... Me perdí la fiesta. ¡Ah! Me duele todo. —Siempre era agradable volver a ver a la pelirroja más guapa de América.

Los acompañaba el capitán Washington.

Julia rió con ganas, mientras el convaleciente miraba a su alrededor como si fuera un astronauta pisando un planeta desconocido y descubría una habitación aséptica de hospital, coronada en una esquina por la presencia de un televisor de monedas. Encima de la mesa, en el lado derecho, destacaba una magnolia con dos flores enormes de un lila llamativo.

—¿Te gusta? Es un regalo de Griffith. Me comentó que es una especie muy apreciada por los coleccionistas. Siempre tan atento. No te preocupes. No tienes lesiones internas. Sólo sufres un shock momentáneo. Te libraste de una buena.

Cuando estés más tranquilo, quiero que repases los datos sobre Clausius y Gibbs. Parece que los de la Hermandad se encapricharon de la gran pizarra de Clasius, conservada en la universidad de Bonn, en Alemania. Lo curioso del caso es que varias personas aseguran haber visto un resplandor rojizo que salía por las ventanas de un ala de la universidad. Otro misterio es que en ese momento se produjo un apagón que afectó a una parte de la ciudad, y... —La voz de Julia se quebró, al enfocar una cuestión más personal—: Supongo que recuerdas lo de Abbot.

Bosco asintió, intentó sonreír levemente, pero el gesto quebrado le costó un agudo dolor en el costado derecho, y prefirió no repetirlo.

Los tres permanecieron en silencio unos minutos. Sin saber qué decir.

Julia rompió el hielo.

—Creo que..., por él, debemos seguir adelante. —Una breve neblina cruzó las retinas de Saldivar—. El general me ha dicho que si no han destrozado tu preciosa cabecita, aún puedes sernos un poco útil. A te envía recuerdos y dice que tienes mucho cuento. Que si no te levantas hoy mismo, vendrá él personalmente. Y lo hará a patadas. ¿OK?

—Bueno, ahora tengo la agenda demasiado ocupada. Dile al megalómano de A que una dosis de la música que escucha todo el día sería la forma más rápida de levantarme de aquí. Cruzaría el Atlántico nadando para evitar oírla.

—Bosco —terció Washington—, la Interpol ha identificado a sus agresores. Se trata de una pareja de turcos: dos asesinos a sueldo con un historial tan largo como la distancia entre Kabul y Barcelona.

—Lo cual quiere decir que saben que estamos tras ellos —respondió el convaleciente.

—Correcto.

Julia y el oficial abandonaron la habitación, Bosco recogió los papeles del dossier y limpió las gafas de repuesto que llevaba siempre en su maleta y que, no sabía cómo, estaban en su mesita.

La Agencia está en todo, se dijo. Si todo iba bien, tres o cuatro días después recuperaría su vida normal. ¿Pero cuál era su vida normal? ¿La de la investigación del Enigma Galileo o la de antes? Su vida anterior parecía haber tenido lugar hace un siglo. Y lo más curioso del caso es que no sentía ninguna nostalgia.

Abandonó las teorías y se concentró en la lectura del amplio dossier.

RUDOLF JULIUS EMMANUEL CLAUSIUS

Nació el 1822 en Koslin, Prusia (actual Koszalin, Polonia) y murió en Alemania, en Bonn, en 1888.

En 1840 ingresó en la universidad de Berlín y aunque dudaba entre ciencias o historia, se decidió por estudiar física y matemáticas. Cuatro años más tarde obtuvo su licenciatura y posteriormente el grado de doctor.

Publicó su primer trabajo importante sobre la teoría del calor en 1850.

Su importancia fue reconocida por la comunidad científica y ese mismo año fue profesor en la universidad de Berlín. Su fama se extendió, lo que hizo que recibiera ofertas de varias universidades. Se casó en 1859, y en 1867 aceptó una plaza en la universidad de Würzburg, alegrándose de volver a su país natal, Alemania.

A pesar de tener cincuenta años, participó como conductor de ambulancias en la guerra que, en 1870, la Confederación Alemana del Norte, creada por Bismarck, entabló con Francia. Organizó un eficaz equipo de ambulancias con los estudiantes de Bonn y recibió la cruz de hierro. Herido en una pierna, sufrió fuertes dolores hasta su muerte. Por recomendación médica, y para aliviar el dolor, tomó clases de equitación y fue un jinete experto.

En 1875 falleció su esposa al dar a luz a su sexto hijo, y educó solo a sus hijos. Según escribió su hermano Robert, se volcaba en su educación: supervisaba diariamente sus deberes.

Se volvió a casar en 1886 y fue rector de la universidad de Bonn hasta su muerte.

• Cuando era joven sustituía a su padre como profesor.
• Momentos antes de morir, corrigió un examen.

El frío cuesta dinero

Descubrió el **segundo principio de la termodinámica:** «No es posible que exista ningún proceso cuyo único resultado sea la transferencia de calor desde un cuerpo frío a otro más caliente».

Nunca se ha observado que el calor se transmita, por sí solo, desde un cuerpo más frío a otro más caliente. Lo comprobamos cada mes al recibir la factura de la electricidad. Los frigoríficos domésticos funcionan gracias a que un motor eléctrico mueve un compresor que hace circular un gas refrigerante por la nevera. Este gas es capaz de enfriar porque absorbe calor al evaporarse a baja temperatura mientras circula por el interior de la nevera.

El fin del universo

En el universo la energía se transforma continuamente. Siempre que una clase de energía se convierte en otra —por ejemplo, energía eléctrica en luminosa— se desperdicia parte de la energía. En este caso, se dispersa en forma de calor.

Y, poco a poco, las estrellas se desgastan, y un día muy lejano, pero inevitable, todas agotarán su combustible nuclear y se apagarán para siempre.

Es **«la muerte térmica del universo»,** pero no ocurrirá hasta dentro de varios miles de millones de años.

El profesor se frotó los ojos. La lectura sobre Clausius le había parecido muy reveladora, pero se sentía fatigado y los conceptos que manejaba el científico alemán eran complicados. El autor o autores de los robos conocían muy bien la historia de la física y parecía que la repasaban con la pasión de alumnos aplicados.

Decidió repasar el informe sobre Gibbs.

Siempre le había parecido un científico muy cabal. Le agradaba su opinión sobre las matemáticas. Solía decir que, como el francés, el turco o el inglés, son un lenguaje, un vehículo de comunicación. Quizás es eso lo que hace que a mucha gente le parezcan tan difíciles: no han aprendido las bases del idioma, los balbuceos de la lengua, para desenvolverse creando frases más complejas. En su experiencia con gente de otros países, había aprendido que las matemáticas son el idioma internacional por excelencia.

Julia había anotado con pluma unas líneas para él:

«Si has conseguido llegar hasta Gibbs, enhorabuena. Eres un superhombre.

El robo que estudiamos es nada más y nada menos que la sala del claustro de la universidad de Yale, donde se formó como alumno e impartió clases.

Ocurrió hace aproximadamente una semana.

Han desaparecido los muebles. El papel de la pared y las baldosas del suelo. Como si lo hubieran arrancado de cuajo. ¿No te parece familiar? El modus operandi, tan teatral, es parecido al robo de los mosaicos que representaban la caza del ciervo del Museo de Pella, en Macedonia. Y, francamente, no creo que lo hayan hecho antiguos alumnos del lugar como Meryl Streep o Jodie Foster.

Esto se pone interesante. Recupérate pronto.

Te necesito.

Julia»

El antiguo modelo sonrió. Muchas personalidades han pasado por las aulas de Yale, desde el presidente Bill Clinton a escritores como Tom Wolfe o escultores como Richard Serra. Pasando por gran número de actores y actrices. Sí, los tres, incluido el presuntuoso de A, formaban un buen equipo. Y descubrirían la verdad. Aunque no tenía demasiado claro la utilidad de todos los informes de A, excepto que su cultura aumentaba cada vez más. Después de todo, eso no era tan malo. ¿Verdad?

Bosco continuó la lectura.

JOSIAH WILLARD GIBBS

Nació en New Haven, Connecticut (Estados Unidos), en 1839, y murió, en la misma casa donde había nacido, en 1903.

Sencillo, tímido y modesto, este profesor **ha sido para muchos el mayor científico americano de todos los tiempos.**

Antes de la universidad, su delicada salud y su carácter introvertido lo hicieron un joven solitario.

Estudió ingeniería mecánica en Yale y fue uno de los primeros en obtener el grado de doctor en Estados Unidos. Su tesis trataba de la forma de los dientes en los engranajes de los trenes.

Sus estudios se orientaron al diseño de la maquinaria de ferrocarril.

Sólo viajó para estudiar matemáticas en París, Berlín y Heidelberg.

No publicó nada hasta los treinta y cuatro años de edad, y **sólo cuando sus excelentes trabajos sobre termodinámica fueron conocidos,** años más tarde, **la universidad de Yale le pagó un sueldo.**

Era soltero y vivió casi toda la vida con su hermana, de carácter dominante.

Fue el decimoséptimo hijo de una familia de eruditos y académicos. Su padre fue un destacado profesor de lingüística en su misma universidad, Yale.

Creó de la nada **tres nuevos campos del conocimiento: termodinámica química, análisis vectorial y la mecánica estadística.**

• En una reunión académica en la que el departamento de lingüística solicitaba un aumento, Gibbs se sumó a la petición y dijo: «¡Las matemáticas también son un lenguaje!»

- La mayoría de sus trabajos se publicaron en una revista de poca difusión: *Transactions of the Connecticut Philosophical Society*. **Nunca le concedieron el Premio Nobel.** Como ocurre con otros estudiosos, su genialidad se ha reconocido después de su muerte.

- Los más brillantes científicos alemanes de la época (Maxwell, por ejemplo) se referían a él como *Jibbs aus Yali* («Gibbs de Yale»), antes de que la gente de New Haven apreciara su talento.

- Sus ideas eran tan novedosas que sólo así se entiende que sus contemporáneos no las valoraran.

¿Podemos confiar en la estadística?

La estadística es más fiable si se aumenta el número de individuos, átomos en este caso, sobre los que se aplica. Esto se comprueba tirando varias veces una moneda. Si arrojamos una moneda al aire, existe un 50% de probabilidades de obtener uno de los dos resultados posibles: cara o cruz, pero esto no significa que si arrojamos la moneda 100 veces aparecerán 50 caras y 50 cruces.

Cualquier combinación es posible: 51 cruces y 49 caras... 2 caras y 98 cruces. Sin tener en cuenta el orden en que aparecen las caras y las cruces, hay 101 casos posibles. ¿Qué significa una probabilidad del 50%? No demasiado si el número de lanzamientos es reducido, pero si arrojáramos la moneda muchas veces observaríamos cómo la cantidad de caras y cruces que aparecen tienden hacia un mismo número, que sería la mitad del número de lanzamientos realizados.

Y como el número de átomos que hay en cualquier pequeño trozo de materia es muy grande, los resultados de la mecánica estadística son muy fiables.

Gibbs creó los **fundamentos de la termodinámica** a partir de la **mecánica estadística,** que es la ciencia que relaciona el comportamiento microscópico de los átomos y moléculas con variables macroscópicas, como la presión o la temperatura, que podemos medir con facilidad.

Se llama estadística porque no calcula exactamente la posición y la velocidad de cada partícula. Sólo estima la probabilidad de que las variables macroscópicas tengan ciertos valores medios. Se hace así porque **en sólo un centímetro cúbico de materia hay millones de partículas que se mueven e interactúan** y es imposible determinar el comportamiento de cada una de ellas.

La mecánica estadística calcula promedios de las propiedades atómicas. Pero el número de átomos que hay en cualquier volumen de gas o materia es tan grande que estos valores medios son una muy buena aproximación.

Los cometas destructores

Desarrolló un método sencillo para determinar las órbitas de los cometas. Sus cálculos se utilizaron para calcular la órbita del cometa Swift-Tuttle, descubierto en 1862. Gracias a sus fórmulas, se necesitaron muchos menos números.

Durante unos años este cometa fue muy famoso.

Es un cometa grande, de dimensiones similares al que podría haber causado la extinción de los dinosaurios hace 65 millones de años y, hasta 1992, parecía que colisionaría con la Tierra en 2126. Por suerte, nuevos datos y cálculos han demostrado que no existe ningún peligro, al menos durante el próximo milenio.

Un par de horas antes, a unos cinco kilómetros del hospital, la agente Saldivar hablaba por teléfono con el decano de la facultad de Yale. Tenía una duda que no la dejaba descansar.

—Perdone, pero hay una cosa que no entiendo. Si el robo sucedió hace un mes, ¿por qué no ha dado el aviso hasta ahora?

—Ya sabe cómo son nuestras hermandades. Tenemos más de 11.000 estudiantes y somos uno de los centros más importantes del mundo —al pronunciar la palabra «hermandades», la agente de cabello pelirrojo pensó en la Hermandad que perseguían ellos, y sonrió ante el sonoro suspiro de su interlocutor—. Creí que era una gamberrada más de los Alfa-Gamma y no le di importancia, pero, al ver que no devuelven lo que se llevaron, lo he hecho público. ¿Para qué querrán las baldosas y el papel de la pared? Me parece patético.

—¿Fue en esa aula donde daba clases Gibbs?

—Sí. ¿Cómo lo sabe?

Saldivar no quiso añadir nada más.

15

El Iniciador ordenó a sus ayudantes que comenzaran el proceso. Uno de ellos, su asesor de confianza, se dirigió a la cámara. Las puertas de acero se cerraron tras él, herméticamente. De inmediato la cámara empezó a flotar gracias a la fuerza que los potentes campos electromagnéticos ejercían sobre los imanes colocados en las paredes laterales.

Casi al instante, el Iniciador se sumió en un estado de concentración muy parecido al trance. Durante seis horas estaría así. Cada uno de los Hermanos sabía lo que tenía que hacer. También sabían que no debían molestarlo bajo ningún concepto, y que el único resultado que admitía era el éxito de la traslación.

Sus ojos permanecían sumidos en una quietud extraña. El tiempo y el espacio parecían atravesar sus pupilas y una paz lejana, inverosímil, invadía cada uno de sus movimientos y sus palabras. Casi no parpadeaba. Su respiración era pausada, más espaciada de lo normal. Pero su control sobre la situación era absoluto. Daba órdenes cuando era necesario y mantenía al equipo en su máxima tensión. Se diría que su corazón latía en todos los presentes, que dominaba el espacio. «Un día te integrarás en el universo», uno de los preceptos más preciados de la Hermandad. Y no era una frase hueca o gratuita. Sino un estado mental y una aspiración.

Su conciencia no estaba inhibida o aletargada, al contrario, se hallaba en un estado superior al del resto de los mortales. De esta manera había conseguido buena parte de los logros que ahora les permitían estar a las puertas del descubrimiento más importante de la historia de la ciencia.

En ese mismo momento, pero muy lejos de allí, un estudiante de la universidad de Berlín jugueteaba indolentemente con un abridor de cartas. Con el examen apenas a una semana, el chico se había decidido a hacer una visita al despacho de Planck, donde se conservan en perfecto estado algunos de los objetos utilizados por el científico alemán. Aunque sólo fuera para pasar el rato sin aburrirse en la biblioteca.

En un momento de descuido del guía, el estudiante cogió el abridor de cartas y jugueteó con él. Lo que vino después fue algo que nunca olvidaría. Aunque no llegara a entenderlo. Sólo fue una fracción de segundo, pero en ese espacio de tiempo, el cortaplumas desapareció. Como si se lo hubiera tragado la tierra o sufriera el truco de un prestidigitador. Enseguida se materializó, pero esta vez lo hizo en la palma de la mano del universitario. Atravesándola.

El gobierno federal no dejó filtrar la noticia a los medios, y puso los hechos en conocimiento de las organizaciones policiales internacionales.

Fue A quien dio la noticia a Bosco y Saldivar, y les informó de los detalles. El siguiente en la lista de misterios era Planck.

—¿Ha desaparecido la taza del váter de su casa? —preguntó Víctor, mientras abría un paquete de cacahuates y se lo ofrecía a su compañera.

Su compañera le recordó que estaba semiconvaleciente, y le pidió que dejara de comer. Como era de esperar, no le hizo el mínimo caso.

—No quedan restos de su casa. Desaparecieron en un bombardeo aliado durante la Segunda Guerra Mundial. Planck fue un tipo sin demasiada suerte. Como veréis en el informe.

Los detalles de la desaparición hicieron que los dos no tuvieran demasiadas ganas de sonreír. Al contrario, pensaron que el destino es misterioso y demasiado cruel.

—¡No os preocupéis —gritó A, dando saltos en su silla y poniendo la música a todo volumen, para animarles o, quizá, desanimarles—, la vida siempre puede ser peor! Aquí tenéis todo lo que hay que saber sobre uno de los fundadores de la mecánica cuántica.

MAX KARL ERNST LUDWIG PLANCK

Nació el 23 de abril de 1858 en Kiel, Schleswig-Holstein, Alemania.

En 1879, con sólo veintiún años, obtuvo su doctorado en física. Un año después ocupa su primer cargo académico en la universidad de Kiel y al cabo de cinco años es profesor titular de una de las cátedras de física.

En 1900 formula su teoría de los cuantos, piedra angular de la mecánica cuántica, donde establece que la energía se radia en pequeños paquetes individuales llamados «cuantos».

La energía radiada por el sol, por ejemplo, sólo se emite en múltiplos enteros de un valor fijo e invariable, llamado en su honor «constante de Planck». Sus descubrimientos también consolidaron los cimientos de la física atómica y nuclear.

Recibió muchos premios y honores, entre ellos el **Premio Nobel de Física en 1918.**

A partir de sus cincuenta años llegaron las tragedias: en 1909 murió su esposa, Marie Merck, tras 22 años de matrimonio. En 1916 murió su hijo mayor, Karl, en la Primera Guerra Mundial. Su hija mayor, Margarete, murió de parto en 1917; dos años más tarde, su otra hija, Emma, también murió de parto.

Su casa de Berlín fue destruida en un bombardeo; su hijo Erwin fue torturado y asesinado por la Gestapo tras participar en una conspiración para asesinar a Hitler.

Al finalizar la guerra, Planck y su segunda esposa se trasladaron a la localidad de Göttingen, donde falleció a los noventa años el 4 de octubre de 1948.

- Fue uno de los primeros científicos que reconoció la teoría de la relatividad de Einstein. Y llegó a ampliar la teoría.
- Según Einstein: «Era un hombre a quien le fue dado aportar al mundo una gran idea creadora», refiriéndose a su concepto revolucionario de que los niveles de energía se distribuyen de manera discreta; a una partícula subatómica no le está permitido tener cualquier valor de la energía.
- Fue profesor de la universidad de Berlín muy joven. Un día olvidó el número del aula que le habían asignado para dar una conferencia, y pidió ayuda a un viejo guardia:
  —¿En qué sala da el profesor Planck su conferencia? —preguntó.

El guarda le dio una palmadita amistosa en el hombro y le contestó:

—Mejor que no vayas, ¡eres demasiado joven para entender las teorías de nuestro sabio profesor Planck!

- A los diecisiete años le confesó al jefe del departamento de física de su universidad que quería ser físico. Su profesor le respondió: «La física es una rama del conocimiento de la que se conoce prácticamente todo. Se han hecho ya todos los descubrimientos».

  Pocos años más tarde, y gracias a los descubrimientos de Planck, se desarrolló la moderna teoría cuántica desde fundamentos y teorías completamente nuevos.

- En su autobiografía, explica el principio de Planck: «Una nueva verdad de la física no es reconocida como tal por la comunidad científica gracias a la fuerza de la razón, más bien lo que sucede es que los que son contrarios a ella van muriendo y la nueva generación crece acostumbrándose a ella».

- Era un maniático de la puntualidad. Un joven esperó ante su puerta para comprobar si era cierta la «leyenda» de que en el instante en que sonaban las campanadas de la hora de salida, el profesor abría la puerta del despacho y se iba.

  Tras vigilarlo, ¡comprobó que la puerta del despacho siempre se abría al sonar la primera campanada!

Nace la física cuántica

Había puesto las bases de una nueva y revolucionaria teoría. En 1900 dijo que **la energía se radia en unidades pequeñas y separadas llamadas cuantos.**

¡Nace la física cuántica!

Existe una evidente relación entre el adjetivo «cuántica» y los «cuantos» o paquetes de energía de Planck. El **postulado de Planck** dice que la luz está formada por «paquetes» individuales de energía, llamados **fotones,** y abrió la puerta a una nueva y desconcertante revolución de la física.

—¡Qué raro! ¿Te has fijado en que seis de los científicos anteriores, Herón, Carnot, Joule, Von Helmholtz, Clausius y Gibbs, han hecho aportaciones relacionadas con la energía y, en cambio, a Planck se le asocia con los inicios de la física cuántica? —observó Julia.

—Tienes razón, pero, ahora que lo dices, recuerda por qué motivo es famoso Planck —respondió Bosco, con una sonrisa pícara.

Julia le miró, buscando el dato que le pedía y que no conseguía recordar.

—¡Ahora caigo! La teoría más famosa de Planck dice que la luz se propaga en forma de cuantos, que son pequeños paquetes de energía. Esta idea es básica en la mecánica cuántica, pero también cambió nuestra idea sobre la energía.

—Lo cual quiere decir que él también forma parte del grupo.

—No hace falta ser muy listo para ver que si en el primer grupo de científicos que hemos analizado han robado objetos relacionados con la idea de fuerza y movimiento, en este segundo bloque están reuniendo objetos relacionados con la energía.

—O estamos ante una secta de lunáticos muy peligrosos o está pasando algo muy importante ante nuestras narices y...

—... De momento, sólo somos unos invitados que asistimos al festín de otros —cortó Julia, algo secamente—. No tenemos ninguna pista sólida, ni una hipótesis que nos indique qué rayos está pasando con esta secta conocida bajo el nombre de Hermandad... y no sé qué más. ¿Son siempre los mismos ladrones? ¿Son grupos diferentes o están coordinados?

—Bueno —finalizó—, concluyendo: no sabemos nada. Pero que O'Connor no se entere, ¿de acuerdo? Peligra nuestra integridad física.

—No te preocupes Víctor, nuestra integridad física peligra de cualquier manera. Te guardaré el secreto: sólo lo sabemos nosotros y los Hermanos.

Capítulo
16

Cuando Georges Perec puso en funcionamiento el contador Geiger, su compañera estuvo a punto de hacerle la bromita de turno. Como cada tarde. Pero le dio pereza. Día tras día, puntual como un reloj, diez minutos antes de cerrar las puertas del museo, situado en la planta baja del Pabellón Curie del Instituto del Radio, el conserje de la mandíbula prominente y los ojos azul cielo, a punto de jubilarse, se paseaba por las diferentes estancias con el aparato medidor de radiactividad emitiendo sus ruidos característicos.

Hacía más de noventa años que, en estas mismas estancias, el matrimonio Curie, a riesgo de su propia vida y en unas condiciones de investigación precarias, había aislado el radio, un mineral que serviría después en la lucha contra el cáncer, mediante la radiología.

El viejo Perec era el terror de los turistas rezagados y de los que siempre apuran hasta el último momento. No hacía daño a nadie, y el tipo se divertía. *Ya está el chalado de Georges con sus jueguecitos,* solían pensar todos. Pero esta vez no tuvo tiempo de completar el recorrido diario. El buenazo regresó hasta su compañera con un interrogante dibujado en el rostro. Una especie de niebla extraña cubría sus pupilas.

—Charlotte, no lo entiendo. El contador marca unos niveles demasiado altos.

La aludida, una chica regordeta con el cabello negro muy corto, miró la aguja roja del aparato y comprobó, sorprendida, que su compañero tenía razón. Muy intrigada, alzó el auricular del teléfono interno y habló con dirección.

A los cinco minutos llegó la policía hasta el número 11 de la rue Pierre et Marie Curie de París. La calle que, como un pequeño homenaje de la ciudad a la pareja de científicos más famosa de la historia, lleva el nombre del Museo Curie.

El dictamen de los expertos confirmaba las sospechas de los empleados del centro: el índice de radiactividad, sin ser mortal, era bastante alto. Pero los científicos del lugar no fueron capaces de hallar la fuente de la radiación. La policía recopiló en su aséptico informe una anécdota sin excesiva importancia aparente. El mismo día de los hechos, dos turistas que se disponían a visitar el despacho y el laboratorio donde trabajó Marie Curie salieron consternados, protestando al guarda de que allí sólo había dos habitaciones vacías. Cuando el vigilante entró en las habitaciones, acompañando a los turistas, comprobaron, aliviados, que allí estaban los muebles del despacho y las mesas, probetas y alambiques del laboratorio.

* * *

—Tiene gracia —dijo A—, la mujer murió porque se arriesgó a estudiar la radiactividad.

—No has entendido nada. Marie luchó para erradicar el cáncer y no vaciló en jugarse la vida por ello —dijo Saldivar, molesta—. Eso demuestra qué tipo de mujer era. Se sacrificó por la ciencia. Quizás vosotros no podáis entenderlo. Ya que siempre somos las mujeres las que nos sacrificamos por vosotros y no lo valoráis para nada.

Sus interlocutores prefirieron no hacer ningún tipo de comentario. La ira de Saldivar era conocida por todos. La dejaron que apretara la tecla correspondiente del portátil, y se dispusieron a sumergirse en la vida de Marie Curie, la científica más famosa de la historia.

MARIE CURIE

María Sklodowska nació en Varsovia el 7 de noviembre de 1867.

A los nueve años murió su hermana Sophie y dos años más tarde, su madre.

Nunca abandonó la idea de dedicarse a la investigación, a pesar de nacer en una época y en un país donde la universidad estaba prohibida a las mujeres.

La sombra de la pobreza siempre planeó en casa por las represalias políticas que sufría su padre.

Trabajó para ayudar a su hermana a costear los estudios de medicina en París, y abandonó su hogar para ejercer de institutriz.

Durante el otoño de 1891 fue a París a estudiar en la universidad de la Sorbonne. Y se alojó en un pequeño ático del Barrio Latino, donde **pasó hambre y frío.**

Pero ninguna adversidad le impediría alcanzar la licenciatura en física y en matemáticas. Durante sus años universitarios, conoció a un joven inteligente y tímido, conocido por sus trabajos sobre cristalografía y magnetismo.

Era Pierre Curie. El 26 de julio de 1895 se casaron. Ambos eran entusiastas de la ciencia.

Su boda fue sencilla: sin vestido blanco, sin fiesta, sin anillos de compromiso, y una luna de miel viajando en bicicleta por las carreteras francesas.

Los Curie descubrieron dos nuevos elementos radiactivos: el polonio y el radio. Trabajaron cuatro años refinando cantidades, cada vez menores, de pechblenda: un mineral de uranio que contiene elementos radiactivos.

Por descubrir la radiactividad natural, los esposos Curie y Henri Becquerel recibieron en 1903 el Premio Nobel de Física.

Pocos años más tarde, un día gris y lluvioso de 1906, Pierre Curie, debilitado por la radiación, murió bajo las ruedas y los cascos de un coche de caballos. **A la «viuda ilustre» le fue concedido en 1911 un segundo Premio Nobel, esta vez de química, por descubrir las propiedades del radio.**

En 1914 dirigió el Instituto del Radio en París: allí investigó las aplicaciones de la radiación para combatir el cáncer.

Años después de morir su esposo, Marie mantuvo relaciones con Paul Langevin, antiguo alumno de Pierre. A Marie no le gustó nada que se hiciera pública esta relación. Y tras recoger su segundo Premio Nobel sufrió una profunda depresión. Murió en 1934, a los sesenta y seis años, a causa de la leucemia, un cáncer de la sangre provocado por sus continuas exposiciones a la radiactividad.

• Nunca olvidó su Polonia natal, dividida entre Rusia, Alemania y Austria. **Bautizó con el nombre de polonio al elemento químico que descubrió, en homenaje a su país.**

- En el ático del Barrio Latino donde vivía, no tenía armario. Pero no le hacía falta: sólo tenía la ropa que llevaba puesta.

- **Albert Einstein dijo de ella: «Tiene una inteligencia brillante, pero no es lo bastante atractiva para representar un peligro».**

- Tras la muerte de Pierre, la universidad de la Sorbona le pidió que ocupara su cátedra de física. Al dar su primera clase, se encontró con un aula llena de políticos y celebridades, que esperaban el discurso de la famosa Madame Curie.

  Sin inmutarse, se encaminó hacia la tarima, en medio de fervorosos aplausos. Y se dirigió a los asistentes en el mismo punto de la lección en que su marido la había dejado varios meses atrás.

- Un periodista americano fue a la mansión inglesa que los Curie ocupaban en vacaciones. «¿Es usted la dueña de la casa?», preguntó a la señora sentada en el porche. «Sí», respondió secamente ella. «¿Se encuentra la huésped dentro de la casa?» «No», fue la respuesta. «¿Sabe usted si volverá pronto?» «Creo que no», contestó.

  El redactor había hecho un viaje muy largo para desanimarse: «¿Podría decirme algo confidencial sobre la señora Curie?», preguntó.

  La mujer respondió: «Madame Curie tiene solamente un mensaje para los periodistas: sed menos curiosos acerca de la vida de las personas y sed más curiosos sobre las ideas».

  Así era Madame Curie.

- El gobierno francés les preguntó qué decoración les gustaría en su nueva residencia y ella contestó: «Le agradezco al ministro sus atenciones, pero díganle que yo no

necesito ningún tipo de decoración, lo que sí necesito urgentemente es un laboratorio».
- En 1903 la Royal Society de Londres otorgó a los Curie la medalla Davy. Era una pesada medalla en la que estaban grabados sus nombres. Al no encontrar un lugar donde colocarla, se la regaló a su hija de seis años, Iréne.

Los peligros de la radiactividad

Existen sustancias radiactivas porque los núcleos de los átomos no son estables. En la naturaleza existen núcleos que de forma espontánea se desintegran y emiten radiaciones. La **radiación** es una transmisión de energía a distancia mediante ondas electromagnéticas, como las de televisión pero mucho más energéticas, o en forma de pequeñas partículas, y que se desplazan a gran velocidad.

Durante la Segunda Guerra Mundial las bombas atómicas de Hiroshima y Nagasaki demostraron que una elevada dosis de radiación es mortal.

Pero las bombas nucleares no son el único peligro.

La explosión de una bomba nuclear tiene efectos devastadores sobre la atmósfera.

La radiactividad liberada en el aire cae poco a poco hacia el suelo; es la **lluvia radiactiva.** Ninguna región de la Tierra está a salvo de esta amenaza. Los vientos pueden esparcir las partículas radiactivas alrededor del mundo.

Por suerte, la mayoría de las potencias nucleares han firmado acuerdos y pactos que regulan la fabricación y el lanzamiento de bombas atómicas.

Pero existen usos pacíficos de la energía nuclear que también representan un peligro.

Las centrales nucleares, que producen una parte importante de la energía eléctrica que se consume en el planeta, generan **residuos radiactivos.** Existen unas 200 sustancias radiactivas que pueden aparecer cuando se produce la fisión en un reactor nuclear.

Hasta ahora se han almacenado millones de litros de líquido radiactivo en contenedores de cemento. Este material es capaz de absorber y neutralizar los efectos de la radiación. Muchos de estos barriles se han enterrado bajo tierra o se han arrojado a las profundidades de los océanos..., pero ¿resistirán el tiempo suficiente?

El ritmo de desintegración de las sustancias radiactivas es lento. Su «vida media», definida como el tiempo necesario para que la mitad de los átomos del material se desintegre, puede ser de varios miles de años.

Algunos residuos se llaman de «alta actividad». Proceden de la fabricación de armas y de los restos de las varillas de uranio usadas como combustible en las centrales nucleares.

Emiten grandes dosis de radiación y pueden durar varios siglos, e incluso miles de años.

Algunos elementos radiactivos, como el plutonio 239, tienen una vida media de 24.400 años, y el neptuno 237 de unos 2.130.000 años.

Aunque no todos los residuos duran tanto tiempo, no es necesario ser un ecologista convencido para darse cuenta de que la Tierra es un barco del que no podemos desembarcar.

Esperemos que los físicos e ingenieros nucleares encuentren pronto soluciones seguras para eliminar estos residuos.

Tras leer la biografía de Curie, empezaron a estudiar el informe policial que les había llegado gracias al mariscal Gérard. El informe, aunque pasara de puntillas por ello, sugería un punto de anormalidad en los hechos, algo que Saldivar advirtió al momento.

—Supongamos que en el Museo Curie haya ocurrido otra desaparición que no hemos podido detectar. Sólo los turistas fueron testigos de ella y no hay pruebas.

—Tenemos la medición de la radiación, de eso sí tenemos pruebas concluyentes. Allí dentro hubo algún tipo de movimiento que supera nuestra comprensión y que provocó esa medición. No hace falta ser muy listo para verlo. —El profesor empezaba a entender esa madeja tan complicada que era el Enigma Galileo.

—Lo que es seguro es que esos tipos a los que nos enfrentamos, llámales la Hermandad, disponen de una tecnología muy superior a la nuestra.

—¡Eureka! —exclamó Víctor, triunfal—. ¡No entiendo cómo no me había dado cuenta antes! Si estás demasiado cerca de un problema, el problema te ciega y sólo alejándote de él puedes ver nuevas pistas para resolverlo.

—¿Qué es lo que no habías visto antes?

—Curie era la pieza del rompecabezas que nos faltaba. Cada desaparición, robo o incidente que estudiamos, aunque no siga una secuencia cronológica estricta, al menos a simple vista, sigue un orden temporal. Tras el 2, llega el 3, y así sucesivamente; aunque estén mezclados, los números se pueden ordenar con facilidad. La misma progresión aritmética: 2, 4, 6, 8, 10... o geométrica: 2, 4, 8, 16, 32, 64... hace poco que las conocemos, pero han estado ahí siempre. ¿Entiendes? Si reúnes todos los objetos substraídos a los científicos, vemos que pertenecen a las figuras más importantes que han conseguido avances en el campo de la energía, como las primeras desapariciones pertenecen a temas relacionados con las fuerzas o el movimiento.

—Tienes razón..., pero —la lógica de Julia funcionaba a pleno rendimiento— la secuencia no está completa. Nos faltaría Einstein para completar la cadena.

—Bueno —el profesor se encogió de hombros—, no puedo saberlo todo. Si lo supiera todo, sería dios. Además, ya tienen su cerebro, ¿no?

—Sí, no está mal pensado. Es una buena teoría. —Su compañera se quedó pensativa.

El rostro de Julia, cuando estaba concentrada en su trabajo, era adorable. Reflejaba determinación y una capacidad extraordinaria para captar los mínimos detalles que podían cambiar un caso, trastocar una investigación. Creía lo mismo que Sherlock Holmes: éste decía que una colilla insignificante en un caso de asesinato los podía llevar al culpable.

Necesitaban la colilla que no habían sabido ver hasta entonces en el Enigma Galileo. Inteligencia y sensibilidad: una combinación poco habitual.

Ahora Bosco entendía lo que hacía en la agencia: desarrollar su inteligencia y ponerla a prueba en cada investigación.

Todo un reto.

EL MAYOR SECRETO DE LA HUMANIDAD

Parte III

Capítulo
17

Os gusta el aperitivo? Le he rogado al cocinero que sirviera una especialidad de la cocina árabe —su rostro se endulzó unas décimas de segundo, casi un espejismo en un semblante habitualmente endurecido—, a modo de pequeño desagravio para vosotros, tras el percance de Alejandría. Los pueblos y sus costumbres se entienden mejor desde su gastronomía, porque la comida no requiere explicaciones. Va directamente a los sentidos: la vista, el olfato, el gusto. Es algo que he aprendido a través de mis viajes. Y os aseguro que Egipto es una tierra maravillosa.

—Es delicioso. ¿Verdad, Víctor?

El sabor del *meza*, el aperitivo al que se refería Griffith, era impresionante. Estaba compuesto por una ensalada berebere, con berenjenas, cebolla y pimiento. También tenía rollitos de berenjenas, humus o crema de garbanzos y ensalada de naranja.

Mientras degustaban *fajd al-jaruf bi-l-'asal wa-l burtuqal*, es decir, una pierna de cordero lechal con miel y naranja, acompañada de una suave cerveza egipcia, descubrieron que Griffith era un conversador consumado. Agradable, cortés y servicial. Un observador atento detectaba al instante que estaba acostumbrado al trato con la gente y era capaz de hacerle sentir cómodo a cualquiera. La definición de lo que se suele identificar con la expresión, demasiado utilizada, es cierto, de un hombre de mundo. De hecho, lo primero que había hecho al recibirlos fue interesarse por la salud de Bosco y admirarse de la belleza de Saldivar, muy superior en carne y hueso a la imagen que había visto a través de una pantalla de teléfono con una resolución de imagen demasiado escasa para valorar todo su esplendor, según dijo.

Su anfitrión tenía el cabello canoso, los pómulos ligeramente salientes y el rostro suavemente alargado, la frente amplia y enmarcada por unas finas cejas, escuetas y salientes apenas un poco por encima de los ojos. Éstos, algo separados y ligeramente desalineados, eran grandes y profundos. Y en ellos habitaba algo inquietante, pero no a simple vista, en el primer contacto, sino tras una mirada perspicaz. Algo como muerto y, al mismo tiempo, muy lúcido se encontraba en su interior. Producían una sensación extraña, intranquilizadora y magnética a un tiempo. Sus ojos eran casi tan grandes y profundos como los de un retrato que Bosco, no recordaba dónde, había visto en algún lugar. La nariz era ancha y bastante aplastada en la base. La barba, casi una línea canosa, delimitaba unos labios finos, un simple trazo; el superior caía sobre el inferior. Rara vez sonreía, como si, con el paso del tiempo, hubiera perdido la costumbre o hubiera llegado a la conclusión de que éste era un gesto inútil que había que erradicar.

Pero lo más extraño era su acento, no era de ninguna parte. Tal vez se debiera a que Griffith hablaba perfectamente varias lenguas, algunas de ellas ya desaparecidas.

El camarero apareció con el segundo plato. Julia apuró su copa de champán. Desde el mismo momento en que

Griffith supo que estaban en Londres investigando un caso, les rogó que se desplazaran a cenar con él hasta su casa del barrio de Whitehall, cerca del parque de Saint James. El hombre redobló su invitación al saber que Víctor se había restablecido de las heridas provocadas durante la persecución en Harrods.

—Doctor, su fortuna...

—De tú, niñita, de tú. Ya sé que soy un viejo carcamal, pero el tú me rejuvenece un poco cada vez que se pronuncia. No sé explicar la razón, como tantas otras cosas de la vida..., pero puedo notar sus efectos terapéuticos en mis huesos.

—No entiendo cómo puede..., cómo puedes decir que eres un viejo carcamal. ¡Te conservas muy bien! —El Misionero agradeció el cumplido de la mujer con un gesto de duda, alzando la ceja izquierda—. Decía que tu fortuna es considerable, ¿no has pensado nunca en cambiar de residencia?

—No veo la razón. Esta casa está muy cerca de la sede principal de mis empresas, vivir aquí me resulta muy cómodo. Creedme.

—Bueno, pensaba en uno de esos enormes palacios de Heamstead donde conviven tipos como estrellas consagradas del rock o actores, no sé, cómo Paul McCartney o Keith Richard. Supongo que no suelen quejarse por el ruido de sus vecinos... Es un ambiente bastante agradable, ¿no te parece? —El profesor empezaba a sentir una corriente de simpatía creciente hacia su anfitrión.

—Supongo que sabéis que cerca de aquí está el número 10 de Downing Street, la residencia del primer ministro; si él puede vivir en este barrio, con tanto turista dando vueltas y mareándonos, creo que yo también puedo soportarlo.

Los tres rieron la ocurrencia. La residencia de Griffith ocupaba una casa victoriana de dos plantas con altillo; no era ni muy suntuosa ni demasiado espectacular. De hecho, toda la hilera de casas del barrio eran idénticas en su aspecto exterior. Pero su decoración no era la usual para una casa acomodada inglesa, tan ligada a la tradición. Los más variados e inesperados objetos decoraban su interior, la mayor parte venidos de lugares exóticos. Los muebles eran de China, y la larga mesa donde cenaban, según les explicó el multimillonario, era de madera de palmera y proporcionaba al comedor la apariencia de una casa de los mares del Sur, evocadora y cálida.

Bosco se fijó en el colgante que lucía en el cuello el anfitrión, una pequeña estrella de cinco puntas, con los nervios entrecruzados en su interior, a la manera de la estrella de David. Y se preguntó si su familia sería de origen judío, pero la conversación derivó hacia otros derroteros. Julia tenía bastantes cosas que decirle.

—Antes que nada, quisiera agradecerte todo lo que haces por los desfavorecidos. La lección moral que brindas al mundo es impresionante. Y por supuesto, tu ayuda en Alejandría. Sin ti, hubiéramos tenido problemas para salir de aquella comisaría egipcia.

—¡Vamos, vamos, niñita! —Griffith pareció sonrojarse—, no me supone ningún esfuerzo. Ni una cosa ni la otra. Tú lo sabes. Hace unos años tomé una decisión, y sigo pensando como entonces. No me preguntéis por qué me planteé un cambio de vida. Surgió de dentro, y sólo sé que así me siento útil y feliz. No hay ningún secreto en ello. Y hasta cierto punto, es un acto de egoísmo. Lo admito. Es una opción personal que no quiero imponer a nadie. Cada cual tendría que pensar qué camino debe tomar y ser fiel a él. Como te decía, no me supone ningún esfuerzo hacer lo que hago. Por eso me desagrada que me etiqueten con una ideología determinada. Hay gente que lo hace, y suele ser por interés. Pero no me siento a gusto con las etiquetas. El individuo debe madurar, aprender a conocerse y saber qué desea y a qué puede aspirar. Respeto a los que piensan de otra manera; he aprendido a entenderlos y quizás ésta es una de las grandes lecciones de la vida.

»Creo en lo que hago como obligación íntima, y también como una extensión de la ética que practico. Somos animales sociales y considero un deber ayudar a la gente. Eso sí, siempre que ellos contribuyan con su propio esfuerzo a cambiar su suerte. No hay nada más descorazonador para un ser humano que no poder vivir gracias a sus manos y su trabajo; que los demás y tú mismo te perciban como un inútil.

Las empresas de El Misionero eran conocidas mundialmente por sus ayudas poco comunes a los trabajadores, como la vivienda a cambio de alquileres ínfimos, testimoniales. Una característica paternalista que las diferenciaba del resto de negocios que se implantaban en los países subdesarrollados, buscando sólo la reducción de costos y la falta de regulación laboral. Y también eran diferentes por la generalización de microcréditos que permitían a las familias sin recursos salir adelante, haciendo realidad su sueño personal mediante la creación de un pequeño negocio. Algo que, sin su intervención, hubiera sido imposible.

—Pero las escuelas para jóvenes sin recursos que has construido en Sudamérica, el mundo árabe o Asia no te proporcionan ningún beneficio. Que yo sepa.

—No estoy de acuerdo. El valor más precioso de nuestro mundo es la inteligencia, niñita. Aunque muchas veces no seamos conscientes de ello. Y todos los chicos merecen recibir educación. En muchos lugares del mundo un hecho tan normal como poder aprender y formarse significa huir de la delincuencia y la pobreza. Supone sobrevivir. Ésa es la mayor riqueza de cualquier nación.

Saldivar asintió, pero no dijo nada. No podía. Un estremecimiento le recorrió el cuerpo, y su memoria regresó hasta aquellos quince años recién cumplidos en que descubrió un mundo miserable que nunca creyó que existiera. Con la agravante de que palpitaba y crecía casi a su lado. Fue la llegada de la conciencia.

—No todo el mundo piensa como tú. Hablo como profesor universitario. —El antiguo modelo se sintió muy próximo a la manera de pensar de su interlocutor. En un momento de su vida sufrió una crisis personal, y se planteó qué camino debía seguir hasta que halló una salida más o menos acertada—. Pero a veces la vida no sonríe a quien lucha por encontrar un camino.

—Prueba los *briouat*. Son deliciosos. Sí, claro, Víctor. Y es lógico —dijo, mientras se introducía el tenedor con el hojaldre relleno de pollo y champiñones en la boca—. Pero mi actitud responde a que no busco beneficios astronómicos ni inmediatos. Por suerte, disfruto de una posición acomodada y tengo suficiente claridad de ideas para no querer más cosas de las que necesito. Podría aspirar a una casa mucho más grande, podría desear una piscina climatizada, un enorme yate o una mansión en cualquier lugar del mundo. Es cierto. De hecho, tengo varias residencias. Todo el mundo lo sabe y no me escondo por ello. Pero soy feliz de esta manera. —Hizo un gesto con las palmas de sus manos, mostrándolas hacia arriba, como excusándose por su actitud.

* * *

Después de la cena pasaron al salón, presidido por una gran tabla pintada sobre madera donde se veía un águila surgiendo de una circunferencia que, en su parte superior, estaba coronada por unos dientes de sierra de color oro pálido que seguramente eran llamas, y, por encima de ellas, presidía la escena algo parecido a una estrella de nueve puntas.

La representación del sol, quizás.

Bosco se detuvo ante esta figura, sin prestar atención a un gran tótem indio situado en una de las esquinas de la estancia. Le atraía sin que hubiera ninguna razón concreta.

Lo más increíble de esta decoración, demasiado abigarrada y procedente de culturas lejanas y muy diversas, es que encajaba a la perfección. Como si un hilo imperceptible uniera todos los estilos en una curiosa armonía. Una demostración más del buen gusto de su propietario.

—Veo que te gusta esta imagen —comentó el mecenas, acercándose al profesor.

Víctor le miró un momento y asintió, para seguir observando la escena.

—... Tienes buen gusto. Es una tabla veneciana del siglo XVI. Llegó hasta mí hace muchos años; su lugar de origen, un palacio de la ciudad de los canales, fue destruido a principios del siglo XIX, durante las revoluciones liberales contra el poder austriaco que dominaba Italia. Al menos, eso dicen los especialistas que he consultado. Debemos creerles, ¿verdad? Aunque muchas veces la historia no es como parece. Es una gran tragedia que el patrimonio artístico desaparezca. Los hombres hemos hecho auténticas barbaridades por dinero o por incultura a lo largo de la historia. El águila que contemplas es el Ave Fénix. Un animal único que se inmola cada cien años para renacer de sus cenizas. Ya sabes que esta ave, majestuosa y estética, que parece estar por encima de las cosas mundanas, es el símbolo cristiano de San Juan, uno de los apóstoles. En los inicios del catolicismo simbolizaba a Cristo. Pero también, y esto demuestra la complejidad de la humanidad, el Ave Fénix es un símbolo universal de la muerte causada por el fuego.

—El fuego que todo lo purifica: renacer de las cenizas.

—Exacto. El fuego que todo lo regenera, fíjate en las hogueras de San Juan de los países mediterráneos, en los ritos ancestrales ligados a la llegada del verano y la resurrección de la naturaleza. Cada invierno, el hombre cree que puede ser el último del ciclo, que la historia no continuará.

—Ya entiendo por dónde vas —dijo Víctor.

—Sí, la lógica de los ritos es muy natural, muy sencilla. El invierno es frío y terrible. Los días son cortos y las noches, inacabables. Es una temporada dolorosa, y la prolongación de la vida, un año más, el éxtasis rejuvenecedor del buen tiempo, merece una gran fiesta porque es un milagro. ¿No lo has pensado nunca? Supongo que no. —Percibió el rostro disimuladamente perplejo de su interlocutor—. Pero el paso de las estaciones es un auténtico milagro para el hombre antiguo, y también debería serlo para nosotros. La figura que contemplas representa también la delicadeza. El Ave Fénix es un animal que se alimenta del agua de rocío. ¿No es una imagen bellísima, Bosco? Pura poesía. Debe de ser el único animal que no mata a ningún ser vivo para seguir viviendo. En China representa a la emperatriz y, junto al dragón, simboliza la fraternidad. En la mitología azteca acompaña al dios Quetzalcóatl, hijo de la Tierra y la Luna. Como ves, es un icono universal que supera el tiempo y el espacio.

—¿Te gusta el arte antiguo?

—Sí. Y también el contemporáneo. Cualquier arte que transmita y sea capaz de hablarnos de su tiempo. No me importa la representación, sino que aquello que contemplo me llegue al fondo del alma. Y te diré por qué: quiero creer que estamos en este mundo para crear. Y llámale creación a tener hijos, construir una casa o pintar una obra maestra o una obra menor. A prolongar el yo en algo tangible, que perdure. Pero —pareció dudar un momento— ¡soy un egoísta!, no os he preguntado por vuestro trabajo en la ciudad. Es una falta de educación imperdonable.

Mientras degustaban una copa de Armagnac, le explicaron algún aspecto sin importancia del caso que tenían entre manos. Los viajes y su intento vano de resolver algunos enigmas que parecían inexplicables, sin entrar en detalles. Unas vaguedades que no implicaban nada. Él, muy prudente, no quiso saber más, porque sabía muy bien cuando no debía inmiscuirse en el terreno de los demás. Aunque la agente pelirroja estuvo a punto de contarle los misterios que catalogaban y analizaban a través del mundo, pero se contuvo.

—Sabéis que cualquier cosa que pueda hacer por vosotros la haré gustosamente. Sin dudarlo. Sólo tenéis que pedírmelo. Y no os preocupéis: no os haré preguntas. Sé que en vuestro oficio la discreción es la mejor arma.

Al despedirse, y tras dar dos besos en las mejillas de Julia, Griffith le dijo, en un tono de voz más bajo, para reforzar la intimidad de sus palabras:

—Sentí el asesinato de tus padres como si hubiera sucedido en mi propia familia. En mi propia carne. Supongo que lo sabes. Esperaba verte en el entierro, pero entendí tus razones para no estar. Volver a verte me ha rejuvenecido y me ha hecho recordar una época que fue muy feliz. Gracias por todo, niñita.

Julia se quedó sin palabras. Los dos se fundieron en un abrazo emocionado que fue más un acto reflejo que un movimiento premeditado. Una reacción para celebrar el pasado y, quizás, para volver a saborearlo, despacio, poco a poco, como merecen los mejores vinos.

* * *

Mientras se alejaban con el taxi hacia su hotel, Bosco percibió los esfuerzos de la agente, con toda su experiencia y su carácter analítico, para no llorar.

El profesor se sorprendió de la fragilidad de su compañera. Algo que había ocultado durante tantos años. Desconocía el trágico final de los padres de Saldivar; de hecho, Julia siempre había mantenido un pudoroso secreto en torno a su familia. A los que se refería como «los potentados». A secas, sin aportar más explicaciones. Todos sabían que los Saldivar, si ése era su verdadero apellido, eran dueños de una gran fortuna, pero desconocían incluso de qué país eran originarios.

—¿Te has fijado? Ni siquiera ha comentado los rumores que lo sitúan como uno de los ganadores del Premio Nobel de la Paz de este año. Es una persona increíble —dijo, casi en un susurro.

Las luces encendidas de algunos edificios de diseño ultramoderno de la city parecían surgir de la nada y abalanzarse sobre el vidrio trasero del vehículo, sugiriendo que, en algún lugar del mundo y siempre en contacto con Londres, había alguien que compraba y vendía acciones, bonos, plata, diamantes o barriles de petróleo. Cualquier producto que pudiera cambiar de manos y tuviera una fluctuación interesante en su precio. En un movimiento sin fin, muy parecido a la rotación imperceptible de la Tierra sobre su eje.

—Sí —el profesor trató de no remover más un terreno resbaladizo—, es alguien muy especial. No sé si te has dado cuenta que les pedía por favor a los criados que nos trajeran el siguiente plato. ¡A sus propios empleados! Sí. Un tipo muy especial.

Entonces sonó un bip característico. Julia, que nunca olvidaba el trabajo, llevaba en su bolsa el microordenador.

Era un mensaje encriptado y en vídeo del gran A.

«El deber nunca espera», solía decir el general O'Connor.

* * *

Ya en el hotel, y gracias al código de desencriptación, apareció en la pantalla del ordenador portátil la silueta familiar de A con una camiseta roja y una gran calavera que vomitaba sangre dibujada en ella.

Era un mensaje grabado que les informaba de un nuevo misterio.

«Supongo que estáis muy ocupados, amiguitos. Espero que lo paséis bien en Londres viviendo en el lado salvaje. —Rompió en sus enervantes carcajadas, mientras farfullaba algo ininteligible sobre la cerveza negra, el punk y la corona inglesa—. Algo ha pasado con la puerta sagrada situada al sur de las ruinas de Mileto, en la costa mediterránea de Turquía, frente a la isla griega de Samos. No sé cómo lleváis la historia antigua, pero la puerta estaba situada en la región de Jonia. Desde ese lugar, junto a unas grandes torres, partía el camino sagrado hacia el templo de Apolo de Didyma. ¡Ah, y la puerta norte también se ha evaporado! Dos misterios mejor que uno.

Un grupo de imbéciles en grupo, me refiero a unos turistas —rió su propia gracia—, aseguran que hace dos días, por la tarde, antes de que desaparecieran las puertas, habían cambiado de color. Como lo oís. Ante tal acontecimiento informaron a las autoridades.

Los análisis concluyen que la estructura química y atómica de los materiales de las piedras también ha cambiado. A los pocos días, las puertas recuperan su color original y su estructura. Como si se las hubieran llevado para adecentarlas un poco.

Mileto fue una ciudad rica y poderosa, a caballo entre Oriente y Occidente, dedicada al comercio. En el siglo IV a.C. fue conquistada por los persas y entró en decadencia. Además de filósofos como Anaximandro y Anaxímenes, vivió allí Tales, uno de los siete sabios de Grecia, padre de la escuela jónica y el primer gran filósofo de occidente. Él dijo: «Todo nace del agua y retorna a ella». Brillante, ¿verdad? Y eso que el buen hombre nunca pudo demostrar científicamente que la vida surgió del agua. También se dedicó a la astronomía y, claro, aquí tenéis toda la información necesaria sobre él.

Que os deslumbre el saber oculto de la historia.»

TALES DE MILETO

Nació en el 639 a.C., en Fenicia, actual Líbano, según unos historiadores, y en Mileto, en la costa mediterránea de la actual Turquía, según otros.

Platón escribió que se dedicó a la política, ocupando cargos importantes, pero pronto abandonaría estas actividades para estudiar.

Viajó por países del Mediterráneo oriental, como Creta, Asia o Egipto, donde aprendió conocimientos de los sacerdotes, que eran los que conservaban y transmitían la cultura. Conocimientos que utilizaría para sus teorías. A su paso por Egipto se le atribuye una teoría sobre las crecidas del Nilo.

Se le considera el fundador de la física, la geometría y la astronomía.

En el 587 a.C. se estableció en Mileto y fundó una escuela que sería famosa.

Considerado uno de los siete sabios de Grecia, sus doctrinas se han transmitido a través de personajes ilustres como Aristóteles, Diógenes Laercio o Cicerón, y se recogen en obras como *De dogmatibus Thaletis Milesii et Anaxagoroe* de Plouquet, o *De aquá, príncipio Thatetis*, de Müller.

- **Midió la altura de la pirámide de Keops con su famoso teorema.**
- Se le considera uno de los siete sabios de Grecia.
- No dejó obra escrita, excepto el tratado de *Astrología Náutica* y el trabajo *Sobre los solsticios y los equinoccios*. Aunque no todos los historiadores lo consideran autor de estas obras.
- Algunos se rieron de su pobreza y de sus teorías, considerándolas inútiles. Tales utilizó sus conocimientos de astronomía y meteorología para predecir que la producción de aceitunas de la temporada siguiente sería abundante. El invierno anterior depositó fianzas en todas las prensas de aceite de Mileto y Quíos por una pequeña cantidad de dinero y al llegar la recolección, las alquiló a precios desorbitados.

Así demostró que los filósofos pueden hacerse ricos, si quieren. Pero amasar una gran fortuna no es su finalidad, ni es deseable.

- Una noche observaba, maravillado, las estrellas. Tenía la cabeza alzada, y retrocedió unos pasos para admirar el cielo. Estaba tan ensimismado que no vio un pozo, y cayó en él. Una criada lo miraba y, al salir del pozo, le dijo: «¿Cómo quiere entender las cosas de los cielos si ni siquiera se da cuenta de las que hay en la tierra?».
- Fue uno de los fundadores de la filosofía. Entre sus tesis filosóficas, encontramos:
  — El agua es la fuente o principio de todas las cosas. Una afirmación con más de 2.000 años, y que los biólogos actuales defienden.
  — El **hilozoísmo,** según el cual, todas las cosas, incluso las inanimadas, tienen vida.
- Gran observador de los cuerpos celestes, explicó los eclipses y predijo uno sucedido en el siglo VI a.C.

Fenómenos extraños

Fue de los primeros que percibieron los fenómenos eléctricos. Observó que si frotaba un trozo de ámbar con un trozo de tela atraía objetos ligeros, como plumas de ave. Por eso en griego la palabra electricidad *(elektron)* significa «ámbar».

El fenómeno se debe al rozamiento entre dos cuerpos que se transmiten electrones entre ellos. El que pierde electrones adquiere carga positiva; el que los gana, negativa.

Que un material gane o ceda electrones depende de su naturaleza. Si frotamos un tubo de vidrio con un pañuelo de seda, el vidrio adquiere carga positiva y la seda, negativa; porque el vidrio cede electrones al tejido.

Pero si frotamos con lana una varita de plástico, es el plástico el que se carga negativamente porque gana electrones, que se transmiten desde la lana.

La altura de la pirámide

Según la leyenda, **midió la altura de una de las pirámides de Egipto,** probablemente la de Keops, empleando un teorema de geometría que lleva su nombre: el **teorema de Tales.**

Cuando el faraón lo llevó a las pirámides, lo retó a medir su altura. Aceptó. Plantó su bastón en el suelo y en el momento exacto en que su sombra coincidió con su longitud, ordenó que midieran la sombra de la pirámide y anunció que aquella medida era igual a su altura.

—Bien, parece que nuestros amiguitos ya están en otro apartado de la ciencia. Volvemos al principio de la historia, con un personaje de la Grecia clásica que se puede considerar el iniciador de los estudios de la electricidad —dijo Bosco.

—Te sigo perfectamente —exclamó Julia—, ahora la pregunta clave es: ¿por qué todos estos robos? ¿Qué hay detrás?

—Tenemos la teoría de una secta de locos de atar que adoran la ciencia. Pero, francamente, con el poder que tienen estos tipos, no creo en ella. Hay algo más que no sabemos.

—No sé a qué te refieres. Tienes una teoría, ¿verdad? —dijo sonriendo Saldivar.

Bosco la miró fijamente y sonrió como cuando era modelo y encandilaba al mundo con ese gesto.

—¿Qué te parece si te digo que la Hermandad está tratando de conseguir un poder ilimitado, gracias a los científicos más importantes de la historia?

—Es una explicación interesante. Parece que buscan exactamente eso: algo que se esconde en los científicos más importantes.

—Si consiguieran el poder de crear energía o electricidad ilimitadas, serían los amos del mundo, porque los recursos son limitados, y tendrían una técnica capaz de crear energía sin esfuerzo.

—Y ellos lo tienen, ¿no?

Bosco sonrió.

—Si lo tuvieran, no seguirían buscando. Pero estoy seguro de que nos harán recorrer medio mundo.

—Hasta que nos veamos las caras. Eso es lo que debemos buscar: una pista que nos haga adelantarnos a ellos para que los podamos cazar.

Víctor no respondió, pero la idea de enfrentarse cara a cara con la Hermandad no le pareció muy atractiva.

De repente, el sonido intermitente del móvil de Julia atrajo su atención. Ya no tenía a Bruce Springsteen como melodía; una canción de Phil Collins había sustituido al Boss. La agente cogió el aparato y, tras saludar al general O'Connor, escuchó atentamente durante cinco largos minutos. La expresión de su rostro se alteró varias veces. Como si pasara del interés inicial a la sorpresa.

—Víctor, levántate y haz las maletas —le dijo al inglés, que permanecía tumbado en la cama—. Tenemos que coger el primer avión que salga hacia Estados Unidos. Se ha producido otro robo en un museo de Filadelfia dedicado a Benjamín Franklin.

18

No podía soportarlo más: esta vez Bosco decidió atajar de raíz sus problemas con los viajes en avión. Ya estaba dentro del aparato y, atemorizado, se tomó un par de somníferos, aconsejado por Julia, y esperó no sufrir más contratiempos.

—Es lo mejor, Víctor, créeme. Al mínimo problema te subirías por las paredes.

* * *

Al profesor no le faltaba razón con su miedo a volar. Al menos, en ese vuelo. Antes de tomar tierra, el comandante del aparato, un airbus último modelo, informó a los viajeros de que, debido a una zona de turbulencias imprevista, tenía que repetir la maniobra de aterrizaje, pero añadió que la situación estaba controlada.

Los más pesimistas temieron lo peor.

Julia permaneció impasible, consultando sus notas sobre la investigación, como si no hubiera oído el mensaje del comandante. Se había ganado a pulso la fama de ser una mujer de hierro. Fama que hubiera aumentado más, si cabe, si sus colegas la hubieran visto en aquellos momentos. Cuando la mayoría de los viajeros, alarmados por los bandazos del aparato, no pudieron reprimir un grito de pánico, al inclinarse lateralmente mientras realizaba un giro brusco en una zona de turbulencias, ella se limitó a bostezar mientras se agarraba a los brazos de su asiento.

Se sentía molesta porque no podía repasar sus datos del Enigma Galileo.

Mientras tanto, Bosco dormía plácidamente. Moviendo la cabeza a un lado y a otro, siguiendo los bandazos del aparato.

Por suerte para todos, el aterrizaje se realizó sin problemas, de modo que cuando Bosco despertaba tranquilamente, poco después de tomar tierra, algunos de sus compañeros de vuelo aún tenían el rostro desencajado, pálido, y los gestos y movimientos un poco rígidos, unos efectos secundarios típicos de las personas que han atravesado una situación de peligro: la huella del miedo aún permanecía en sus cuerpos.

—¿Ha habido algún problema? —preguntó un adormecido Bosco.

—¡Oh, sí!, ¡la comida no era nada del otro mundo, créeme! —le respondió distraídamente ella, mientras le guiñaba un ojo.

El científico miró a su alrededor. Rostros desencajados y pocas conversaciones. Se diría que había muerto alguien mientras dormía. *¡El menú debía de ser horrible!*, pensó.

Los nativos de Filadelfia presumen, en competencia con los habitantes de Boston, de que su ciudad es la más hermosa de la costa este de Estados Unidos y una de las más antiguas. Realmente, si no es la más bella, merecería este honor.

El taxi que los trasportaba atravesó avenidas que hacían retroceder al observador y al viajero, por unos instantes, a la América del siglo XIX. Con sus grandes mansiones que imitan el estilo victoriano y colonial y sus edificios lujosos. Entre ellos está la Franklin Gallery, situada en el 222 de North 20th Street. Muy cercana a la mayor atracción de la ciudad, la campana de la libertad, llamada así porque luce la palabra «libertad» escrita en su hierro forjado. Una atracción para los turistas y paso obligado para los políticos visitantes. Sin olvidar que los apasionados de la literatura pueden visitar la casa de Edgar Allan Poe.

Entraron en la galería, situada en el segundo piso del Franklin Institute Science Museum. Lo primero que hicieron fue preguntar al guardia de seguridad. Un tipo negro y rollizo, con aspecto bondadoso, que parecía no entender el idioma de Julia.

—Serían tan amables de repetir lo que me han dicho más despacio, por favor. Es que hace dos días que sufro una sordera temporal —les dijo, casi gritando.

—¿Y cómo es eso? —se extrañó Víctor, dejando de comer sus inseparables cacahuetes.

—No sé explicarlo muy bien. El otro día oí un sonido agudo que parecía provenir de todas partes. Lo más parecido que he oído en mi vida fue cuando mi padre me llevó a ver ballenas al gran norte, y escuchamos por los altavoces del barco cómo se comunican. Sí, eso fue lo que oí hace dos días, al menos se parecía bastante, pero mil veces más fuerte, un sonido tan intenso que me dejó sordo. Aunque los médicos dicen que la sordera es pasajera. Bosco pensó que su problema físico no le había quitado las ganas de hablar.

—¿Vio algo fuera de lo normal? —insistió Julia.

El guardia se quedó mirándola, como hipnotizado.

—¡Ha preguntado si vio algo! —gritó su compañero.

—¿Le parece poco el susto que sufrimos en el museo? La gente se tiraba al suelo gimiendo de dolor y de pánico. A algunos les empezaron a sangrar los oídos. Todos pensamos que era un ataque terrorista. Pero el ruido cesó tan rápido como comenzó. Cuando nos levantamos, alguien gritó que la armónica del señor Franklin había desaparecido. Y no sé nada más.

Bosco cogió un bolígrafo y haciendo señas a su interlocutor, le escribió en un papel:

«El objeto ha sido devuelto, ¿no?»

El hombre le lanzó una mirada desconfiada.

—¿No serán ustedes periodistas? —preguntó, con desconfianza.

El científico estuvo a punto de dar un salto hacia atrás debido al volumen de la voz del guardia.

—¿Te-ne-mos ca-ra de pe-rio-dis-tas? —le dijo Saldivar con su sonrisa más amable.

—¿Y por qué tendría yo entonces que contestarles si no son periodistas?

Bosco no se lo pensó dos veces. *En estos casos,* se dijo, *lo mejor es actuar al viejo estilo.* Y sin mediar palabra, le deslizó un billete con un movimiento rápido de su mano, casi de prestidigitador.

—Trabajamos para el gobierno, pero no le podemos decir nada más.

—Siempre es un placer trabajar para mi país —sonrió mientras se guardaba el billete.

—¿Entonces, vio algo a-nor-mal? —vocalizó la mujer, con paciencia.

—Sólo sé lo que vio mi compañero y nos contó después: al cabo de dos horas del suceso, una luz verdosa apareció por un instante en el lugar en el que estaba la armónica, y cuando desapareció la luz, el instrumento volvió como si nunca se hubiera movido de su sitio. En confianza —el hombre pareció dudar de lo que iba a decir a continuación, y antes de empezar, miró a los lados con gesto prevenido—, un día antes vimos a un tipo extraño que manipulaba un pequeño aparato frente a la vitrina de la armónica. Parecía estar hecho de cristal. Y su forma era casi esférica. Pero parecía que cambiaba de color... Yo me extrañé, y me acerqué hasta el hombre a preguntarle qué estaba haciendo. El tipo, al verme, escondió en el bolsillo esa cosa rara que llevaba, tan rápido que fue visto y no visto. Sí, se la puso en el bolsillo de la gabardina, creo, y, sin contestarme, salió rápido de la sala. Pensé que era un lunático. ¡Les sorprendería la cantidad de gente así que viene aquí! Parece que les atrae el lugar. Si al día siguiente no hubiera pasado lo que pasó, justo en el mismo lugar donde estaba ese tío raro, no habría vuelto a pensar en él.

—¿Ha di-cho es-to a al-guien más? —inquirió Julia, siempre atenta al más mínimo detalle.

—No. La verdad es que no me ha parecido importante, y si ustedes no me hubieran preguntado, lo habría olvidado rápido. Yo soy así. El pasado no existe para mí. Siempre miro hacia delante, ése es mi lema. Hacia delante. Y más allá.

—Necesitamos una descripción de ese hombre.

El guardia sonrió. Los tres sabían lo que significaba esa sonrisa casi infantil.

Y Bosco repitió el gesto anterior del billete que cambia de propietario como si fuera la cosa más natural del mundo.

—Cada vez me gustan más los métodos de la policía para fomentar la colaboración de los ciudadanos —comentó el vigilante, en voz baja.

El hombre seguía empeñado en que eran policías. *En el fondo, somos algo parecido a policías,* pensó Bosco.

—Era blanco, de estatura media, y no tenía nada de especial. A no ser por una larga melena rubia, recogida en una cola.

—¿Eso es todo? —dijo Bosco, al tiempo que pensaba que su informador oía mucho mejor ahora, con los billetes en el bolsillo, que al principio.

—¿Cómo dice? —respondió él.

—¿No re-cuer-da na-da más im-por-tan-te? —siguió Julia.

—Bueno —pareció dudar—, creo que podría explicarles alguna cosa más que antes no he dicho y que creo que...

Al instante, Víctor y Julia supieron que su interlocutor pretendía timarles.

—Bueno, gracias por todo. Si le necesitamos, ya le llamaremos —le cortó bruscamente Saldivar, mientras empezaban a caminar hacia el interior del museo.

—¡Señorita! —gritó el guardia al alejarse la pareja. El vigilante parecía recuperar la memoria a la misma velocidad que los agentes se alejaban de él.

Sin hacerle caso, se dirigieron al despacho del director, y, tras identificarse como miembros de la Agencia Internacional, hablaron con el director del museo, que no les facilitó ninguna nueva pista. De hecho, su informador no les había engañado: no había hablado con su superior acerca del visitante desconocido.

Los dos agentes se encaminaron a la salida. Pero antes pasaron por la tienda del edificio y compraron una biografía de Franklin.

—Así le ahorramos trabajo a tu amigo A —comentó, irónicamente, Víctor.

—¿No puedes dejar de desconfiar del pobre chaval?
—respondió, al instante, Julia.

—¿No es ése nuestro trabajo?

—Eres imposible, Víctor —cortó la guapa pelirroja, tras dirigirle una mirada helada.

—¿Repasamos la biografía mientras tomamos algo en un bar? A no es el único que sabe redactar informes de científicos. Ya lo verás —propuso, un poco cohibido, su compañero.

Benjamín Franklin

Nació en Boston en 1706. Era hijo de un emigrante inglés que fabricaba jabones y velas.

Al morir la esposa del fabricante, se casó por segunda vez. Tuvo diez hijos y el último, el benjamín, fue Benjamín Franklin.

Sus padres, con pocos recursos, trataron de que sus hijos tuvieran una buena educación. Benjamín comenzó la escuela a los ocho años. Quiso estudiar sacerdocio, pero dos años más tarde su padre lo puso de aprendiz en su taller.

El joven mostró poco interés por el oficio, y su padre temió que imitara a uno de sus hermanos, que se hizo marinero, dejando a la familia. Entonces lo colocó en el taller de imprenta que regentaba su hermanastro James, ya que los libros eran una de sus aficiones preferidas. A los doce años había leído obras de filosofía y de política. Y dominaba el método socrático, que enfrenta a dos personajes, y confunde al antagonista con preguntas sutiles.

Empezó a escribir en la modesta revista editada en el taller, el *New England Courant*, censurada varias veces por las autoridades de la conservadora sociedad bostoniana.

Aquí se dio a conocer como un escritor con gran potencial.

Se traslada a Filadelfia en 1723, tras pelearse con James. Allí trabaja como impresor. El gobernador de la colonia se fijó en él y le ayudó para que fundara su propia imprenta. Le recomendó que se trasladase a Inglaterra, para conseguir maquinaria y aprender los últimos progresos de las artes gráficas.

En 1724 llega a Londres, donde conoce a gente de talante liberal, interesados en la ciencia y la filosofía. Estas nuevas ideas influirían mucho en su manera de pensar.

El mismo año vuelve a América, pero sin la imprenta.

El gobernador, presionado por algunos consejeros, le negó la subvención. Denham, un rico comerciante de libros, le ofreció empleo como administrador de una de sus tiendas.

Franklin aceptó, pero pocos meses después murió su protector, y volvió a la misma imprenta que le había empleado al llegar a la ciudad.

Al año siguiente, con otro obrero impresor, Hugh Meredith, puso su propia imprenta. Diez años después convertiría un pequeño taller en una de las mejores imprentas del nuevo continente.

Era hábil en los negocios. En 1729 compró un semanario en quiebra: *The Pennsylvania Gazette,* y en poco tiempo imprimía casi 10.000 ejemplares por número, cifra muy elevada para la época.

En 1730 se casó con su novia de juventud, Deborah Read, con quien ya tenía un hijo.

Al año siguiente **ingresó en la masonería.** En 1727 había fundado un club, The Junto, que funcionaba como una logia masónica.

Con estas actividades Franklin gana cotas de popularidad, y se convierte en miembro de la Asamblea de Pensilvania. En esa época crea la primera compañía de bomberos que funciona de manera regular en Filadelfia, ciudad construida en madera y castigada por numerosos incendios.

En 1737 es nombrado jefe de correos y reorganiza el servicio, que deja de ser deficitario. Su imprenta crece y establece sucursales en Charleston y Nueva York.

Fue concejal en Filadelfia, y convenció a la riquísima familia Penn, fundadora de la colonia, de que pagara impuestos. Gracias a su intervención en el Parlamento, se abolió el impuesto del timbre, o *stamp tax,* que las colonias pagaban a Gran Bretaña.

Fue uno de los «padres fundadores» de Estados Unidos. **Presidió el Congreso Constituyente,** reunido en Filadelfia, **que marcó el inicio de la independencia** de las colonias **y trabajó con** Thomas **Jefferson** en la redacción de la **Declaración de Independencia de Estados Unidos.**

Murió a los ochenta y cuatro años en Filadelfia.

Fue escritor, inventor, político y mujeriego. Éstas son algunas de las facetas de este hombre polifacético.

—¿Qué te parece? Entre lo que ya sabía de Franklin y la biografía, creo que ha sido una buena idea.

—Sí —admitió ella—, sabes tanto de ciencia como A, pero no tienes sus potentes ordenadores, capaces de entrar en cualquier lugar. Por prohibido que sea.

—Tampoco tenemos tiempo, viajando por medio mundo buscando pistas de fantasmas.

No son fantasmas, los fantasmas no matan, pensó Julia.

D espreciáis mi biografía de Franklin? —estalló A, a través de la pantalla del ordenador.

Su ira era como la lava de un volcán. Imparable. Explosiva.

—Ya sabes que no. Pero tenemos esa información de una fuente más acreditada que tu base de datos. Hemos comprado la biografía en el mismo museo de Benjamín Franklin —comentó Bosco, con un tono de burla mal disimulado.

—Te sorprenderías de lo que he sido capaz de descubrir... no sólo de Franklin, sino de todos los científicos de la historia.

—Sin tu ayuda —terció Julia, temiendo lo peor— es imposible hacer nuestro trabajo.

—Gracias. Al menos alguien reconoce mi valiosa información. Pero os habéis ganado un acertijo que haría sudar al mismísimo Franklin.

Víctor se preguntó cuánto tiempo podría seguir aguantando el presuntuoso y arrogante A.

—Un momento —gritó el hacker desde la pantalla—. Recordad que la última vez hicisteis trampas. Fue Julia la que resolvió el acertijo, y quedamos en que sería Víctor el único que podría responder.

A Bosco le costaba disimular la repulsión que sentía hacia el joven malcriado y manipulador. Aunque para evitar conflictos, habló en un tono de voz afable:

—De acuerdo. Acepto el reto.

—Así me gusta. —A sonreía, exhibiendo su descuidada dentadura—. Vamos a ver, Bosco: este acertijo no es muy difícil, pero tienes que resolverlo en quince segundos. El tiempo empezará a correr cuando aparezcan unas «sencillas» sumas en tu pantalla. Primero tendrás que averiguar los valores numéricos de las letras que aparecen en las dos primeras sumas, y luego el resultado de la última operación. Te deseo toda la suerte que no te mereces.

$$21 + \frac{ab}{90} \qquad cded + \frac{4633}{aed0} \qquad ab5 + \frac{c50}{\boxed{......}}$$

Vio que no era un ejercicio complicado, pero tenía poco tiempo. Sacó un bloc de notas del maletín e inicio unos cálculos frenéticos.

Cuando sólo habían pasado siete segundos, dijo:

—Esta bien, A. El resultado es 845. Esta vez no me lo has puesto demasiado difícil.

—Mierda..., has acertado. No volveré a subestimarte. Eres rápido, profesor —se oía murmurar a A desde el ordenador, como si balbuceara un lamento.

Bosco explicó a Julia su razonamiento:

—Las dos primeras sumas sólo pueden ser ciertas si las letras tienen los siguientes valores: b = 9, a = 6, d = 7, e =3 y c = 1. Así, es posible deducir el resultado de la última operación.

—Eres el gran fichaje de la agencia —dijo Julia, admirada, pero con algo de ironía.

—Ya sabes que casi soy tan bueno en matemáticas como comiendo cacahuates.

—Sí, en eso admito que eres insuperable —dijo Julia.

En la pantalla aparecieron los datos que les descubrían más cosas de los personajes que estudiaban. En este caso, Benjamín Franklin.

BENJAMÍN FRANKLIN
Obra y curiosidades

- Persiguió un tornado montado a caballo durante casi una milla, mientras agitaba un látigo para disipar la tormenta.
- En el lecho de muerte su hija le sugirió que cambiara de posición para facilitar su respiración. Respondió: «No te molestes hija, un moribundo no puede hacer nada fácilmente».
- Era masón.
- Fue el benjamín de diez hermanos, de ahí proviene su nombre.
- **Inventó el pararrayos.**
- Ideó las gafas bifocales en 1784.
- Su imagen, con los cabellos algo despeinados, es un icono del patriotismo norteamericano liberal, y no es raro ver en las fiestas de Nueva Inglaterra a hombres ataviados como él.
- Rizando el rizo, su figura guarda semejanzas con otros científicos, como Einstein, o con el inventor imaginario de los viajes en el tiempo de las películas de la saga *Regreso al futuro*.

¿Los dos han creado una imagen tópica del científico que el cine aprovecha?

- Perfeccionó las estufas cerradas de leña en 1740: hasta entonces eran un peligro porque provocaban incendios.
- Cuando falleció su mujer, en 1770, se interesó por la atractiva viuda del filósofo Helvetius. Pero estaba muy ocupado y no iba a verla, y ella se lo reprochó. Franklin contestó: «¡Querida, estoy esperando que las noches sean más largas!»
- Su revista, *Poor Richard's Almanac,* publicó un articulo en 1753 que explicaba la utilidad de los faros marítimos. El texto inició una nueva moda: las mujeres más elegantes empezaron a colocarse pequeños faros en los sombreros.
- Fue miembro del desenfrenado Hellfire Sex Club y publicó un *Diccionario para bebedores:* «Que exista la cerveza es la prueba de que dios nos ama y quiere que seamos felices».
- Planeó cómo ser mejor persona. Cada semana revisaba trece virtudes. Con las doce primeras: temple, silencio, orden, resolución, frugalidad, trabajo, sinceridad, justicia, moderación, tranquilidad, limpieza y castidad, no tenía problemas, pero la última, la humildad, le costaba más... ¡Estaba orgulloso de ser como era y de haber cumplido la doce primeras!

El hombre que «domesticó» los rayos

En 1752, él y su hijo Guillermo intentaron demostrar que los rayos estaban relacionados con el extraño fenómeno de la electricidad. Construyeron una cometa con un pañuelo de seda atado sobre dos tiras delgadas de madera en forma de cruz y la ataron a un hilo de seda. En el extremo libre del cordel, colgaron una llave metálica y esperaron a que se desencadenara una tormenta sobre Filadelfia.

En medio de la tempestad, hicieron volar la cometa. Cuando un relámpago cayó sobre ella, vieron que mientras el hilo estaba seco no sucedía nada, pero si se mojaba saltaban chispas desde la llave cuando acercaban la mano. ¡Se había cargado de electricidad!

La imagen de Benjamín Franklin corriendo, mientras tiraba de una cometa en medio de una tormenta, ha pasado a la historia.

¿La tormenta está cerca?

Vemos el rayo antes de oír el trueno, aunque se producen al mismo tiempo, porque la luz viaja a una velocidad muy superior a la del sonido; casi 900.000 veces más rápido. Lo único que hay que hacer para saber a qué distancia se encuentra una tormenta es contar los segundos transcurridos desde que se ve el rayo hasta que se oye el trueno.

Cada tres segundos, la onda sonora habrá recorrido cerca de un kilómetro.

Si dividimos entre tres los segundos que hemos contado, sabemos a cuántos kilómetros de distancia se encuentra la tormenta. Si contamos doce segundos, por ejemplo, la tempestad está a cuatro kilómetros. Este dato es muy útil si estamos navegando, porque, repitiendo el cálculo algunas veces, podremos saber si la tormenta se aleja o se acerca a nosotros.

Más cosas sobre los rayos. Creemos que las puntas de los pararrayos atraen a los rayos, pero no es del todo cierto. Las descargas eléctricas buscan el camino más corto y fácil para llegar al suelo. Los pararrayos, al estar conectados a tierra, hacen posible que los rayos se descarguen al suelo a través de un cable conductor, de un modo inofensivo.

Por eso, durante una tormenta es peligroso estar cerca de árboles altos o estructuras metálicas, y es mejor buscar refugio en edificios e, incluso, en automóviles cerrados, a falta de algo mejor.

Cuando terminaron de leer el informe, el profesor inglés comentó:

—Estos datos son interesantes. Y yo paso un buen rato. Pero, francamente, no veo cómo esta información puede ayudarnos a resolver el caso.

—La verdad, yo ahora tampoco —asintió Julia. Sólo se me ocurre una explicación del robo: que Franklin hubiera encontrado una manera de almacenar la gran cantidad de energía eléctrica que se genera cuando cae un rayo.

—¿Y ese descubrimiento tan increíble estaría escondido en una armónica? —se burló Víctor—. ¡No me hagas reír!

—Hombre, podría ser algo que estuviera en su interior. Reconozco que no tengo una explicación mejor. Sólo sé que esa misteriosa Hermandad no se tomaría tantas molestias para nada. Están buscando algo muy importante, y tienen prisa por conseguirlo. La cadena de robos se sucede tan rápido que casi no tenemos tiempo para investigar, ni mucho menos para pensar. Supongo que eso es lo que quieren.

Mientras decía esto, un sonido demasiado familiar se mezcló con sus palabras. Provenía del bolsillo trasero de sus pantalones.

—¡Otra vez, no! ¡Por favor! —murmuró la agente tras mirar la pantalla, y apretó la tecla que activaba la comunicación.

Las sorpresas no habían hecho más que empezar.

Como Julia temía desde que había descolgado el teléfono, las novedades que le contó O'Connor sólo aumentaban en ella la sensación de que los acontecimientos y el Enigma Galileo les desbordaba.

Era como si ocurrieran cosas extraordinarias ante sus ojos y ni siquiera supieran por qué sucedían. Tanto Víctor, como el gran A y ella misma se sentían como simples marionetas movidas por los hilos de algún interés superior y maligno. Un poder que les sobrepasaba y, en el peor de los casos, les destruiría sin defensa posible. Puesto que no sabían de dónde provenía el peligro. Pero ninguno de los tres comentaba sus temores en voz alta.

Y mucho menos Julia. Porque sus miedos más íntimos y terribles, muy naturales por otra parte, nunca los compartía con nadie. Y menos con Bosco, a quien creía demasiado débil para resistir la presión de encontrar a su jefa desanimada.

—Acaba de ocurrir otro extraño robo. Esta vez en el Museo de Alessandro Volta, otro físico que investigó la electricidad. Nos toca ir hasta Como, una preciosa ciudad del norte de Italia.

* * *

El vuelo desde Filadelfia hasta el aeropuerto de Milán-Malpensa transcurrió sin problemas, excepto por los nervios habituales de Víctor. Y aunque llegaron a la capital de la moda y el diseño, ni siquiera tuvieron tiempo de visitar la gigantesca catedral de la ciudad, de estilo gótico, situada en la Piazza del Duomo.

Tomaron un taxi en dirección a Como, situada a sesenta kilómetros al noreste. Mientras llegaban a su destino, llamaron a A. Éste les dijo que ya estaba al corriente del caso. No se transmitía un solo bit de información a través de la red sin que el gran A supiera su contenido. Pero el niño malcriado les reservaba una sorpresa.

Y no era un acertijo.

—No se pueden entender los descubrimientos de Volta sin la genial intuición de Galvani. Pensad que la ciencia es un camino de muchas mentes, no de un solo cerebro —aseguró categóricamente A, aunque nadie se lo hubiera preguntado.

—¿Qué dice este sabelotodo sobre Galvani? ¿No hemos venido a Como a investigar el robo de las pertenencias de Volta? —estalló Víctor, harto de las rarezas de A.

—Espera —le susurró Julia.

Ella hacía años que trabajaba con el hacker y conocía sus extrañas manías. Tan parecidas a rituales complejos que era necesario respetar para convivir en paz con él.

—Ahora, supongo —dijo, triunfal, ella— que veremos la información sobre Volta, ¿no?

A sonrió y les sacó la lengua, que movió arriba y debajo de su boca como si fuera la de una serpiente.

Sus ojos se abrían desmesuradamente. Si no estaba loco, lo disimulaba muy bien.

—Con esa ropa blanca que llevas ceñida al cuerpo, Julia, me es imposible negarte nada —dijo el genio paseando su lengua insinuante por los labios.

Su compañera llevaba un traje-chaqueta blanco que estilizaba su ya de por sí deportiva figura.

—A, me parece que tendrías que salir más de tu mansión a tomar el aire. Te noto muy sofocado. —Y en un tono más serio, añadió—: Pásanos los informes, por favor, y déjate de tonterías.

Obedeciendo al segundo las palabras de la agente, en la pantalla aparecieron los datos que esperaban.

ALESSANDRO VOLTA

Nació en Como, actual Italia, en 1745.

Su familia era noble. Murió en 1827. Dedicó su vida al estudio de los fenómenos eléctricos e inventó varios instrumentos.

- **La unidad eléctrica se llama voltio (V) en su honor.**
- Un cuadro del pintor Cianfanelli, del Museo de Física y Ciencias Naturales de Florencia, muestra a Alessandro Volta enseñando su pila eléctrica al emperador Napoleón.
- El emperador francés, **Napoleón, le concedió el título de conde por el descubrimiento de la pila,** realizado en 1800.
- La pila que inventó no necesitaba ser cargada con electricidad.
- El mismísimo Napoleón, gran admirador de su obra, impidió que, al jubilarse, dejara la universidad, y le

concedió dar unas pocas clases al año, a condición de que no abandonara sus investigaciones.

- Marconi, el inventor de la radio, fue uno de sus mayores admiradores.
- Se inspiró en los trabajos de su amigo Galvani. Este científico observó cómo se contraían las ancas de una rana cuando se ponía en contacto el extremo del nervio con una pinza de metal. Y pensó, equivocadamente, que este movimiento se debía a causas orgánicas. Volta, tras varios años de trabajo, dedujo que el músculo húmedo sólo conducía una corriente eléctrica entre las dos pinzas de metal.
- A mediados del siglo XVIII, un barco inglés trajo a Londres unos ejemplares de un pez procedente de África y Sudamérica. El pez era desconcertante: si alguien intentaba cogerlo, sentía un fuerte dolor. Viendo que este fenómeno parecía tener relación con la electricidad, se bautizó a este pez con el nombre de *sirius electronicus* (anguila eléctrica).

La primera pila eléctrica

Estaba formada por treinta discos de metal (cobre y zinc) separados por paños húmedos. **La primera pila eléctrica capaz de generar electricidad la construyó en 1800.**

Primera pila eléctrica construida por Alessandro Volta.

Una pila eléctrica es un dispositivo que transforma la energía química en energía eléctrica.

Su pila tenía la ventaja de que no necesitaba ser cargada, y se la considera la madre de todas las pilas eléctricas que utilizamos hoy.

Lo que no mencionaba A en su informe era el bonito edificio neoclásico que se alza en Como y que es la sede del Templo Voltiano o Museo Alessandro Volta y, al mismo tiempo, el ayuntamiento de la ciudad. En este lugar se celebró, en el año 2000, el bicentenario de la invención de la primera pila eléctrica. Las celebraciones se sucedieron en toda Italia como homenaje al científico.

Los agentes tenían una cita con el director del centro a las doce y media de la mañana.

Llegaron antes de la hora convenida y aprovecharon para pasear por la ciudad antigua y visitar la espléndida catedral renacentista. La población es acogedora y bien cuidada, quizás por su proximidad a Suiza y los Alpes. Y es muy conocida por su lago y sus vistas espléndidas.

Cuando el director los recibió en su despacho, parecía confundido. Estaba despeinado y algo sudoroso. Seguramente, no entendía nada de lo que había sucedido.

—Estaba de viaje cuando sucedió todo, y no les puedo informar demasiado. Pero lo que me han explicado mis colaboradores es para volverse loco. Si no llevaran casi veinte años trabajando en este centro y no conociera tanto a mis empleados, pensaría que me gastan una broma.

—¿A qué se refiere exactamente? —preguntó Julia, mientras anotaba en su agenda electrónica el testimonio del funcionario.

—¿Qué le parece si le digo que durante una hora el museo desapareció y la gente que pasaba tranquilamente por Via Marconi podía ver las luces de los edificios que tenemos a nuestras espaldas? No se imaginan lo que he tenido que hacer para que la noticia no se filtre a los medios. Ésta es una institución seria: un museo dedicado a Alessandro Volta. Les aseguro que no es la clase de publicidad que buscamos. Pero créanme, somos muy convincentes; el dinero depositado en las manos adecuadas puede silenciar esta noticia o, como mínimo, retardar su publicación. Las fotos tampoco nos preocupan: mi hijo de nueve años es capaz de borrar un edificio de una fotografía con el ordenador. Y dentro de unos días ya no tendrá importancia. Si alguien viene por aquí haciendo preguntas, nosotros lo desmentiremos todo y diremos que se trata de un malentendido provocado por alguien con una imaginación excesiva o algunas copas de más.

—¿Y qué pasó con la gente que había dentro? —inquirió Bosco, interesado.

—Afortunadamente, eran las nueve de la noche. Ya habíamos cerrado, y sólo quedaban dentro los dos vigilantes encargados de la seguridad del museo.

—¿Y qué hicieron?

—Bueno —el director los miró de soslayo, mientras parecía repetir una historia que él mismo no se acababa de creer—, cuando entró la policía en el recinto, encontró a los dos guardias tirados en el suelo. Habían perdido el conocimiento. Dijeron que el suelo parecía habérseles echado encima de golpe, y no recuerdan nada hasta el momento en que los servicios sanitarios los reanimaron. Juran y perjuran que no han probado ni una gota de alcohol, y yo les creo.

—¿Y qué guardan ustedes en este museo que pueda ser tan interesante? —preguntó Bosco sin poder resistirse.

El interrogado lo miró con el ceño fruncido. Era una forma algo grosera de preguntar si tenía alguna pieza de valor.

—Nada que tenga demasiado valor para alguien como usted..., pero guardamos objetos que pertenecieron a Alessandro Volta, uno de los científicos más geniales de todos los tiempos. Con el permiso de Leonardo da Vinci, claro.

—¿Echaron de menos algo en especial? —dijo Julia, con tono conciliador.

—Nada. Todo estaba como lo habíamos dejado a la hora del cierre. ¿Se les ocurre alguna explicación? —La pregunta surgió de sus labios casi como un ruego infantil, más propio de un niño asustado que de un adulto.

—Lo que aquí ha ocurrido, seguramente, es un caso típico de sugestión colectiva. A veces la gente cree ver cosas que no existen, porque se autoconvencen de que son reales. ¿Entiende? Se trata de casos poco comunes de hipnosis espontáneas que afectan a grupos de personas. No sabemos por qué ocurren, pero ahí están.

—¿Ah, sí? —dijo el director con la boca abierta.

—Olvídese del asunto. Háganos caso. Cuanto antes lo haga, será mejor para usted y para todos. Créame, no tiene demasiada importancia.

Víctor se quedó con las ganas de dar su opinión real sobre el caso, pero temía las patadas de Julia bajo la mesa.

Cuando salieron del despacho, los visitantes habían dejado al director en un estado anímico mucho peor que antes de encontrarlo.

El pobre hombre no entendía nada.

Los dos agentes comían en la Trattoria 5 Lune. Algo de pasta con una ensalada de queso de búfala, para ella. Unos ñoquis acompañados de setas silvestres, para él.

—¡Excelente este chianti! —dijo Víctor, mirando su copa con aires de entendido en vinos.

Julia lo miró a los ojos y, tras unos segundos, dibujó una sonrisa.

—¿Eres aficionado al vino?

—No entiendo demasiado y... —contestó Bosco, pero su compañera no le dejó acabar.

—Lo digo porque lo que estamos bebiendo es un barolo, no un chianti.

Bosco se quedó blanco. Y ella continuó:

—En su perfume se atisban toques de rosas marchitas, frutas del bosque y regaliz. Y su sabor —dijo, acercándose la copa a los labios— es seco, pero rotundo, con un justo equilibrio de alcohol. Francamente bueno.

—Vaya, no conocía tu faceta de enóloga. Cada día me sorprendes más.

—Hay muchas cosas de mí que no conoces.

Víctor no supo qué decir. Esta mujer tenía la habilidad de desarmarlo y recordarle un pasado en común en el que las cosas podrían haber sucedido de otra manera. Dejando de lado que hoy la madurez de Julia la hacía mucho más atractiva que en su alocada juventud.

—Seguro que sí, Julia. Han pasado muchos años desde que tú y yo dejamos de formar un buen equipo, pero quizá aún quede algo de la química que nos unía. ¡Nos entendíamos tan bien! Hasta me parecía que era capaz de leerte el pensamiento.

—Mira, Víctor, esa época tampoco fue tan bonita como la pintas. Con el paso de los años, tendemos a idealizar el pasado. Creo que es mejor que hablemos sobre el caso de Volta y hagamos algo útil, aparte de beber vino y comer a cuenta del gobierno.

—De acuerdo —dijo secamente Bosco, a veces Julia era un témpano de hielo—, pero no sé qué decir, Julia. Aparte de viajar y oír historias extrañas, creo que estamos en un punto muerto, creo que juegan con nosotros al gato y al ratón y...

La frase quedó cortada por un zumbido característico que Víctor empezaba a odiar.

—Si es O'Connor contándonos que se ha producido algún nuevo robo, cuelga el aparato. ¿Cómo quiere que investiguemos? No paramos de ir de un lado para otro, sin tiempo para pensar.

Con un gesto autoritario, Julia hizo callar a Víctor y respondió a la llamada.

Durante los más de diez minutos que estuvieron hablando, su cara se fue ensombreciendo. Sólo respondía con breves monosílabos como sí o no. Víctor, viendo las reacciones de su compañera, estaba intrigado y en su mente se disparaban mil y una conjeturas. Finalmente Saldivar colgó y Bosco preguntó inquieto qué le habían dicho:

—¿Otro robo?

—No ha sido uno, sino tres. Casi al mismo tiempo. En lugares muy alejados unos de otros —respondió Julia.

Sin apenas mirarse, ni siquiera dirigirse la palabra, subieron a la habitación del hotel. En un rincón del cuarto reposaba el ordenador. A través de él se conectaron con una de las personas más enigmáticas e inteligentes del planeta.

—¿Cómo estás, guapa?

Al chico que pronunciaba estas palabras no se le podía, bajo ningún concepto, aplicar el mismo adjetivo.

—Hola otra vez, A —respondió Julia, aliviada al ver que el excéntrico hacker se encontraba de buen humor.

—Supongo que no me habéis llamado para tener una agradable conversación, sino para que os dé información sobre los científicos relacionados con los robos. ¿Me equivoco?

—Eres todo un adivino —respondió Julia con sorna, a la vez que la invadía un sentimiento de culpabilidad. A era rico, poderoso y muy inteligente, pero, en el fondo, no era más que un niño inmaduro y asustado en un mundo que no llegaba a comprender o que ni tan siquiera le interesaba.

Se prometió a sí misma que iría a visitarle unos días cuando todo hubiera terminado. Algo que A le había pedido siempre, y A no suele pedir nada, lo coge o lo compra.

Un grito desde la pantalla la arrancó de sus ensoñaciones.

—¡Hey, despierta, bonita! Tenéis que producir, para mayor gloria del tío Sam. El informe que leeréis es de Hans

Christian Oersted, un científico danés. Pero esta vez no os entretendré más. Aquí van sus datos.

HANS CHRISTIAN OERSTED

Nació en Rudkoebing (Dinamarca) el 14 de agosto de 1777.

Estudió en la universidad de Copenhague y se doctoró en química, aunque fue profesor de física en la misma universidad.

En 1820 **descubre el electromagnetismo.**

Obtuvo varios premios y distinciones: en 1829 es nombrado director de la Escuela Politécnica de Copenhague y es elegido secretario vitalicio por la Academia de Ciencias de Dinamarca. En 1842 ingresa, como miembro extranjero, en la Academia de Ciencias de Francia. En 1844 escribe un manual sobre física mecánica. Murió en Copenhague en 1851.

- Llamó electromagnetismo a la nueva ciencia que había descubierto.
- En una clase práctica de física con sus alumnos, se dio cuenta de que la aguja de una brújula se movía cada vez que una corriente eléctrica pasaba a través de un cable que se encontraba cerca de ella.

  Muchos vieron el fenómeno, pero él fue el único que se dio cuenta de su importancia. Inmediatamente, los experimentos le abrieron el campo de la nueva ciencia.
- El descubrimiento de Oersted era tan sorprendente que la revista de ciencia *Annales de Chimie et de Physique* publicó sus resultados, pero se curó en salud. Los editores añadieron una nota: «A pesar de no ser partidarios de publicar descubrimientos extraordinarios, el trabajo

del señor Oersted viene acompañado de demasiados detalles, de manera que sus resultados, por insólitos que parezcan, no despiertan sospechas de falsedad o error».

Esa fuerza misteriosa

Hace más de 2.000 años que tenemos referencias sobre una piedra que atrae trozos de hierro. Fue en Magnesia, una región de la antigua Grecia.

Varias culturas han utilizado las propiedades de las piedras de **imán,** pero el primer documento escrito que describe su uso como instrumento de navegación, la brújula, no aparece hasta el siglo XII.

Un siglo más tarde, Pierre de Maricourt observó que al apoyar una aguja sobre un imán natural esférico ésta señalaba siempre hacia arriba. Colocó la aguja en diferentes posiciones y dibujó las líneas marcadas por las direcciones en que apuntaba la aguja, resultando una representación similar a la que se obtiene cuando se trazan los meridianos (círculos máximos que pasan por los polos) sobre una representación del globo terráqueo.

Los puntos donde se cruzan estos círculos sobre la esfera metálica se corresponden con la máxima fuerza magnética, por lo que, debido a la analogía con la Tierra, bautizó estos puntos como polo norte y polo sur.

¿Fue sólo suerte?

En 1819, mientras Oersted hacía una demostración a sus estudiantes, observó que una brújula situada casualmente al lado de un cable se movía cuando pasaba electricidad por este cable.

¡Había encontrado la conexión entre la electricidad en movimiento y el magnetismo!

El danés bautizó con el nombre de electromagnetismo esta rama de la física.

La brújula se mueve así porque cuando un pequeño imán se encuentra en un campo magnético, experimenta un efecto de giro. Aparece una fuerza que tira del polo norte en el mismo sentido del campo, y otra fuerza igual, pero en sentido contrario, sobre el polo sur.

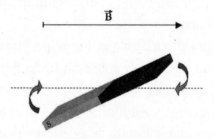

El imán gira cuando se encuentra en un campo magnético.

—No falla. El objeto robado debía pertenecer a alguien que hubiera investigado algo relacionado con la electricidad. Al menos esto está claro —sentenció Víctor.

—Oersted descubrió la relación entre la electricidad y el magnetismo. La ciencia del electromagnetismo tiene su origen en este hombre. Casi toda la electrónica moderna se basa en el descubrimiento del científico danés.

Antes de que Víctor pudiera añadir nada más, se oyó un débil pitido y apareció el icono de un sobre de correos en la parte inferior derecha de la pantalla del ordenador, lo que indicaba que habían recibido un nuevo mensaje electrónico.

—Ya discutiremos sobre el caso más tarde, Julia, cuando hayamos leído los tres informes. Ahora tu amiguito acaba de enviarnos un nuevo correo. Es incansable.

Un doble clic encima del sobre, y la mujer abrió el documento.

En la pantalla apareció el archivo enviado por A, acompañado de un mensaje de texto que los ponía en antecedentes del robo.

Querida colega y no querido acompañante de mi colega:

El robo se ha producido en el edificio de la Royal Institution de la Gran Bretaña, en Londres, situado entre Oxford Street y Piccadilly Circus. En él se alberga el Museo Faraday.

Los objetos robados son el primer generador eléctrico y una batería que Volta, ese italiano conocido vuestro, regaló a Oersted.

Podéis añadir los detalles del robo a vuestro museo de sucesos extraordinarios. Durante casi cinco minutos, el edificio estuvo envuelto por una luz amarilla que, desde el exterior, casi impedía ver la fachada.

Cuando la extraña luz desapareció, llegaron los agentes de la policía local.

Preguntaron a los guardias de seguridad, pero les dijeron que no recordaban nada anormal.

Repasaron todos los objetos y, como siempre, no faltaba ninguno. Al repasar las cintas de vídeo, vieron que estos dos objetos desaparecían y, unos minutos después, volvían a aparecer, como por arte de magia.

En fin.

Nada nuevo bajo el sol.

A»

—¿Te puedo hacer una pregunta? —casi susurró Víctor.

—Bueno, siempre que no sea personal.

—¿Crees que seremos capaces de descifrar el enigma? ¿Has resuelto alguna vez un caso parecido a éste?

Saldivar sonrió. Hacía tiempo que esperaba la pregunta de Víctor. Le sorprendía que hubiera tardado tanto tiempo en hacerla.

—Si te respondiera, Víctor, tendría que matarte después —dijo ella, imitando la frase de James Bond.

¿Julia tenía mucho sentido del humor o hablaba en serio? ¿Hasta qué punto un agente del gobierno de alto rango podría matar a alguien como Víctor, si la situación lo requería? El inglés no lo acababa de tener demasiado claro. Pero prefería no tener que averiguar jamás qué decisión tomaría Julia.

MICHAEL FARADAY

Nació en Newington Butts en 1791 y falleció en Hampton Court en 1867, ambas poblaciones en Inglaterra.

El jornal de herrero del padre, Jam Faraday, apenas alimentaba a los diez hermanos.

Las mudanzas de la familia, motivadas por la falta de trabajo del padre, no fomentaron un ambiente de estudio. Pero el joven Faraday combatió las dificultades.

Y hoy es uno de los mayores científicos experimentales de todos los tiempos.

Es el ejemplo del físico autodidacta.

De pequeño vagaba por las calles buscando trabajo. A los catorce años trabajó como mensajero en una librería de la calle Blandford. El dueño del negocio, George Ribeau, viendo las ganas de aprender del joven, le permitía leer libros y lo animaba a estudiar.

Asiste a las reuniones científicas de la Sociedad Real, donde uno de los conferenciantes, el químico Humphry Davy, tras hablar con él y ver la claridad de las notas que tomaba, lo contrató como ayudante.

En 1821 se casó con Sara, miembro de su iglesia de Sandamanian, en Londres.

Posteriormente realizó la serie de experimentos que permitirían la fabricación posterior de la primera **dinamo** y el primer **motor eléctrico**.

Estos descubrimientos se inspiran en las teorías sobre el magnetismo del físico danés Hans Oersted, uno de los mayores científicos de su tiempo, que expresó sus teorías con el lenguaje de la física: las fórmulas matemáticas.

Como Faraday no tenía conocimientos de matemáticas, no comprendía las fórmulas.

En 1824 fue propuesto para ingresar en la Sociedad Real. Davy, su maestro y mentor, que era el presidente, se opuso, pero lo aceptó ante el voto unánime a favor.

Trabajó 10 años en proyectos de química aplicada. Pero en 1831 descubre la inducción electromagnética, un principio por el que funcionan los motores eléctricos y los transformadores. Estos descubrimientos son fundamentales para la sociedad industrial. En 1833 reemplaza a Davy como profesor de química. Murió un 25 de agosto de 1867 y fue enterrado en el mausoleo del Highgate Cemetery de la iglesia sandemaniana de Londres.

- Durante la Guerra de Crimea (1854-1856), se negó a investigar la creación de un gas tóxico para exterminar al enemigo por encargo del ejército inglés: sus convicciones religiosas lo obligaban a ello.
- Era casi analfabeto en matemáticas. Cuando le preguntaron sobre los trabajos del científico Oersted, dijo: «Tengo muy poco que decir acerca de la teoría del señor Oersted, porque debo confesar que no la entiendo».
- Gladstone, primer ministro británico, observaba un experimento eléctrico de Faraday, y le preguntó si servía para algo. El científico le contestó: «¡Verá su utilidad cuando empiece a cobrar impuestos por ello!»
- La Iglesia de Sandamanian lo obligaba a ir a misa los domingos. La reina Victoria lo invitó a comer un domingo de 1844. Al final, aceptó. Su comunidad lo excomulgó, y no lo readmitió hasta cumplir una dura penitencia.
- Asistió a las conferencias de sir Humphry Davy, un famoso químico. Tomaba notas con ilustraciones espectaculares que describían los experimentos. Cuando Faraday le pidió trabajo de aprendiz en su laboratorio y le enseñó los resúmenes, Davy quedó impresionado. Pero antes de admitirlo como ayudante, habló con uno de los gobernadores de la Sociedad Real. Su compañero fue claro: «Dejadle que lave botellas. Si en algo es bueno, aceptará el trabajo; si lo rechaza es que no es bueno para nada».

El aprendiz que limpiaba botellas sucedería a Davy como profesor y miembro de la Sociedad Real. Y sería uno de los mejores físicos de la historia.

• El físico americano Joseph Henry (1797-1878) tuvo las mismas ideas que Faraday sobre la inducción magnética, pero sus creencias religiosas y su idealismo por compartir los conocimientos le impidieron llevarse el mérito del descubrimiento.

Parece ser que Henry también inventó el telégrafo. Normalmente se atribuye este invento al artista Samuel Finley Breese Morse (1791-1872).

Este dispositivo transmite mensajes mediante impulsos eléctricos discontinuos, gracias a un código previamente establecido: el **alfabeto Morse.**

El idealismo de Henry le impidió patentar su invento.

A Faraday se le atribuye la invención del primer motor eléctrico, y demostró que puede hacerse girar una rueda utilizando corriente eléctrica.

¿Por qué usamos la alta tensión?

Las compañías eléctricas agradecen el descubrimiento de Faraday. **Cuando la corriente eléctrica circula a través de un cable, se pierde energía en forma de calor** (efecto Joule).

Pero estas pérdidas pueden ser mínimas si la corriente se transporta con baja intensidad y alta tensión.

Por eso las compañías eléctricas utilizan líneas de alto voltaje; la electricidad que circula por las torres de alta tensión puede llegar hasta los 400.000 voltios.

Cuando la corriente de alta tensión llega a su destino (ciudades, industrias, etc.), existen estaciones eléctricas con transformadores que convierten esta potencia eléctrica en corriente de alta intensidad y baja tensión, que se distribuye por los hogares.

—Es increíble —exclamó Víctor, tras leer el dossier—. ¿No te lo parece? Alguien sin educación académica, y casi ignorante en matemáticas, fue uno de los científicos más importantes de la historia y presidente de la Sociedad Real, la institución científica más prestigiosa de la época.

—Cierto. —Era una de las pocas veces que Julia estaba de acuerdo con él—. Es una prueba de cómo un auténtico genio puede vencer cualquier dificultad.

El tiempo se les echaba encima. Y todavía no habían estudiado el último caso.

Julia se comunicó con A a través de la conexión sin cables del ordenador.

Capítulo
23

La voz de A surgía del pequeño altavoz situado en la parte superior del teclado del ordenador. Parecía bastante animado. Como si la aceleración súbita de los robos lo motivara. Su carácter nervioso se adecuaba muy bien a situaciones de tensión como la que estaban viviendo.

—Hola, querida. Ahora, si es que tenéis tiempo, que lo dudo, podéis estudiar el caso de J. C. Maxwell, un científico escocés que os puede servir de excusa para visitar las Highlands y disfrutar de las bondades de esa tierra, es decir, del whisky de quince años.

»El objeto desaparecido es un aparato que sirve para estudiar los gases, y que se exhibe en el laboratorio Cavendish de la universidad de Cambridge. Tres guardias de seguridad juran haber visto el artefacto flotar en el aire hasta desaparecer, envuelto por una neblina luminosa de un color rojizo. Como es habitual, al cabo de unas tres horas volvió a reaparecer, como si nada hubiera pasado.

Víctor no pudo evitar decir algo:

—Me gustaría saber qué piensan los ingleses del caso.

—Tenías que haber visto la cara de los inspectores de Scotland Yard que aparecían en televisión. Tan serios y formales ellos, no sabían qué hacer ni qué decir. Los servicios secretos han sometido a los pobres guardias a todas las pruebas imaginables. Los acosaron con interrogatorios de varias horas, los hicieron pasar por el polígrafo y recurrieron a técnicas de hipnosis regresiva para que revivieran los acontecimientos.

—¿Y...? —le animó a seguir Julia.

—Nada. Las declaraciones de los guardias resistieron todas las pruebas. Sus versiones coinciden al cien por cien. O mienten a coro, o dicen la verdad. Allí pasó algo increíble y los tres lo vieron. Pero no os entretengo más. Leed el informe y viajad a la verde Inglaterra a ver si podéis averiguar alguna cosa. *God save the Queen!*

JAMES CLERK MAXWELL

Nació en 1831 en Edimburgo, Escocia. Murió en Cambridge el 5 de noviembre de 1879, a los cuarenta y ocho años.

Fue un niño prodigio: a los catorce años publicó su primer trabajo científico de geometría y dos años después ingresó en la universidad de Edimburgo.

De allí se trasladó al Trinity College para estudiar matemáticas.

Consiguió la cátedra de filosofía natural en Aberdeen, cargo que ocuparía hasta que el duque de Devonshire le ofreció la cátedra de física en el laboratorio Cavendish de Cambridge. Así se convirtió en el primer físico experimental de la institución.

En Cambridge se interesó por la teoría de los gases y estudió las propiedades de las moléculas que los forman. También resolvió un problema de astrofísica muy difícil sobre los anillos de Saturno.

Esta obra le valió el premio Adams de física y lo convirtió en uno de los grandes científicos de su época.

En plena madurez, retirado en su casa de campo, realizó una de las obras más extraordinarias jamás escritas sobre física: *Treatise on Electricity and Magnetism* («Tratado sobre electricidad y magnetismo»).

En este estudio relacionó todos los fenómenos eléctricos y magnéticos conocidos gracias a sólo cuatro ecuaciones. **Las ecuaciones de Maxwell son uno de los pilares de la física.**

- El joven Maxwell presentó dos informes a la Royal Society: uno de matemáticas, *Sobre la teoría de las curvas evolventes,* y otro de física, *Sobre el equilibrio de los cuerpos elásticos.*

  Las normas de la institución eran tan rígidas que otra persona leyó en la tribuna los trabajos ante los miembros de la sociedad: no era apropiado que alguien tan joven se dirigiera a los miembros.
- En la Edimburgh Academy, sus compañeros lo llamaban «El Chiflado», por su acento escocés y su manera de vestir anticuada.

El Newton del electromagnetismo

Maxwell tuvo un papel en el electromagnetismo parecido al de Newton en la física: expresó con sólo cuatro fórmulas matemáticas los descubrimientos de Faraday sobre la electricidad y el magnetismo.

Demostró que las propiedades eléctricas y magnéticas de los cuerpos dejan de estar sujetas a la materia. Pueden propagarse por el espacio en forma de **ondas electromagnéticas,** que transportan energía y se desplazan a la velocidad de la luz. Además de la luz, en este tipo de ondas se incluyen las ondas que transportan las imágenes y los sonidos de la televisión, las ondas de radio, los rayos X, las microondas...

Las ondas electromagnéticas se producen por la oscilación de cargas o corrientes eléctricas. Están formadas por un campo eléctrico y otro magnético que se propagan conjuntamente. Oscilan en planos de vibración perpendiculares entre sí, y a la dirección de propagación.

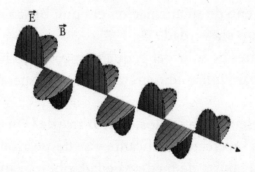

Representación de una onda electromagnética. Los campos eléctrico, $\vec{E}$, y magnético, $\vec{B}$, son perpendiculares entre sí y a la dirección de propagación.

Otro mérito de Maxwell fue descubrir que la velocidad de estas ondas en el vacío es precisamente de casi 300.000 km/s, ¡la velocidad de la luz! Y acertó al deducir que la luz es también una onda electromagnética.

—Maxwell no es tan conocido, pero su papel es tan importante en el campo de la electricidad como el de Newton con la ley de gravitación —continuó Bosco—. Piensa que con cuatro fórmulas explicó todos los fenómenos relacionados con el electromagnetismo. Que una televisión o un ventilador funcionen, se explica gracias a sus estudios.

—Bueno, hablaremos más tarde sobre Maxwell. Son las cuatro de la mañana —Julia consultó su reloj de muñeca con un gesto nervioso—, y necesitamos coger el primer vuelo.

—Podías haber escogido un compañero al que le gustara volar, y no uno que lo odiara.

La mujer sonrió. La aversión de Bosco era todo un problema.

—Yo insistí en que eligieran a otro experto, pero no me hicieron caso —dijo la centroamericana. Era una broma, pero lo bueno de su afirmación era que Bosco no sabía hasta qué punto era verdad.

Antes de salir del pequeño y cómodo hotel en el que se alojaban, Julia pidió un taxi, que los esperaba al salir a la calle.

Se sentían fatigados. El frío aire de la mañana tuvo sobre ellos un efecto tonificante y se despejaron un poco.

Un taxista de mediana edad, obeso, calvo y menudo, bajó con una sonrisa del coche para arrebatar las maletas de las manos de Julia y colocarlas en el amplio maletero del vehículo.

—*Prego, signorina* —le dijo a la mujer, al tiempo que la obsequiaba con una sonrisa de dientes amarillos y mal colocados.

Víctor, que odiaba las personas serviles, no le dio tiempo a que le cogiera sus maletas. Él mismo puso las suyas dentro del coche. Indiferente ante la mirada extrañada del taxista, se detuvo unos segundos antes de entrar, para respirar un par de profundas bocanadas de aire.

El aire de la campiña italiana, tan bucólico como su paisaje.

—Vamos a Milán, al aeropuerto de Malpensa, por favor —indicó Julia—. Tenemos que coger un avión dentro de una hora.

—¡Ah! No hay problema, *bella signora*. Usted y el *suo amico* llegarán a tiempo para coger el avión. Giovanni Fabrizzio, *il migliore* taxista italiano, se lo garantiza.

Víctor no pudo evitar sonreír al pensar en la amabilidad que despliegan ante una mujer hermosa los tipos como aquel conductor. A él ni lo había mirado. Pero quizá no estaba siendo justo con el amable taxista.

Él, durante un tiempo, fue un privilegiado, y no podía decir cómo se habría comportado ante una mujer bella si su vida hubiera sido distinta. Recordó, y no solía hacerlo porque no le gustaba su pasado, sus tiempos de modelo de pasarela. Llegó a hartarse de que lo acosaran. Pero había más cosas que tampoco valía la pena recordar.

Era una historia muy larga, como le dijo una vez a Julia. Un vistazo al cuentakilómetros lo devolvió a la realidad.

El potente motor del Mercedes les llevaba por la autopista a una velocidad de 180 km/h, pero su conductor parecía sereno y tranquilo. Sintonizaba una emisora de radio local, en la que sonaban canciones del sur de Italia, que, por esas cosas de la moda, ahora interpretaban cantantes de ópera con voz poderosa.

Las notas musicales le producían a Víctor una extraña sensación de nostalgia: de hecho, las canciones del sur italiano, del Mezzogiorno, hablan de emigrantes que añoran a sus mujeres, que se han quedado en Italia mientras ellos trabajan en el extranjero. O de amores imposibles. En todo caso, hablan de derrotas y lamentos.

Era casi la misma impresión que le produjo Venecia cuando la visitó por primera vez. Una ciudad de agua y sueños, hermosa y triste al mismo tiempo. Heredera de un esplendor pasado que se estaba marchitando, poco a poco, bajo el peso de las aguas.

La melancolía siempre es igual, tanto en el norte como en el sur, pensó.

No había pasado ni media hora cuando vieron el letrero del aeropuerto. Giovanni no sería el mejor taxista de Italia, pero no era un mal conductor. El vehículo se detuvo frente a la entrada de pasajeros del aeropuerto. El taxista casi saltó de su asiento para coger sus maletas.

—*Grazie mille*, Giovanni. Hemos llegado con tiempo de sobra —le dijo Julia mientras le obsequiaba con una buena propina.

El chofer agradeció el detalle y, antes de traspasar la entrada del aeropuerto, Víctor pudo ver por el rabillo del ojo cómo la seguía con la mirada desde la cabina del vehículo. Pero en sus ojos no vio lujuria. La mujer tenía la clase innata de las familias adineradas. Y muchos hombres decían de ella, cuando la conocían, que era una de las mujeres más bellas que habían visto.

Seguramente el conductor pensaba algo parecido.

Tras facturar las maletas, se sentaron en el bar del aeropuerto para tomar algo antes de subir al avión.

Comieron unos bocadillos con algo de café. No tenían ganas de hablar, y el cansancio de sus viajes parecía vencerlos. Y alejarlos un poco más a medida que recorrían el mundo.

Mientras Bosco iba al lavabo, Julia buscó algo en su bolso. En un movimiento casi imperceptible, depositó unos polvos blancuzcos en el café con leche de su compañero. ¿Qué pretendía?

Al volver a su mesa, Víctor parecía arrastrarse, más que caminar.

Encontró a Saldivar hablando por teléfono.

—Supongo que no será el general con nuevas noticias. ¿Es qué no duermen nunca en Washington? —preguntó, irritado.

Ella siguió hablando, indiferente a las palabras de su compañero.

Tras la conversación telefónica, sonrió.

—El capitán Washington me acaba de informar del robo de la librería de Alva Edison, en Estados Unidos, y de unos instrumentos eléctricos de Hertz, en Múnich, Alemania. Ambos científicos trabajaron en el campo de la electricidad. Esto cambia nuestros planes. Creo que, por la importancia de Edison, debemos cambiar nuestro destino y coger el primer vuelo a Nueva York para investigar el caso.

Tras observar el reloj digital situado en la puerta del pasadizo que los conduciría hasta el avión, Víctor vio que quedaban treinta minutos para la salida de su vuelo.

Pero las cosas habían cambiado.

Capítulo
24

Los párpados de Víctor Bosco se cerraban. Nunca se había sentido tan fatigado. Sus ojos cansados miraban a través de los cristales del bar del aeropuerto sin fijarse en la larga pista de aterrizaje, ni en el lujoso jet privado que acababa de aterrizar a unos centenares de metros y maniobraba lentamente, acercándose al edificio.

De repente, se oyó el familiar sonido del móvil de Julia.

Víctor vio cómo la boca de su compañera se abría formando un círculo. Su expresión reflejaba una mezcla de asombro e incredulidad. Casi no la oyó decir: «Estamos en el bar».

—¿Quién es? —preguntó Víctor, intrigado.

—¡A ha venido a vernos, acaba de llegar en avión!

Como un acto reflejo, el profesor miró hacia el moderno jet que se había detenido a menos de 300 metros del restaurante, y vio cómo por la escalera de embarque bajaba un personaje envuelto en algo parecido a una gabardina de cuero negro.

—Ya lo veo —le dijo a su compañera, mientras le hacía un gesto con la mano—. Es imposible que pase desapercibido. Ahí lo tienes.

Los ojos de la mujer miraron en la dirección que indicaba Víctor. Ninguno de los dos podía dejar de preguntarse la causa que movía a A a atravesar medio mundo para verlos. Nunca antes había dejado su pequeño mundo hecho a medida.

Tenía que ser algo muy importante. A era un solitario que nunca salía de su lujosa mansión, a menos que... una razón muy poderosa lo obligara a ello.

Cinco minutos después, la figura desvaída y algo chulesca del joven apareció en la puerta de entrada del bar. Saldivar le hizo un gesto amistoso con la mano y él se dirigió hacia donde estaban sentados.

—Hola —dijo, aunque sólo miraba a la mujer—. No tengo mucho tiempo y vosotros tampoco. Sólo he venido a traerte una cosa, Julia.

Parecía nervioso. Los gestos espasmódicos de su lengua le delataban: eran casi un termómetro de su estado emocional.

Llevaba una camiseta de un grupo de heavy metal de los años ochenta, de color blanco, salpicada con unas manchas rojizas que parecían ser de sangre. ¿Lo eran? Conociéndolo, era probable que así fuera. Lucía en su nariz un anillo de plata con un diamante en medio, y a ambos lados de sus orejas colgaba algo parecido a cuatro grandes grapas, que habían alargado los lóbulos de sus orejas casi un centímetro.

Era como si torturando su cuerpo encontrara un placer malsano, una paz que no hallaba de ninguna otra manera. Sus ojeras eran mucho más profundas que nunca, dos grandes valles que surcaban con un tono enfermizo y oscuro su rostro de facciones blancuzcas y desdibujadas. Daba la impresión de que llevaba varias semanas sin dormir.

Quizá así fuera. Toda su imagen parecía la de un vampiro que se movía con total impunidad por internet y al que, en cambio, la realidad física le hacía daño.

El vestuario del recién llegado llamaba la atención, pero a esas horas de la mañana, entre rostros somnolientos, cafés humeantes y miradas fatigadas, ninguno de los presentes le prestó demasiada atención.

Antes de sentarse, le dijo a Julia:

—Toma este amuleto.

Capítulo
25

El objeto que A entregó a Saldivar era una pequeña es-fera de color negro, sujeta a un colgante dorado. El profesor inglés no era experto en joyería, pero estaba seguro de que la cadena del colgante era de oro. En cambio, no tenía ni idea de qué estaba hecha la esfera. A primera vista parecía una perla negra. Pero no lo era.

Mientras A hablaba con Julia, Víctor cogió el amuleto y lo hizo rodar sobre las palmas de sus manos, sopesándolo y mirándolo, pero no consiguió distinguir si era de cristal o de metal. Pensó que quizá estaba hecho de una aleación de los dos materiales. Cuando depositó el extraño objeto encima de la mesa, de lo único que estaba seguro era de que veía ese material por primera vez.

¿Qué escondía ese objeto para que A atravesara medio mundo para dárselo a Julia?

Sus pensamientos se interrumpieron al oír la voz de A:

—Me imagino que a estas alturas sois conscientes de que vuestra vida corre peligro... y quizá la mía también. —Tragó saliva—. Si me sucede algo, o las cosas se ponen feas y no podéis poneros en contacto conmigo, úsala, Julia.

Te hará más de un favor. Y es indestructible. Nada puede romperla.

La pelirroja seguía con la mirada fija en la pequeña esfera que Víctor había dejado encima de la mesa, mientras un A nervioso de vez en cuando miraba a los lados y hablaba.

¿Qué quería decir con eso de usar la esfera? Ella pensó preguntarle más cosas sobre la esfera. Pero más tarde.

El hacker seguía con su explicación:

—Supongo que estaréis enterados de los dos últimos robos. Os sugiero que vayáis a West Orange, en Nueva Jersey, a investigar el robo de Edison. Allí debe de haber más pistas frescas, puesto que Edison era todo un personaje. Creo que se parece a mí...

—Te estás pasando, A, ¿qué rayos quieres decir? —Bosco conocía demasiado bien sus delirios de grandeza como para aguantarlos a esas horas de la mañana.

—Bueno, me refiero a que Edison revolucionó la física y la técnica en general. Era casi tan genial como yo.

—No creo que hayas hecho nada por lo que merezcas ser famoso, créeme —terció, medio adormilado, el profesor.

—¡Tú no sabes nada de mí; si supieras quién soy y cuáles son mis descubrimientos, te asombrarías! Aunque no creo que tu pequeño cerebro sea capaz de entenderlos.

—Creo que te afecta estar tanto tiempo encerrado en casa. Tendrías que salir un poco más al exterior —le comentó, para apaciguar la discusión, Julia—. Todos sabemos que eres un genio, pero no tienes que ir restregándoselo a los demás.

—Cada día me gustas más, Julia. ¡Siempre dices las palabras adecuadas en el momento justo! —Todo el nerviosismo de A pareció desvanecerse. Y su rostro adquirió una plácida tranquilidad—. Julia, un día de éstos, tú y yo vamos a hablar a solas y con calma. Si quieres, te puedo llevar a dar la vuelta al mundo. Pero sin perseguir a nadie, ¿vale?

—El bueno de A quiere ligar contigo —se burló Víctor.

—Acepto tu oferta..., pero cuando aclaremos el Enigma Galileo. ¡Sigamos con el trabajo!

Les pasó un pequeño disco con el archivo con los datos sobre Edison y Hertz, al mismo tiempo que les guiñaba un ojo.

—Me parece buena idea lo que dices, A, revisaremos los informes en el avión —dijo Julia.

La guapa pelirroja guardó la esfera en el bolso y A se despidió de ellos.

—Hasta pronto. Estaremos en contacto.

—¡No nos has dicho cómo funciona tu amuleto! —gritó Julia, mientras A se alejaba. Rápidamente.

—La respuesta la encontrarás en tu corazón.

El joven se fue tan rápido como había llegado, dejando a sus compañeros desconcertados.

El comportamiento de A, conociéndolo como lo conocía, era completamente ilógico.

No había quien lo arrancara de su escondrijo. Víctor empezaba a sentir la presión de una tenaza muy poderosa que amenazaba con asfixiarle. Un escalofrío atravesó su espina dorsal. La clase de miedo que se siente cuando no se sabe lo que te espera detrás de la próxima esquina. En cualquier callejón oscuro.

* * *

Como si alguien le hablara desde muy lejos, oyó la voz de Julia:

—¡Ya podemos embarcar!

¡Víctor sabía lo que significaba la frase! ¡Más terroríficas horas de vuelo de las que era capaz de soportar! ¡Atravesar todo el Atlántico norte!

No estaba de acuerdo.

—¿Ah, sí? Pues yo voto por continuar con nuestros planes y estudiar después los nuevos robos. ¿Qué te parece?

—No me has entendido, nos vamos a Nueva York.

El rostro serio de Julia no admitía discusión, como máximo una cara de disgusto de su compañero. Sólo le quedaba el recurso del pataleo. Por lo que optó por no hablar más con ella mientras embarcaban. Ésta ignoraba los esfuerzos de Víctor por permanecer en silencio. Justo en el momento del despegue, una situación que le provocaba tanto histerismo.

¿Hay algo peor que estar dentro de un cacharro como éste cuando remonta el vuelo?, pensó para sí el inglés, mientras en su frente aparecían gotas de sudor. ¿Esa azafata rubia, que parecía tan amable, le daría algún valium para tranquilizarse? Estaba histérico. Y no podía aguantar la actitud de Julia, tan tranquila, sentada a su lado.

—No te preocupes, créeme cuando te digo que este viaje te va a parecer visto y no visto. Antes de que te des cuenta, desembarcaremos en el aeropuerto Kennedy.

Un boeing 767 los transportó a través del Atlántico en un rápido vuelo. Un viaje en el que Bosco, aunque pareciera imposible, estuvo dormido la mayor parte del tiempo. Los «polvos mágicos» que Julia le había echado al café con leche en el aeropuerto de Milán habían hecho efecto: eran unos potentes somníferos que habrían tumbado a un caballo.

Cuando aterrizaron en el aeropuerto J. F. Kennedy, en Nueva York, un vehículo de la agencia los estaba esperando para llevarlos a su destino. Un agente vestido con el traje oscuro y las gafas de sol característicos del personal de la casa los saludó y los invitó a subir a los asientos traseros del coche.

Julia recordaba haberse cruzado un par de veces con ese tipo por los accesos de entrada al Pentágono, pero no sabía su nombre. De hecho, todos ellos se parecían mucho. Debía de tratarse de un agente de rango inferior, al que parecía gustarle el nuevo oficio de guardaespaldas de espías que le acababan de asignar.

El joven se movía con gestos rápidos y bruscos. Era la caricatura del agente secreto recién salido de la academia.

Duro, temerario y pagado de sí mismo. Casi todos maduraban a los pocos años de haber entrado en servicio, cuando se daban cuenta de que la vida de un agente era muy diferente a la que se mostraba en las películas, sin persecuciones, tiroteos, ni mujeres hermosas cayendo rendidas a sus pies. La mayoría de las misiones consistían en aburridas esperas tras una ventana o en un coche, con el único objetivo de cazar alguna imagen del sospechoso o grabar una conversación confidencial.

Muchas horas de perritos calientes, frío intenso y, sobre todo, aburrimiento.

A pesar de todo, siempre había unos pocos que seguían representando su papel de ficción, en un mundo real mucho más simple y aburrido de lo que ellos imaginaban. *Bueno...,* se dijo Julia. Sólo el tiempo podría decir en qué tipo de agente se convertiría el joven que había venido a recogerlos. Estaba atento al menor movimiento sospechoso, y Julia no pudo reprimir una sonrisa, antes de subir por la puerta que le habían abierto. Conducía con maestría y sin pronunciar una palabra. Muy profesional.

El coche se movía por la carretera a velocidad constante: 55 millas por hora.

A Julia le parecía estar en el sofá de casa, viendo un paisaje que se movía tras la ventana. ¿Cuándo volvería a casa? No lo sabía.

Casi nunca podían prever nada en su trabajo.

Permaneció dormida durante casi todo el viaje, recostada cómodamente en el amplio asiento trasero.

Víctor pensó que podría aprovechar el tiempo y leer los informes de Hertz y Edison que les había entregado A en el aeropuerto de Milán, y que no había podido consultar al quedarse dormido en el avión.

HEINRICH RUDOLF HERTZ

Nació en Hamburgo, Alemania, y estudió física en la universidad de Berlín.

En 1885 **fue profesor de física en Karlsruhe. Allí realizó su descubrimiento más importante: las ondas de radio. Halló que su velocidad era la misma que la de la luz,** y comprobó que experimentaban fenómenos parecidos a los de la luz. Y demostró que tanto las ondas de la luz como las de la radio tienen la misma naturaleza.

En 1887 o 1889, en la universidad de Bonn, estudia la penetración de los rayos catódicos sobre láminas delgadas de metal. De ahí concluye que se trata de ondas y no de partículas.

Murió de septicemia a los treinta y seis años. Durante su corta vida, hizo muchas contribuciones a la ciencia.

- El experimento de Hertz de 1887 confirmó las ecuaciones de onda de Maxwell, y que la luz era una onda electromagnética.
- El hercio *(hertz),* o unidad de frecuencia de las ondas, es igual al número de ciclos por segundo. Recibió este nombre en honor de Rudolf Hertz.
- Demostró experimentalmente la existencia de las ondas electromagnéticas, predichas por Maxwell. La frecuencia de estas ondas —número de oscilaciones por segundo— se mide en ciclos/segundo, también llamados hercios (Hz) en su honor.

El conjunto de todas estas ondas, que pueden tener diferente energía, se conoce como **espectro electromagnético.**

Empezando por las ondas de más baja energía y subiendo hasta las de mayor energía, en orden creciente de frecuencia (Hz), el espectro electromagnético está formado por:

Ondas de radio y televisión

Son las ondas que se usan en las transmisiones de radio, televisión, teléfonos móviles... Se utilizan en las comunicaciones porque estas ondas de baja energía tienen la propiedad de poder atravesar las nubes y la materia sólida.

En la parte más baja del espectro están las ondas de radio largas (cuya longitud puede llegar a los 10.000 km). Estas ondas son ideales para las comunicaciones a larga distancia, porque rebotan en una de las capas superiores de la atmósfera —la ionosfera— y vuelven hacia el suelo.

Las ondas medias también viajan a grandes distancias, pero para superar montañas necesitan repetidores. Las ondas más cortas necesitan repetidores muy próximos entre ellos, pero se pueden transmitir utilizando satélites artificiales.

Son las ondas que reciben los televisores y los teléfonos móviles.

Microondas

Se emplean en las telecomunicaciones. Son las bandas de muy alta frecuencia —UHF—, o las transmisiones por radar. También las utilizan los hornos de microondas con los que calentamos la comida. Las microondas calientan la comida porque hacen vibrar las moléculas de agua que, en mayor o menor proporción, se encuentran en todos los alimentos. Este rápido movimiento de las moléculas provoca una fricción que calienta la comida.

Infrarrojos

Se encuentran justo por debajo de la franja visible —la luz— del espectro. De aquí su nombre, infrarrojos: por debajo del rojo. Este tipo de radiación la producen los cuerpos calientes y tiene muchas aplicaciones en el ámbito industrial y en el científico. Se utilizan en la industria textil para distinguir colorantes, en la detección de falsas obras de arte y pinturas escondidas tras otro lienzo, en los mandos a distancia, etc. No se pueden ver a simple vista, pero sí con visores nocturnos sensibles al calor.

Luz visible

Esta región del espectro tiene una especial importancia para el ser humano, porque le permite utilizar uno de sus sentidos más importantes: la vista. Comprende una estrecha banda de frecuencias que, en orden creciente de energía, se dividen en siete colores principales: rojo, anaranjado, amarillo, verde, azul, añil y violeta.

Ultravioleta

Esta zona se encuentra justo por encima de la franja de luz visible. Su nombre, ultravioleta, significa más allá del violeta. Esta radiación tiene suficiente energía para dañar o destruir los tejidos de los seres vivos, aunque, si se utiliza con moderación, tiene usos tan inofensivos como broncearse.

La mayor parte de la radiación que proviene del sol no es la luz visible, sino radiación ultravioleta. La presencia de una delgada capa de ozono nos protege de esta fuerte radiación. Y sólo una pequeña parte de la radiación ultravioleta llega hasta la superficie de la Tierra.

Rayos X

Es un tipo de radiación muy energética. Se utilizan en medicina para hacer radiografías, porque los rayos X pueden pasar a través de los tejidos, pero no de los huesos. Los médicos radiólogos, que trabajan cada día con rayos X, utilizan pantallas de protección, porque una exposición prolongada a estos rayos puede provocar enfermedades graves como el cáncer.

Rayos gamma

Es la radiación más energética conocida, y es muy peligrosa para los seres vivos. Se generan cuando se desintegran sustancias radiactivas, o en procesos nucleares que se producen en el interior de las estrellas. Parte de la radiación cósmica que nos llega del espacio son rayos gamma.

Habían transcurrido quince minutos desde que subieron al coche, y Víctor sabía que su destino se encontraba a unos cuarenta kilómetros de la ciudad de Nueva York.

Miró el cuentakilómetros para tener una idea de la ve-locidad a la que viajaban, e hizo un rápido cálculo. Como mínimo, aún les quedaban otros quince minutos más de via-je. Tiempo más que suficiente para leer el otro informe, que prometía ser mucho más interesante. Edison era un perso-naje que había hecho cosas increíbles y, además, iban a vi-sitar el lugar de los hechos.

THOMAS ALVA EDISON

Thomas Alva Edison nació en Milan (Ohio, Estados Uni-dos) en 1847 y murió en West Orange en 1931.

Tenía intuición para la ciencia y los inventos. La escarlatina marcó su infancia y le dejó una sordera parcial.

Debido a la enfermedad, **tuvo dificultades de apren-dizaje.** Fue expulsado de la escuela a los siete años por escaso rendimiento, y su madre, maestra, lo educó.

A los 10 años ya había instalado un pequeño labo-ratorio de química y electricidad en el sótano de su ca-sa. A los doce, vende periódicos y dulces, para pagar el material de sus investigaciones, en la línea ferroviaria Port-Huron-Detroit. Cuatro años más tarde, había aprendido el oficio de telegrafista y tenía fama de ser hábil en la repa-ración de aparatos eléctricos.

En 1868 la lectura de *Investigaciones experimen-tales en electricidad,* de Michael Faraday, le abre nuevas posibilidades y un año más tarde se establece en Nueva York como investigador.

El éxito comienza a sonreírle: por encargo de la com-pañía de telégrafos Western Union, repara e introduce mejoras en un indicador electrónico de las cotizaciones del mercado del oro en la Bolsa. Recibió la respetable cantidad de 40.000 dólares de la época.

Este dinero sería el origen de los laboratorios que construiría.

En 1876 funda un laboratorio en Menlo Park, New Jersey, donde inventa: el micrófono de carbón de los auriculares de los teléfonos, el fonógrafo capaz de reproducir sonidos, la bombilla eléctrica...

Quizás sea este último invento el más conocido, y al que debe su fama.

Cuando el 21 de octubre de 1879 iluminó toda una calle de su laboratorio, los presentes quedaron asombrados. Edison dijo: «¡Hágase la luz!»

En 1882 instaló la primera línea eléctrica de la historia.

La central eléctrica de Pearl Street, Nueva York, suministraba potencia a ochenta y cinco familias. Desde entonces el uso de la bombilla eléctrica se ha popularizado.

En Menlo Park, veinticinco millas al suroeste de Nueva York, reunió un equipo selecto de colaboradores. El complejo incluía un centro de investigación, talleres, fábricas, almacenes y oficinas. **Fue el primer centro de investigación de su clase en el mundo,** y sirvió de modelo a empresas parecidas, como los Laboratorios Bell.

Se decía que Menlo Park era el mejor invento de Edison.

Se traslada a West Orange en 1887, donde funda el laboratorio Edison y fabrica sus inventos. Allí **desarrolló el kinetoscopio (1891), aparato que permitía** reproducir escenas previamente registradas y que es **considerado como el antepasado de los modernos proyectores de cine,** que más tarde desarrollarían los hermanos Lumière. También patentó las pilas alcalinas en 1883 e infinidad de inventos.

El número de patentes registradas por Edison llega a la increíble cifra de mil cien.

En 1883 descubrió el efecto termoeléctrico, llamado efecto Edison en su honor.

Gracias a él, Lee De Forest, años más tarde, desarrollaría uno de los componentes fundamentales de la electrónica moderna: el diodo.

Ha sido el inventor más grande de todos los tiempos, y aunque era millonario, no le interesaba el aspecto comercial de sus inventos. Su amigo Henry Ford, constructor del primer automóvil fabricado en serie, lo definió como «el mayor inventor y el peor empresario del mundo entero».

El laboratorio Edison de West Orange es monumento nacional de los Estados Unidos.

- Ha sido uno de los pocos científicos que ha trabajado de forma industrial, registrando **más de mil patentes.**
- **En sus laboratorios trabajaron hasta dos mil investigadores, y 10 mil personas en su mejor época, durante la Gran Guerra.**
- Poseía unas patentes del cinematógrafo (que llamó kinetoskopio), y su persecución legal a las productoras de cine norteamericanas de la costa este motivó que se trasladaran a California. Indirectamente, **contribuyó a crear Hollywood.**

- Al conocerse su muerte, se apagaron las luces de varias ciudades durante un minuto como homenaje.
- **La primera patente fue un cuenta votos mecánico para el Congreso.** Pero un senador le advirtió, muy seriamente, que las votaciones lentas eran necesarias.
- Tras la invención del fonógrafo, el inventor, con 31 años, fue famoso.

   Era tan conocido que, **cuando anunció que fabricaría una bombilla eléctrica, las acciones de las compañías de gas en las Bolsas de Nueva York y Londres cayeron.**
- Casi un año antes que Edison, el 18 de diciembre de 1878, el inglés Joseph Swan construyó una lámpara eléctrica con filamento de carbón, y a pesar de no comercializarla hasta 1881, tres años después que Edison, se le puede otorgar la paternidad del invento.

   La fama de Edison, el trabajar de forma independiente y su registro anterior de la patente (1879) han hecho que se le considere **el inventor de la bombilla eléctrica.**
- Instaló su primer laboratorio en el furgón de equipajes del tren.

   Con el traqueteo del vagón, se volcó un vaso de fósforo y provocó un incendio. Aunque se sofocó, el maquinista cogió a Edison por las orejas y lo puso, con su laboratorio, en la calle.
- En 1868, siendo telegrafista en Boston, sus nuevos compañeros quisieron burlarse de él y lo pusieron a recibir los mensajes enviados por el teclista más rápido de Nueva York.

   El joven recogió todo lo que salía del hilo. Al acabar, lo vitorearon.
- Una de las compañías eléctricas más importantes del mundo, General Electric, fue creada por él. En sus

inicios se llamaba Edison General Electric, aunque el capital perteneció siempre a hombres de negocios del país como J. P. Morgan.

- Edison declaró sobre uno de sus inventos: «El fonógrafo no tiene ningún valor comercial».
- Fue uno de los personajes más conocidos de su tiempo, más como inventor y empresario que como científico.
- Le llamaban «El Genio de Menlo Park».

El primer tocadiscos

Inventó el fonógrafo en 1878, aparato que ha evolucionado hasta convertirse en los tocadiscos. Consistía en un cilindro giratorio, envuelto en papel de estaño, sobre el que se marcaban los surcos de los diferentes sonidos.

Al rodar el cilindro, una aguja muy sensible se desplaza sobre los surcos y transmite las vibraciones a una membrana, que las transforma en sonidos y, finalmente, salen del aparato a través de un cono en forma de embudo.

¿Por qué da luz la bombilla?

El problema al que se enfrentaban los científicos que querían crear una **bombilla eléctrica,** antes de Edison, era que los filamentos de material, a pesar de volverse incandescentes y desprender luz, se calentaban y se fundían al poco tiempo.

Para encontrar un material más resistente, realizó muchos intentos fallidos. **Viajó hasta centroamérica y**

Japón para probar cerca de 6.000 derivados vegetales. Por fin encontró un material: un filamento de algodón —cogido del cesto de costura de su mujer—, que se calentaba, pero no se fundía.

Representación del filamento incandescente, que produce la luz, en una bombilla eléctrica.

El 21 de octubre de 1879 una bombilla eléctrica permaneció encendida cuarenta horas.

Edison presentó su nuevo invento, iluminando con lámparas eléctricas la calle principal de su laboratorio en Menlo Park, New Jersey. Patentó la lámpara y empezó a venderla.

La demostración en Menlo Park le permitió fundar la Compañía de Luz Eléctrica Edison, que, en 1882, montó la primera red de luz eléctrica de la historia, en Nueva York.

Llega Hollywood

De Menlo Park se trasladó a otro laboratorio más grande, en West Orange (Nueva Jersey), donde construyó un primitivo aparato para registrar cine, el kinetógrafo, que se podía visualizar gracias a un proyector, el kinetoscopio.

Como tenía las patentes del cinematógrafo, persiguió a las productoras de cine de la costa este de los Estados Unidos, que tuvieron que trasladarse a la costa oeste. Llegaron hasta California y se instalaron en Hollywood, donde podían aprovechar el buen tiempo para rodar durante todo el año.

También inventó un micrófono de carbón, un telégrafo impresor, etc. Su trabajo, su imaginación y su manera de crear de una forma industrial lo han convertido en uno de los más grandes inventores de todos los tiempos e, indirectamente, contribuyó a crear Hollywood.

No hacía ni diez minutos que Víctor había terminado de leer el dossier, cuando vio un cartel donde se anunciaba que faltaban tres kilómetros para llegar al Edison National Historic Site. Despertó a Julia con un suave palmeo en el hombro.

La agente abrió lentamente los ojos, como si regresara de un país muy lejano y le costara adaptarse al mundo real, pero ya estaba despejada cuando llegaron a su destino.

Edison decidió construir un nuevo laboratorio en West Orange, a menos de una milla de su casa. Era 1887. El inventor poseía por aquel entonces tanto el dinero como la experiencia para construir «el laboratorio mayor y mejor equipado para el desarrollo rápido y económico de un invento», según dijo.

El nuevo complejo, formado por cinco edificios, abrió sus puertas en 1887.

El edificio principal incluía una minicentral eléctrica, talleres, almacenes, laboratorios y una enorme biblioteca. Cuatro edificios más pequeños de una sola planta, construidos de forma perpendicular al edificio principal, estaban dedicados a laboratorio de física, de química y de metalurgia, sala de diseño y almacenes de productos químicos.

El gran tamaño del laboratorio no sólo permitía a Alva Edison trabajar en cualquier proyecto, sino que podía dedicarse a diez o veinte proyectos a la vez. A lo largo del tiempo se añadieron o modificaron dependencias para ajustarse a las necesidades del inventor, que trabajó en estas instalaciones hasta su muerte, en 1931.

Con el paso del tiempo, se instalaron fábricas alrededor del laboratorio de Edison, para producir sus inventos. El complejo llegó a ocupar más de veinte acres, y dio empleo a 10 mil personas en su momento más álgido, durante la Primera Guerra Mundial, de 1914 a 1918.

Capítulo
27

Julia explicó a Víctor que el único testigo del robo en el Museo de Edison era un viejo guardia de seguridad. Sin entretenerse en ir al lugar de los hechos, porque sabían que no encontrarían ninguna pista, se dirigieron hacia las oficinas del museo.

—Buenos días —los saludó un hombre anciano, con un grueso bigote, que llevaba un sombrero de vaquero, gastado por el uso y los años—, ¿en qué puedo ayudarlos?

—Hola —le respondió Julia—, mi amigo y yo investigamos la extraña desaparición ocurrida la noche pasada.

El rostro surcado de arrugas del hombre se endureció. Todo su cuerpo se tensó y con el ceño fruncido esperó a que le hicieran la siguiente pregunta.

—¿Fue usted quien vio cómo desaparecía la librería de Edison?

—¿Quién lo pregunta? —El hombre estaba a la defensiva.

—Somos agentes del gobierno... —dijo Julia, con ese tono seductor y amistoso que Víctor conocía tan bien. Su encanto era irresistible y el inglés se sorprendió al oír el tono seco y cortante del viejo guardia:

—Lo siento, esta mañana ya me han visitado dos tipos que también decían trabajar para el Tío Sam. Lo único que puedo hacer por ustedes —siguió diciendo— es darles la dirección de un periodista que tomó algunas fotos de lo que ocurrió...

Escribió un par de líneas en el reverso de una tarjeta, propaganda del museo, y se la entregó a Julia.

Liberty street nº 9
Harrington Park/New Jersey

—Que tengan suerte —dijo, mientras se levantaba y daba por terminada la conversación.

La centroamericana tenía suficiente experiencia para saber cuándo era imposible insistir, y con un movimiento de cabeza le indicó a Víctor que salieran a la calle.

Un sol radiante iluminaba los edificios con aires de grandes palacios coloniales, que estaban extraordinariamente bien conservados, gracias al trabajo de expertos restauradores. Era como si hubieran viajado hacia atrás en el tiempo, pensó Víctor no sin cierta nostalgia. Hasta una época en la que parecía que todo estaba por hacer y por descubrir.

—¡Todo un personaje! —exclamó Víctor, mientras vigilaba que el hombre no le oyera.

—Bueno —suspiró ella—, creó que lo mejor que podemos hacer es visitar al periodista y pedirle que nos enseñe esas fotos.

—¿Sabes dónde está Harrington Park?

—No, pero en el mapa de la oficina del museo me ha parecido ver que no está lejos de aquí. ¿Qué te parece si le pedimos a nuestro silencioso espía que nos acompañe?

El tipo trajeado estaba sentado dentro del vehículo. Con las puertas cerradas y los cristales subidos, porque había puesto en funcionamiento el aire acondicionado.

Seguía llevando puestas las eternas gafas oscuras, y cada cierto tiempo miraba a derecha e izquierda como si esperara un ataque imprevisto.

Víctor, con tono amable pero firme a la vez, le enseñó la tarjeta y le pidió si podía llevarles hasta esa dirección.

—Supongo que sí, pero tengo que consultarlo con los jefes. A mí, sólo me han dicho que los trajera hasta aquí y los dejara en el hotel que quisieran.

—Consulte lo que quiera, no hay problema —respondió Víctor, un poco molesto con la burocracia del joven.

Saldivar no se sorprendió cuando vio que marcaba el número personal del general O'Connor.

¡Vaya, así que el general nos ha puesto un perro de presa!, pensó Julia.

—Buenos días, general, soy Charlie Mckenzie. La agente Saldivar y su acompañante me piden que les lleve hasta un pequeño pueblo que se encuentra a una hora de aquí... Sí, señor. Seguro. El pueblo se llama Harrington Park... ¿Cómo? ¡Vaya! Sí, señor, se lo diré ahora mismo.

—¿Y bien?... —empezó a decir Julia invitando a Charlie a que se explicara.

—Al tipo al que querían ver lo han encontrado muerto en su casa hace menos de media hora. Parece que ha sido un accidente, pero sería demasiada casualidad. Nuestros hombres están investigando la casa de arriba abajo. Seguro que encontrarán lo que buscan.

Víctor y Julia cruzaron una mirada de complicidad. Ambos sabían que la búsqueda de los hombres de la agencia era inútil. Los métodos de la Hermandad eran demasiado efectivos como para dejar un trabajo, tan sencillo, sin terminar.

No había duda de quién tenía las fotos en esos momentos, pensó Julia. Pero tras mirarse, ambos desviaron la mirada y ninguno de los dos dijo nada. Sabían que aquella investigación se estaba llevando bajo el más estricto secreto y poca gente dentro de la Agencia estaba autorizada a conocer los detalles.

* * *

El mismo general O'Connor en persona, supuso Julia, había dado la orden para que, desde la Agencia, se tratara el caso como uno más de los que se producen cada día. Para que nadie hiciera demasiadas preguntas. El general quería que todos pensaran que se trataba de un asesinato más, al que se aplicaban los protocolos rutinarios de investigación.

No había que levantar sospechas. Y la rutina es la mejor manera de que las cosas pasen desapercibidas. Los pocos que estaban al corriente del Enigma Galileo sabían que este asunto podía tener consecuencias inimaginables, porque se enfrentaban a un grupo —¿terrorista?— desconocido que parecía poseer una tecnología mucho más allá de los actuales conocimientos científicos.

Capítulo
28

Las luces de los huéspedes más noctámbulos del hotel de Nueva Jersey ya se habían apagado. Pero Bosco no podía conciliar el sueño. Y para combatir el insomnio, y también para distraerse un poco, empezó a leer el libro sobre los alquimistas que había encontrado en Harrods, antes de la persecución en la que casi deja la piel.

Comenzó la lectura desde la mitad hacia delante. Al leer la primera página, se dio cuenta de que era mucho más interesante de lo que esperaba.

Los alquimistas, los primitivos científicos de la Edad Media, combinaban la práctica científica con una visión mística de la naturaleza. Con sus pócimas pretendían hallar la panacea universal, que consistía en un remedio, una vacuna de la época, que sanara todas las enfermedades del mundo. Investigaban las fuerzas de la naturaleza y las condiciones en que éstas actúan. Pero debido al gran poder de la iglesia católica en la Edad Media y el Renacimiento, y para evitar ser considerados herejes, un delito merecedor de la muerte o, como mínimo, de tortura, encubrían simbólicamente sus conceptos.

El oro puro, según sus estudios, simbolizaba la materia prima primordial de la que se creían derivados los cuerpos compuestos.

¡Vaya!, pensó, *estos tipos presintieron la unidad de la materia.*

La máxima aspiración de todo alquimista que se preciara era descubrir la piedra filosofal. Se trataba de una sustancia que transformaba en oro los metales comunes a través de un proceso conocido como transmutación.

Este territorio de símbolos y de dobles sentidos también se podía entender como la búsqueda de la perfección espiritual de cada individuo. Una perfección que se podía conseguir mediante la unión de los opuestos, algo que, por ejemplo, predican las religiones asiáticas. *¡Sí, claro; el yin y el yan!*, exclamó. Los extremos que se equilibran y sostienen la armonía del universo. En este caso, se trataba de la tierra y el aire o el agua y el fuego. Los cuatro eran los elementos primarios. El quinto simbolizaba el espíritu.

Bosco repasó con atención algunos de los símbolos de los antiguos alquimistas. El sol era una circunferencia con un punto negro en su interior, donde se podía ver, si el lector tenía conocimientos básicos de astrología, la trayectoria del planeta alrededor del astro. El agua era un triángulo invertido, y el fuego, un triángulo normal. Al mercurio, representado por el actual signo de origen egipcio que representa al sexo femenino, se le añadía una especie de cuerno saliente de la parte superior de la circunferencia.

Se percató de algo y, casi sin poder dar tiempo a sus dedos para que pasaran las páginas, fue hacia el principio del libro. El título estaba prácticamente borrado, y el subtítulo, que se leía con dificultad, mencionaba a los celtas y algo sobre la alquimia.

¿Tenían relación los alquimistas y los celtas? No lo sabía.

Según parece, los druidas, el estrato de mayor influencia y poder entre los celtas, sabían leer y escribir griego y latín; sin embargo, dejaron la crónica de la existencia de su pueblo a su tradición oral. Éste fue uno de los principales motivos por los cuales no se ha considerado el legado celta que fundamenta, según el libro, la sociedad occidental, ya que los mismos celtas antiguos no creían —o no formó parte de su tradición— en los documentos escritos.

Para ellos, la poesía no sólo era un recurso literario, sino también mnemotécnico, ya que así intentaban fijar los detalles de las historias en su memoria. Entrenando la mente, creían que entrenaban su cuerpo, y robustecían los vínculos de comunidad. Tan potente fue la tradición oral de este pueblo que ninguna de las historias, leyendas y leyes celtas fueron transcritas hasta seis o siete siglos después del nacimiento de Cristo. Un trabajo que realizaron los monjes irlandeses.

La estructura social de los diferentes pueblos, clanes y tribus estaba claramente diferenciada en tres estratos, representados por los druidas, los nobles y el resto del pueblo. Esta clasificación es similar a la que efectúa Platón en *La República,* los tres estamentos en que se organiza la sociedad (que representan las tres partes del alma: la parte inteligible, la irascible y la concupiscible):

• Los sabios o filósofos.

• Los guerreros.

• Los productores de riqueza.

En estos últimos se incluye a los comerciantes, artesanos y campesinos, sean ricos o pobres.

Los sabios, es decir, los que conocen «la verdad», dirigían la comunidad.

Los bosques, en esa época extensísimos como selvas, inspiraban en las tribus célticas adoración y terror a partes iguales. Se les consideraba la morada de los dioses. Eran lugares impenetrables donde todo lo imaginado podía ser real. No es casualidad que a los integrantes de la clase sacerdotal se les llamara druidas, palabra de raíz céltica. *Derb* y *dru* quieren decir «roble», y significa «conocedores del roble», ya que practicaban sus ritos en medio de la espesura de los bosques.

En esos parajes recónditos y, por tanto, protegidos y a salvo de miradas extrañas, celebraban asambleas, sentados en troncos sagrados, desde donde administraban justicia y decidían la paz y la guerra.

Es una antigua costumbre celta tocar madera ante el anuncio de un hecho ingrato, superstición que tiene su explicación en los robles azotados por los rayos y centellas en las tormentas, que llevaron a creer que estos árboles debían de ser la morada de los dioses. De ahí el ritual de tocarlos cuando el peligro acechaba.

No es mala idea, dijo para sí Víctor. *Una asociación de ideas inteligente.*

El término «druida» hace referencia a una jerarquía —la superior— de las cuatro que existían en la casta sacerdotal de los celtas.

Los integrantes de la categoría más baja eran los estudiantes o *amdaurs* (aspirantes a druidas), reconocidos por sus túnicas amarillas.

En un nivel de mayor importancia estaban los vates, que utilizaban el color rojo. La categoría más importante no sólo se manifestaba en la vestimenta, sino en las atribuciones y conocimientos.

A los vates se les debe buena parte de los mitos, tradiciones, creencias y conocimientos de la civilización celta, ya que ellos eran los encargados de compilarlos para transmitirlos al pueblo. Practicaban la profecía, estudiaban filosofía, astronomía, medicina, música y oratoria.

En una etapa más avanzada, los principiantes o *amdaurs,* tras una compleja ceremonia de iniciación, podían usar el color azul, que revelaba que habían accedido al nivel de los bardos. Ellos eran los encargados de amenizar las fiestas y celebraciones recitando, en prosa o en verso, las proezas de los guerreros y de cantar alabanzas a los dioses.

En el rango superior estaban los verdaderos druidas, que vestían túnicas blancas. Realizaban los sacrificios rituales y familiares y, sobre todo, eran los jueces supremos e inapelables. Era tal el respeto hacia ellos, que no necesitaban armas para recorrer territorios pertenecientes a varios clanes.

Sus santuarios eran de piedra, organizados en forma circular y sin techo, para ver el firmamento, y aún se conservan algunos al sur de Inglaterra. Son los templos o dólmenes de Avebury y de Stonehenge, cerca de donde —según la leyenda— fue enterrado el rey Arturo.

Los druidas practicaban el culto a los antepasados, no temían a la muerte, ya que creían en la transmigración del alma, y a pesar de que llevaban a cabo sacrificios humanos, predicaban el valor supremo del Bien.

Éste fue uno de los motivos por el cual los druidas, y también el pueblo celta, tuvieron «mala prensa» entre muchos escritores y cronistas —fomentada por la falta de tradición escrita de los druidas, que hace prevalecer los juicios y opiniones de los griegos y romanos, pueblos que les conquistaron o les combatieron—. Aunque es bueno recordar que los romanos también realizaban sacrificios humanos en el siglo III a.C.

Julio César, en *La guerra de las Galias,* manifiesta que «querían persuadir a sus discípulos de que las almas no mueren, fijando que semejante doctrina, seguida de sus corolarios, conduce a la virtud por el desprecio de la muerte». Además de esta apreciación particular, César proclamó el exterminio de esta religión, que consideraba «bárbara e inhumana».

Hay que tener en cuenta que los druidas, como casta superior de los pueblos celtas, eran quienes podían haber convertido y animado a estos pueblos a constituirse en una unidad política que hubiese chocado con los intereses del famoso conquistador romano.

Los druidas creían en la existencia de otro mundo semejante a éste, en el que la felicidad era eterna y el alma conservaba su identidad, sus hábitos y pasiones.

Cuando un miembro relevante de la comunidad moría, sacrificaban a algunos de sus esclavos favoritos para sepultarlos con él, juntamente con su caballo, sus armas y vestidos. Era una costumbre parecida a la de los egipcios. Los druidas también se destacaban por sus sacrificios humanos a sus dioses, especialmente de niños y vírgenes. En ocasiones los prisioneros de guerra también eran sacrificados.

* * *

Cuando los romanos conquistaron las Galias, el druidismo comenzó a decaer, pero sólo en sus formas externas. Con el paso de los años, los romanos modificaron la principal celebración celta, el año nuevo, al combinarla con su festival de otoño en honor a Pomona, diosa de las frutas y vegetales, celebrada el primero de noviembre. El emperador romano Augusto prohibió los sacrificios humanos y otro emperador,

Claudio, decretó la abolición del culto druídico, condenando a muerte a sus sacerdotes.

Estas medidas no erradicaron parte de las creencias de este pueblo. Hacía el año 998 de nuestra era, la iglesia católica celebraba el Día de Todos los Santos, y el papa Gregorio III había fijado el primero de noviembre para esa celebración.

Esta festividad fue llamada *all-hallows-mass*, es decir, «misa de todos los santos». De aquí surge el término *All-hallows-eve*. Tras la unión de las diversas palabras, se convierte en el conocido Halloween.

Muchos historiadores ven en este hecho el intento de la iglesia católica de cristianizar la fiesta pagana druida, introduciendo la alternativa del Día de Todos los Santos. Una política de culturización propia de las culturas dominantes que intentan, por todos los medios a su alcance, borrar las huellas culturales anteriores, conservando, eso sí, viejos elementos que, con una fortaleza y éxito notables en la sociedad, parecen invencibles. Ante su resistencia, se reintroducen, pero integrándolos bajo una nueva lectura en las nuevas creencias. Exactamente como pasaría en el Caribe y Brasil con los ritos africanos de los esclavos, que se solaparían hábilmente con la liturgia y los santos cristianos.

Como Bosco ya sabía, estas tradiciones fueron esparciéndose por las islas Británicas y Europa, para aparecer, tras el descubrimiento del Nuevo Continente por Cristóbal Colón, en las Américas y otros países.

A Bosco le llamó la atención que muchas cosas del pasado más lejano de la humanidad llegan hasta nosotros, sin darnos cuenta.

Entonces creyó que empezaba a entender algo de este embrollo. Y a toda velocidad, sin pensar siquiera que estaba en pijama, se dirigió al cuarto de su compañera.

En el pasillo chocó con una anciana que sujetaba con ambos brazos un pequeño caniche blanco, como si temiera que se lo fueran a arrebatar.

La mujer parecía aterrorizada. Como si en vez de ir en pijama el hombre estuviera completamente desnudo. ¿Pensaría que era un exhibicionista?

No tenía tiempo para ser diplomático. Apartó a la mujer, que, a la mayor velocidad que pudo, corrió a refugiarse en su cuarto.

Saldivar aún no había terminado, cuando Bosco ya estaba ante su cama, con el cabello revuelto y los ojos desorbitados. Su nerviosismo era evidente.

—Julia, nos vamos.

—Necesitas calmarte. ¿Adónde vamos exactamente? —consiguió preguntar, dos segundos antes de que el profesor la alzara de la cama donde se acababa de sentar y la condujera hasta el armario de la habitación, lo abriera de un portazo y le lanzara su maleta.

—No tenemos tiempo para explicaciones. ¡Sólo puedo decir que tu amigo A me va a tener que responder a algunas preguntas! ¡Vamos a hacerle una visita!

—¡No voy a moverme de aquí hasta que me digas lo que está pasando! —dijo Saldivar con toda la autoridad que era capaz de imponer.

Bosco se tranquilizó, miró a su compañera y con toda la calma que fue capaz de transmitir a su voz, habló:

—Creo que todo está relacionado con los antiguos druidas. Es sólo una teoría que tengo que investigar, pero de lo que estoy seguro es de que A nos ha traicionado.

Y antes de que pudiera preguntarle nada más, Julia vio cómo su compañero salía de la habitación tan rápidamente como había entrado.

Entonces, y sólo entonces, pensó seriamente que la salud mental de Víctor se había deteriorado con la tensión y las emociones a las que estaban sometidos desde hacía casi diez meses.

* * *

Mientras Julia y Bosco huían a través de las calles de una Nueva Jersey desierta, una conversación que les concernía tenía lugar a centenares de kilómetros de donde se hallaban los dos investigadores.

El Maestro apareció como de costumbre, sin avisar, en medio de una bruma rojiza. El simple hecho de su turbadora presencia provocaba en A un pánico instantáneo e irracional, como el animal perseguido que presiente el peligro y se siente acorralado. Aunque no sepa la razón. Aunque sólo pueda intuirlo, y la intuición sea mucho peor que el conocimiento.

A hizo una reverencia obligada hacia el Maestro, y esperó a que se dirigiera a él.

La voz del recién llegado tronó en la gran sala repleta de ordenadores:

—Te lo he dado todo, y, en cambio, has abusado de mi paciencia. Te has enzarzado en una guerra personal con Bosco. Sin ningún tipo de lógica, excepto anteponer tu propio ego. Y lo has hecho poniendo en peligro a la Hermandad. Has desafiado mi autoridad, y eso es algo que no puedo consentir. Ningún alquimista está seguro a tu lado, porque haces que todo sea más inseguro. ¿Por qué te has comportado así?

A no entendió nada. Aunque presentía la razón del enfado del Maestro. Lo cual era mucho peor que saberla.

—Por necesidad.

—¿Por necesidad? Has disfrutado de más dinero que cualquier hombre haya soñado poseer en toda su vida. Has podido tener lo que querías, cuando querías.

—Necesidad de un abrazo. Necesidad de querer. ¡Tú me arrebataste a mis padres! Me impediste tener el cariño de una familia. Por eso vivo en un mundo virtual, rodeado de máquinas sin corazón. Toda mi vida ha sido una sucesión de engaños y mentiras. ¿Qué pasó con mis padres? Los he buscado todo este tiempo. Es como si se los hubiera tragado la tierra.

—Ya conoces las reglas. Nadie puede desvelar la más mínima información que pueda conducir a los hombres hasta nosotros. ¡Me das lástima!

Para Alfred, estas frases eran mucho más que unas simples palabras de desprecio. Se clavaban en lo más profundo de su alma, destruyendo todo su pasado, su vida, todo aquello en lo que había creído hasta entonces. Parecían introducirse como navajas que cortaban su cerebro, impidiéndole pensar con cordura.

A avanzó hacia el recién llegado con paso inseguro y rabia. La ira y el miedo se agitaban en su interior a partes iguales y le hacían abandonar cualquier atisbo de raciocinio.

Hacía mucho tiempo que esperaba este momento.

—¡Necesito saber la verdad! ¡Soy un alquimista! ¡Uno de los elegidos! ¿Qué hiciste con mis padres? —exclamó, mientras se encaraba a su interlocutor

La voz del Maestro sonó entonces vacía, hueca y desprovista de cualquier humanidad.

—Eras demasiado importante para dejar cabos sueltos. Tus padres no sufrieron.

—¿Quieres decir que los mataste? —El joven lanzó con toda la furia que pudo reunir una pantalla plana de ordenador hacia su rival, pero ésta cayó pesadamente al suelo tras rebotar a escasos centímetros de su pecho—. He buscado por medio mundo, incluso hallé mi partida de nacimiento. Cambiaste mi nombre. Mi verdadero nombre es Alexander Kolmogorov. Y no he encontrado rastro de ningún familiar. Aunque fuera lejano.

—Alexander, sabía que has estado buscando a tu familia... —La voz del intruso sonó con una delicadeza sorprendente, mucho más amenazadora y turbadora que cualquier grito furioso—. Siempre supe que lo harías. Para mí fue muy fácil introducir una partida de nacimiento falsa en el registro y modificar algunos datos de tu vida. Pensé que serías más inteligente, aunque en el fondo siempre tuve miedo de que me traicionaras. Eres débil. Demasiado inestable e imprevisible.

El hacker crispó sus manos hasta sentir sus uñas contra la carne. Un dolor no sólo físico.

—¡Puedes ser la persona más inteligente que haya existido jamás, pero eres una máquina incapaz de querer! —exclamó, ante la sorpresa de su Maestro.

A se movía en todas direcciones como un poseído, propinando patadas y puñetazos, lanzando ordenadores, pantallas, impresoras, servidores de internet, intentando destruir todo lo que caía al alcance de sus manos. Intentando borrar su vida de un plumazo.

De pronto, miró su mano derecha, horrorizado. Era un amasijo deforme de sangre, carne y huesos. Una fuerza invisible la había aplastado como un simple trozo de papel.

El Maestro miraba la escena con ojos ausentes.

—Alexander, me sabe mal, aunque no pueda decir que lo sienta. Porque no es verdad.

Entonces el joven huérfano notó cómo una de las falanges de su mano izquierda empezaba a moverse hasta desencajarse y desprenderse de su esqueleto.

El dolor era insoportable. Pero sólo era el comienzo.

El Maestro avanzó hacia él con la cabeza altiva y una frialdad inhumana.

—Ahora le seguirán los huesos de tus piernas y tus brazos. Pero, tranquilo, cuando les suceda lo mismo a tus órganos internos, ya estarás muerto.

* * *

Hacía unos minutos que A ya no destruía su propio laboratorio. No podía. Se tumbó hecho un ovillo, en un rincón de la sala, con la cabeza sumergida entre los brazos. Desplomado, y entre sollozos, lanzó una última mirada de odio y desprecio hacia la persona que le había hecho de padre durante tanto tiempo.

Su último pensamiento fue para Julia. Y una leve sonrisa iluminó su dolorido rostro.

Su rival hizo un gesto de extrañeza al verle sonreír.

—Vaya, pensé que en el último momento llorarías y suplicarías por tu vida. Pero esta reacción no la había previsto. Cuanto más viejo me hago, más seguro estoy de que los hombres son una ecuación imposible de resolver —exclamó, para sus adentros.

Y mientras el extraño visitante desaparecía, envuelto en la misteriosa bruma rojiza que le precedió, pensó: *Quizás el chico era más valiente de lo que creía. Aunque merecía morir. Conocía los riesgos y sus obligaciones. Quiso jugar con los hombres, y sólo YO puedo jugar a los dados con ellos.*

* * *

Cuando la última voluta de humo rojizo fue tan sólo un recuerdo, únicamente quedaba una habitación llena de pantallas destrozadas, hierros retorcidos, comida esparcida, muebles rotos y un extraño amasijo de carne deforme, enroscada en un rincón, que alguna vez había sido más humana de lo que creía.

Aún no coge el teléfono?

—No —respondió, huraño, Víctor, mientras conducía a toda velocidad hacia la lujosa mansión de A.

Bosco cortó la llamada desde su teléfono móvil hacia el receptor del ordenador de A. Pero no había manera de que el joven genio informático descolgara el teléfono. Era la quinta vez en cinco minutos que la agente pelirroja le hacía la misma pregunta.

—¿Tampoco tenemos los informes de los científicos que nos suele pasar?

Bosco ni siquiera contestó: ladeó la cabeza, haciendo un gesto de negación y aceleró aún más.

* * *

Tras cruzar decenas de kilómetros de carretera flanqueados por inmensos bosques de abetos, llegaron hasta la verja de la mansión del hacker. Junto a la puerta vieron que estaban aparcados diferentes coches que intentaban pasar desapercibidos, pero Bosco sólo tardó dos segundos en reconocer que eran vehículos camuflados de la organización.

A su lado, un grupo de gente hablando.

Al ver que se acercaban a pocos metros de donde estaban, uno de los hombres del grupo se separó y se acercó hasta su coche. La figura que llegó hasta ellos, ya con el vehículo detenido, les era familiar.

—¡Capitán Washington! —dijo Julia—. ¡Sin el uniforme no le había reconocido!

El oficial siguió con el rostro grave.

—Hemos encontrado a A muerto. Y su muerte ha sido atroz.

Washington subió al coche de los dos agentes, y se dirigieron hacia el lujoso edificio donde A vivía como un ermitaño, dedicado a poner en aprietos a los gobiernos de medio mundo.

Caminaron en absoluto silencio a través de los largos pasillos que poblaban la mansión. A los pocos metros de pasar un cruce de pasillos, se detuvieron.

Washington, que encabezaba el grupo, dudó un momento.

—¿Es posible que nos hayamos perdido? —exclamó Julia. Y entonces se dio cuenta de que siempre que visitaba al gran A en su hábitat natural iba acompañada por un silencioso mayordomo que la guiaba.

—¿Necesitan ayuda? —La pregunta procedía de un hombre vestido con un traje negro y gafas oscuras que se encontraba al fondo del pasillo de la derecha.

¡Uff!, pensó Bosco, *para movernos por la casa necesitaríamos un GPS.*

—Vamos al laboratorio de A —informó al agente.

—Los entiendo. Llevo toda la noche trabajando aquí y me he perdido un par de veces. Es aquella puerta de la derecha. Ábranla y encontrarán un ascensor. Aprieten el único botón del panel. Sirve para subir y también para bajar.

* * *

El laboratorio privado era totalmente irreconocible. Se había convertido en un lugar yermo y mortificante. Casi como el alma de su propietario. Algo muy parecido a una pesadilla hecha realidad. Y aunque tanto Julia como Washington estaban acostumbrados a ver la cara de la muerte, y sus efectos, los dos apartaron la mirada del cuerpo deformado del pirata informático.

Pero Víctor, que aún era demasiado novato, no tuvo esta precaución. Unos segundos después se retiró hacia una esquina.

Parecía que su estómago tenía vida propia y luchaba por salírsele de la garganta.

* * *

Horas después, el equipo de informáticos de la organización transportaba el último de los dos únicos ordenadores utilizables hacia la habitación que Bosco había habilitado para intentar extraer algún dato de la memoria de los discos duros casi inservibles.

Ahora le tocaba a él intentar revivir el disco duro de A en el sistema informático que le habían suministrado los hombres de la agencia.

Víctor frunció el ceño. Ni siquiera él sabía si sería capaz de conseguir algo positivo.

* * *

—¿Qué haces, Víctor? ¿Has descubierto alguna cosa? Llevas más de tres horas delante de la pantallita. —Su socia pelirroja llevaba diez minutos viéndolo trabajar. Pero él ni siquiera alzó la vista.

—Han matado a A porque nos estamos acercando demasiado, quizás encontremos alguna pista en el disco duro de su ordenador.

—¿Crees que podrás entrar en el sistema?

—¡Ya lo hice una vez, y creo que podré volver a hacerlo. Por lo que veo, voy a tardar un poco. Vete a dormir, ya te avisaré si consigo algo.

La centroamericana salió un momento de la habitación. Diez minutos más tarde volvió con una manta y un cojín, y se dispuso a pasar la noche cerca de Bosco.

Los dedos de Víctor se movían sobre el teclado negro como si ejecutaran una danza frenética. Y a medida que el día se hacía más y más oscuro, la actividad del inglés parecía aumentar. Como si luchara contra el tiempo.

Bajo la semipenumbra de una lámpara de sobremesa, intentaba encontrar el *password*, la clave de acceso que le abriría los secretos ocultos en los archivos del misterioso personaje.

Pero cada vez que encontraba un camino y lo seguía, acababa chocando contra una pared de piedra que le impedía continuar adelante. Las protecciones del sistema de A, junto con los daños sufridos por los discos, parecían infranqueables. Pero era demasiado inteligente para rendirse. Sabía demasiado bien que una de las cualidades más importantes para los descubrimientos era, junto con la curiosidad, no rendirse nunca.

Y analizar las cosas con frialdad.

Probar. Probar. Siempre probar. Hasta obtener algún resultado.

Cuando las luces de la mañana comenzaban a filtrarse por las ventanas de la estancia y ya se le cerraban los ojos, Julia, despertándose, le preguntó:

—¿Has conseguido algo?

—Bueno... —balbuceó, estirando los brazos—, estoy comenzando a pensar que A era mucho más que un niñito malcriado. Nunca había visto unas barreras informáticas cómo éstas. Tiene un *software* que no había visto en mi vida, y que me gustaría estudiar con más calma. Aunque ahora no tenemos tiempo.

—Está bien —dijo ella, alzándose—, tienes diez minutos. Y le puso la mano en el hombro, con dulzura.

* * *

La mujer salió al exterior de la casa para estirar las piernas en el inmenso jardín que rodeaba la lujosa mansión de A, ahora deshabitada y cerrada a cualquier persona que no perteneciera a los cuerpos de seguridad, tal como indicaba el cordón policial que rodeaba las puertas de entrada.

Aunque ya clareaba, las luces de las farolas del jardín permanecían encendidas.

Sintió frío y buscó un pañuelo en el bolso para protegerse la garganta. Mientras revolvía entre sus cosas, encontró el colgante que A les había entregado en Milán.

Casi como un acto de homenaje, inútil, pero sincero, se lo colgó del cuello.

Las hojas de los árboles se movían perezosamente bajo la brisa de la mañana, indiferentes a la cadena de misterios que se sucedían sin explicación.

Las aguas de la gran laguna artificial, de casi dos hectáreas, situada unos cien metros al norte de la casa y protegida del viento por unos abetos estilizados, se rizaban ligeramente, como si un gran peine movido por una mano invisible las recorriera una y otra vez. Los reflejos del débil sol de la mañana creaban pequeñas iridiscencias verdosas y plateadas sobre la superficie. El espectáculo era casi mágico. Si afinabas el oído, podías escuchar el chapoteo de una lancha amarrada en el embarcadero.

Una preciosa embarcación de madera y vela, de reducidas dimensiones, y que una persona podía guiar sin complicaciones, reposaba amarrada en el embarcadero. Era muy parecida a la que Einstein utilizó durante sus últimos años en Princeton, navegando por un lago.

¿Una simple coincidencia?

Julia pensó, con tristeza, que A, con su carácter huraño y retraído, probablemente nunca había disfrutado del placer de dejarse llevar por el viento. Ni siquiera entendía cómo alguien como él había sido capaz de diseñar ese paraíso natural para enclaustrarse después en una mundo artificial.

Su recuerdo la sumió en una tristeza íntima que ni ella misma podía explicar. Sabía que, a su manera, él la había querido, y ella sentía hacia el joven un aprecio más profundo de lo que nunca habría llegado a admitir.

Al principio, le provocaba un poco de lástima, seguramente por su condición de huérfano, pero a través de los casos que habían estudiado juntos, antes del Enigma Galileo, llegó a comprenderlo un poco. Y este sentimiento de compasión que sentía desde el principio se había transformado poco a poco en un afecto sincero. Llegó a admirar su inteligencia y su particular sentido del humor. Era un perfeccionista disfrazado de rebelde. Rechazando el mundo que lo rodeaba, A había creado uno propio hecho a medida. Un reino donde se sentía protegido y en el que era el dueño absoluto. Algo que, por otro lado, todo el mundo hace. *¿Quién puede criticar eso? Era demasiado sensible para convivir con el resto de la gente. Seguramente, su cinismo y su ironía ocultaban sus miedos,* pensó Saldivar, sorprendiéndose al notarse los ojos húmedos.

¡La mujer que todos en la agencia creían que era un témpano de hielo estaba a punto de llorar! Alzó la cabeza y, dignamente, restregó su mano derecha bajo los ojos, secando las lágrimas.

Entonces agradeció que nadie viera ese rasgo de humanidad: no se lo podía permitir. Y comenzó a pensar si su trabajo no la obligaba a renunciar a demasiadas cosas. Perezosamente, regresó hasta el cuartel general de A, donde Víctor intentaba hallar alguna respuesta oculta en los archivos dañados del joven genio.

Pero su compañero no encontraba nada importante. Aunque había rescatado bastantes datos de espionaje sobre diferentes gobiernos amigos y enemigos. A era incorregible.

Las barreras más profundas del ordenador parecían infranqueables.

—Nunca había visto una cosa así. Es un cortafuegos invulnerable. Parece cosa de magia —dijo Víctor, al ver regresar a su compañera—. ¡Ni mi supergusano puede entrar!

De hecho, Víctor llevaba toda la madrugada descifrando códigos y claves ocultas.

—Los archivos personales están completamente blindados. Es una misión imposible. Nadie podría penetrar en ellos.

¿Ni tan siquiera Bosco? El científico estaba a punto de rendirse.

Capítulo
30

D amos palos de ciego, Julia. No consigo encontrar nada relacionado con el Enigma Galileo. Pensaba que A nos podía facilitar llegar hasta el fondo del problema —dijo él al ver de nuevo a su compañera.

—No desesperes —respondió ella mientras se acercaba y miraba por encima del hombro la pantalla del ordenador en el que trabajaba Bosco.

De pronto, Julia notó un cosquilleo muy ligero en el pecho. Y vio, sorprendida, cómo la esfera que llevaba en su cuello a modo de colgante se iluminaba.

—¿Has visto esto? —exclamó, mientras observaba el pálido resplandor rojo que iluminaba la esfera.

La agente tocó la espalda a su compañero, éste se giró instintivamente. Casi al instante, dejó de teclear en el ordenador.

—¡Pero qué rayos significa esto! —exclamó Víctor.

—No lo sé. Estoy tan sorprendida como tú, pero recuerda lo que dijo A: «La respuesta la encontraréis en vuestro corazón», y yo tengo la esfera de A muy cerca de mi corazón.

Bosco miró la esfera, después el ordenador, y de nuevo, la esfera. De las palabras de A y de la luminiscencia del adorno se podía deducir que A les quería comunicar algo. ¿Pero de qué se trataba? Unos segundos después, el computador empezó a emitir unos pitidos intermitentes, mientras la esfera parecía brillar con más intensidad. Y antes de que se pudieran dar cuenta de lo que estaba pasando, apareció en la pantalla una nueva carpeta que Bosco no había visto hasta entonces.

«HISTORIA DE LA CIENCIA»

Demasiado fatigado para saber con seguridad lo que estaba haciendo, puso el puntero del ratón sobre la nueva carpeta. Hizo doble clic, y apareció el menú:

«INGENIERÍA GENÉTICA
ASTROFÍSICA
MATEMÁTICAS
FÍSICA
BIOLOGÍA»

Al situar el puntero sobre los nombres, el cursor cambió de forma, y se convirtió en una mano con el dedo índice apuntando hacia arriba.

Supo entonces que detrás de cada título se escondía más información.

Colocó el cursor en la palabra: «FÍSICA», y tras hacer doble clic sobre ella, aparecieron nuevas carpetas:

«BIG BANG
SUPERCUERDAS
HISTORIA DE LA CIENCIA»

Víctor frunció el ceño:

—¿Lo ves? Parece que ese colgante que llevas ha pasado información al ordenador... ¡Nunca había visto una cosa así!

—¡Claro! Usamos ordenadores portátiles en la investigación, pero el colgante no ha funcionado hasta ahora porque lo llevaba en mi bolso. ¡Por eso no se había activado! Y creo que sólo se activa con el calor corporal. Por eso A nos dijo que la respuesta a nuestros problemas estaba en mi corazón. ¡Quería ayudarnos! Y para conseguir la información, yo tenía que llevar puesto su colgante: la esfera enviaría entonces el archivo secreto al ordenador más cercano.

Víctor siguió tecleando, intentando encontrar más respuestas.

En la carpeta BIG BANG quizás encontraría datos y teorías sobre la formación del universo.

—¡El gran A nos reserva aún muchas sorpresas! —exclamó Bosco.

En SUPERCUERDAS, el profesor supuso que leería, quizás, una teoría muy elegante, pero sin comprobación científica: la realidad que conocemos, según este modelo teórico, podría tener 11 dimensiones o más. *¡Es una lástima que no tenga tiempo para entrar en estos archivos! Seguro que hay cosas muy interesantes*, pensó el científico.

El bueno de A les había regalado todos sus secretos en un colgante. ¿Todos? ¿O quizás se reservaba una carta final? Era el momento de que Bosco abriera la investigación a nuevas conjeturas.

Parte IV

Capítulo
31

E l profesor Delanuy se sentía muy halagado al descubrir que un maduro estudiante de arqueología llamado Víctor Bosco se interesaba por sus estudios sobre Stonehenge. ¡Llevaba tantos años en la universidad explicando estos secretos, que ya pensaba que nadie le escuchaba con la atención que merecen! ¡Los alumnos son tan desagradecidos! Pero esta llamada telefónica le alegraba el día. ¡Por fin alguien se acordaba de sus trabajos!

—¡Los visitantes desconocen las lecciones de astronomía que esconden los restos del monumento megalítico de Stonehenge, en la llanura de Salisbury! Su emplazamiento, en el tranquilo condado inglés de Wiltshire, en un lugar húmedo y suavizado por la erosión durante siglos, fue elegido siguiendo una planificación muy precisa. Una zanja circular de 4 metros de ancho, por 1,50 metros de profundidad, forma un primer anillo exterior de un centenar de metros. En el interior, sobre el talud, un segundo anillo está dibujado por cincuenta y seis agujeros, conocidos como los «agujeros de Aubrey», en honor a uno de los primeros exploradores del emplazamiento, hacia el año 1650.

—¿Qué cree que significan estos círculos? —preguntó Víctor, intentando que el viejo profesor le explicara los secretos del lugar sin perderse demasiado en su retórica.

—No me interrumpa, joven —le espetó el arqueólogo, secamente.

—Perdone, no quería ofenderle.

El veterano profesor dio una calada a su pipa. Y continuó:

—Los círculos son siempre concéntricos. Otros dos anillos tienen cada uno treinta y veintinueve agujeros, respectivamente: estos últimos contienen osamentas humanas quemadas. Luego viene la parte monumental de la obra: dos círculos de piedras erguidas cubiertas de dinteles, encerrando otras dos filas dispuestas en forma de herradura. Otras cinco piedras se levantan aisladas: dos, en la zona del anillo de los agujeros de Aubrey. Son las «piedras de estación», destinadas a ser cambiadas de posición. Una exterior, en la galería que conduce al monumento. La «piedra del talón», llamada así por su forma. Una piedra de sacrificio a la entrada, y un altar en el centro.

Delanuy le explicó que el primer texto que menciona el templo es la *Historia Regum Britanniae* de Geoffrey de Monmouth (1136 d.C.), uno de los autores del ciclo artúrico. Stonehenge es, según Monmouth, una creación del mago Merlín, que gracias al poder de su magia trajo las piedras desde la isla vecina de Irlanda, situada a más de doscientos cincuenta kilómetros de distancia. Tras realizar la gesta, el brujo echó mano de las «fuerzas vitales» del lugar para hacer aparecer el dragón. Y es en Stonehenge donde los nobles de Inglaterra prestaron juramento al mítico rey Arturo, para unificar el reino y acabar con la sangrienta guerra civil que asolaba el lugar.

John Aubrey y William Stukeley, a principios del siglo XVIII, contribuyeron a crear la imagen del lugar como templo druídico y epicentro importante de la cultura celta. Pero aunque fue un lugar utilizado por los druidas para sus ceremonias, los megalitos estaban ahí mucho antes de la llegada de los celtas. Y sus misterios no necesitan esta leyenda para ser apasionantes.

Delanuy se tomaba su tiempo. Quería saborear el momento.

—Como le decía, el monumento fue construido en cuatro fases, desde el 2800 a.C., con piedras de diferentes orígenes. Hemos obtenido el 1848 antes de Cristo como el año más probable de su construcción, con un margen de error de 200 años, gracias al carbono 14. Algunos megalitos provienen de Avebury, a una veintena de kilómetros al noroeste. Otros, de los montes Prescelly, en el vecino País de Gales, a más de doscientos kilómetros. Y también de Milford Haven. ¡A doscientos cincuenta kilómetros! Las «piedras azules», los riolitos, añadidos a principios de la Edad del Bronce, durante el segundo milenio antes de Cristo, vendrían de Irlanda. El conjunto tiene varias decenas de toneladas.

—Perdone, profesor —se atrevió a preguntar Bosco. ¿Cómo es posible que pueblos formados por unos centenares de individuos del Neolítico transportaran estas piedras con medios primitivos?

—Estas preguntas siguen sin respuesta. Y no seré yo quien le desvele el misterio.

—Dígame, al menos, qué finalidad cree que tenían.

—Mire, los restos humanos encontrados indican que sirvió como lugar de sepultura. Sin embargo, ésta no fue su primera finalidad.

Delanuy carraspeó, una manera refinada de exigir silencio a su interlocutor. Y continuó:

—El plano del santuario fue estudiado desde 1961 por Gerald Hawkins, profesor de astronomía de Cambridge, y por Fred Hoyle, creador del Instituto de Astronomía de Cambridge. Su tesis es que los megalitos son líneas de mira de fenómenos astronómicos de un observatorio situado en el centro geométrico de lugar. Los círculos de agujeros corresponderían al sistema de una máquina calculadora gigantesca y primitiva, pero de una precisión sorprendente. El anillo de los agujeros de Aubrey tiene relación con el ciclo de los eclipses lunares.

—Miraban las estrellas a través del monumento.

—Si quiere llamarlo así... Hawkins muestra que se pueden prever los eventos lunares para periodos muy largos. Diferentes ángulos entre las piedras solitarias definirían los solsticios y los equinoccios, las salidas y las puestas del Sol y la Luna. Los argumentos de Hawkins y Hoyle, incontestables en el plano astronómico, son criticados por los arqueólogos. Entre los cuales nos incluimos. ¿Verdad? Fíjese que encontramos muchas épocas de construcción, y esto parece contradecir la teoría de un observatorio construido con conocimiento de causa.

—Pero ¿por qué el mismo objetivo no habría podido ser buscado durante varios siglos, con el perfeccionamiento del mismo sistema? Además, la simbología del círculo, que representa el Sol; y la herradura, el cuarto menguante de la Luna, son datos en favor de los astrónomos. —Bosco encontraba el tema muy interesante.

—Es usted muy despierto, pero son discusiones superadas. Hoy no existen grandes contradicciones entre arqueólogos y astrónomos. Ambos reconocemos que la precisión del emplazamiento de los megalitos es demasiado grande para ser fruto del azar.

Ésta es la explicación que Delanuy hizo a Bosco por teléfono. Pero eso fue hace unas horas. Antes de dirigirse con Julia en taxi hacia Salisbury para alquilar un vehículo y llegar a Stonehenge.

—Aún no me has dicho qué vamos a hacer en ese lugar. —La voz de la agente Saldivar comenzaba a traslucir impaciencia.

—Bien —el profesor universitario sonríe, y mira de soslayo hacia el taxista, éste continua ensimismado, escuchando el partido de fútbol de la radio—, te lo diré más adelante.

—De acuerdo —acata la guapa pelirroja, aunque no está dispuesta a dejarse convencer—. Dime, al menos, qué piensas tú que es Stonehenge.

—Humm... Creo que es un gigantesco homenaje al Sol. ¿Y sabes lo más sorprendente de este templo? Los hombres anónimos que lo crearon hace milenios construyeron el primer calendario astronómico de la historia. Y seguramente se sintieron un poco más confortados en sus dudas vitales, porque sabían que después de morir, muchos siglos después incluso de sus muertes, el Sol seguiría calentado cada 21 de junio el centro de estas piedras misteriosas.

—Sí, pero estamos a finales de octubre.

Víctor sonrió con un gesto de niño travieso.

—De acuerdo, pero la Hermandad que perseguimos tiene algo muy importante que celebrar allí —respondió el científico, enigmáticamente—. Estoy seguro.

* * *

Bosco desciende del vehículo conducido por Saldivar, mucho antes de los lugares habituales donde los automóviles de los turistas suelen aparcar para ver, aunque sea de lejos, el monumento, justo antes de que anochezca.

Su compañera acelera y se aleja de él, como han acordado. El científico, cargado con una mochila, se desliza con sigilo por la llanura que perezosamente emerge en una suave pendiente. Cruza la zanja de metro y medio, y se agazapa bajo uno de los monolitos exteriores del templo.

La misma operación se repite dos noches seguidas. Pasa toda la madrugada oculto en las sombras, enfundado en un chaquetón italiano negro con capucha y el interior de lana de los Alpes, doble, prensada y de alta densidad. Combatiendo el frío con una manta también negra y la espera, aparentemente interminable, recordando viejos ejercicios mnemotécnicos que lo ayudaron a mejorar su memoria.

En su juventud había llegado a memorizar ciento cincuenta páginas del listín telefónico de Nueva York. Un esfuerzo que parecía no haber servido de mucho. Porque, pasados los años, allí estaba: solo en la noche triste. Esperando cazar unos fantasmas que no llegaban. Que, quizá, nunca llegarían, y sólo eran fruto de su imaginación excesiva.

Quien viera al bueno de Víctor Bosco, seguramente se sorprendería. Sobre todo por la vestimenta que esconde el gabán.

* * *

La tercera noche de guardia de Bosco, lo acompaña Julia. Ella también lleva el chaquetón negro sobre base de nylon que habían distribuido a los miembros de la agencia para este tipo de ocasiones especiales. Un diseño italiano contra el frío de los Alpes.

Esta vez se han colocado en el anillo interior de megalitos, protegido por uno de ellos, desde donde tienen una visión muy detallada del altar.

Pero la espera tampoco tiene éxito. Lo único que consiguen descubrir es la sombra huidiza de un zorro, apenas un espejismo en una noche tranquila, rota por algunos faros de vehículos circulando por la carretera entre Andover y Exeter. Y algún que otro grupo de jóvenes, un poco achispados, que intentan llegar al monumento descendiendo y caminando hacia el sendero vallado habilitado para los visitantes y que inmediatamente son ahuyentados por las patrullas de *bobbys* que vigilan y pasan por la zona.

Cuando la llanura inglesa comienza a clarear, sumergida en una espesa niebla que dota a la escena de un halo irreal, Bosco se desmorona.

—No lo entiendo... ¡Mi teoría ha fallado! —Se lleva las manos a la cabeza, en un gesto de frustración, de no entender algo que seguramente debería haber visto antes. Pensaba que la Hermandad iba a reunirse aquí para celebrar el Samán. El año nuevo celta. Y que lo iban a hacer uno o dos días antes del 31 de octubre, para pasar desapercibidos y no tener problemas.

Los dos están ateridos de frío.

—A ver si lo entiendo. Esperabas que hoy, 30 de octubre, hubiera aquí una especie de aquelarre moderno y que tuviéramos a tiro a la Hermandad. ¿Verdad?

—Algo parecido.

—Sabemos que la organización secreta parece reivindicar a los primeros alquimistas. ¿Me equivoco?

—¿Adónde quieres ir a parar?

—Creo que buscas en el lugar adecuado, pero en el tiempo equivocado.

—No entiendo lo que dices.

—El calendario gregoriano que rige en los países occidentales, y por extensión, en casi todo el mundo, fue instituido en 1582 por el papa Gregorio XIII para corregir los errores del calendario juliano, instituido por Julio César. Se eliminaron 10 días: pasaron directamente del jueves 4 de octubre al viernes 15 de octubre del mismo año. Se trataba de evitar los desfases que se producen en la Pascua, y que las fiestas religiosas coincidieran en los mismos días del año. ¿Pero qué pasaría si los tipos de la Hermandad siguen el calendario anterior?

—¿Te refieres a que continúan con el calendario que utilizan los ortodoxos?

—Exacto.

—Ten en cuenta que la diferencia entre ambos calendarios aumenta 1 día cada 128 años. Te pondré un ejemplo: la famosa Revolución de Octubre roja, del 25 de octubre de 1917 para los eslavos, fue el 7 de noviembre para los occidentales. Y ahora esta diferencia ya ha aumentado a 13 días. Si esperas unos días, quizá tengas otra oportunidad de atraparlos.

La lógica de Saldivar es la única salida que les queda.

Si sus intuiciones son falsas, se pueden dar por derrotados por los miembros de la Hermandad, y tendrán que confesarle a O'Connor que todo su trabajo y tantas muertes no han servido para nada.

De vuelta a su alojamiento y mientras intentan librarse del frío que se les ha metido hasta los huesos con un buen café irlandés, reciben el aviso de la agencia que les informa del robo de Demócrito. Tan extraño como de costumbre: un pescador que regresaba de faenar por la mañana, atravesó el pueblo gritando que la furia de los antiguos dioses se había desatado: Poseidón se ha llevado bajo las aguas las ruinas de la antigua ciudad. Pero cuando algunos pescadores se dirigen hacia allá, las antiguas ruinas seguían allí: en las pequeñas colinas del cabo Balastra. Todo pasa por una gran broma que cae en el olvido, de no ser por las fotografías de un satélite espía de la OTAN que, en la costa norte de Grecia, ha registrado un resplandor rojizo de una magnitud muy elevada.

Inmediatamente revisaron los archivos de Demócrito.

—¿Julia, me puedes explicar por qué A tenía en su carpeta archivos de científicos de los que se han robado objetos después de que él haya muerto? Esto no es nada lógico.

—A siempre fue un fanático de la ciencia, y es probable que los archivos que investigamos los tuviera desde hace tiempo.

—No es eso, él sabía perfectamente qué objetos iban a robar los Alquimistas, era uno de ellos.

La agente no contesta y se limita a abrir un archivo, debajo del cual está escrito el nombre de un sabio griego:

DEMÓCRITO

Nació alrededor del año 460 a.C., en Abderea, Grecia, y exceptuando que el filósofo Leucippus fue su profesor, pocas cosas se saben de su vida.

Murió alrededor del año 370 a.C., pero se desconoce el lugar de su tumba.

• Siguió a los filósofos de la escuela fundada por Tales de Mileto, que daba gran importancia a las matemáticas.

Conocemos sólo una pequeña parte de su obra, pero según Diógenes Laercio, escribió 73 libros de matemáticas, física, gramática y ética.

Llegan los átomos

Fundó el «atomismo», e introdujo el concepto de **átomo** (del griego, que significa «no divisible») como partícula fundamental, que no puede subdividirse, y con el que quiere explicar el funcionamiento del universo.

Se preguntó si la materia podía dividirse indefinidamente: ¿encontraremos un límite a partir del cual no podamos hacer trozos más pequeños?

Supuso que existe un trozo de materia tan pequeño que no se puede seguir dividiendo.

A estas partículas indivisibles las llamó átomos.

Explicaba el sabor de las cosas mediante la forma de los átomos: asociaba lo dulce a la forma esférica, lo amargo a estructuras lisas y redondeadas, y lo agrio o ácido a aristas agudas y angulosas. Tenía una explicación parecida para las sensaciones del tacto.

—Si Demócrito supiera lo que ahora hacemos con los átomos... —empezó a decir Víctor. Era mejor cambiar de tema.

Julia le interrumpió.

—Quizás no estaría muy orgulloso. Ni tú tampoco. Aún recuerdo cómo gritabas con un megáfono durante la manifestación de estudiantes contra los lanzamientos de barriles con residuos radiactivos a las profundidades oceánicas.

—Vaya, ¡qué memoria...! Casi no me acordaba de mis tiempos de activista. Tienes razón. Ya sabes que algunos de estos residuos tardan miles de años en reciclarse.

—Pero —lo interrumpió ella— ten en cuenta que las investigaciones en materia nuclear nos llevan hacia la energía del futuro: la fusión nuclear. Cuando dominemos la tecnología de fusión, con un vaso de agua suministraremos energía eléctrica a una ciudad de varios millones de habitantes, durante semanas. Las energías alternativas están muy bien, ¿pero crees que la gente estaría dispuesta a sufragar la increíble cantidad de dinero que costarían los proyectos de cubrir el Sáhara de paneles solares, o de inmensas hileras de molinos eólicos? —preguntó, mordaz, la guapa pelirroja.

—Muy bien, ¿sabes por qué no se hacen este tipo de proyectos? Porque algunos gobiernos prefieren gastarse el dinero en armas y guerras.

—Mira Víctor, este gobierno tan malo es el que te paga. Y ya sabes que muchos avances científicos han surgido en tiempos de guerra. Es duro decirlo, pero es así.

—Tienes razón. Pero dudo mucho que las guerras de hoy despierten la inventiva de nadie.

—Sigues siendo un soñador.

—Claro, y moriré el día que deje de serlo.

La respuesta de Víctor y su mirada fija en ella hicieron que Julia callara. ¿Lo que le decía era un reproche hacia ella, a que hubiera dejado el mundo de la ciencia para ingresar en la agencia? Saldivar no pudo meditar demasiado sobre el asunto.

Mientras se dirigían hacia el coche que les prestaba la organización, Julia se separó unos metros de su compañero, para abrir la puerta del acompañante. Víctor apreció entonces que llevaba un traje-chaqueta ajustado muy favorecedor, que estilizaba, aún más, si cabía, su figura..., pero el científico desvió la mirada, y siguió con sus meditaciones y también con la mala conciencia que le asaltaba cada vez que comía una bolsa de cacahuetes.

* * *

Tras dejar el hotel, camino del aeropuerto, el coche de los agentes circulaba por una estrecha carretera forestal repleta de curvas. Los frondosos abetos apenas dejaban ver el sol que brillaba en medio de un cielo claro y despejado. Parecían estar en un mundo aparte. Lejos de la civilización. Y de los enemigos que les acechaban.

De repente, una luz cegadora apareció de la nada, delante del vehículo. La extraña esfera brillante se movía a la misma velocidad que el coche, a pocos metros de distancia. No dijeron nada, pero sus caras de sorpresa lo decían todo. Al tomar una curva, la luz pareció girar en ángulo recto, sin variar su velocidad.

—Esto es imposible —dijo la agente, con la voz entrecortada.

Víctor parecía hipnotizado, pero seguía conduciendo, sumido en una especie de trance. Ella percibió el extraño efecto que la misteriosa luz ejercía sobre su compañero, y gritó:

—¡Para el coche, Víctor! —le dijo varias veces; la última, gritando con todas las fuerzas de que era capaz.

Pero él apretaba el acelerador, hacia una carrera enloquecida. La guapa pelirroja pensó que éstos serían sus últimos momentos. Y lo único que podía hacer era gritar y exigirle que se detuviera; pero ella no era de ese tipo de personas que esperan que otros las saquen de sus problemas.

Se abalanzó sobre el freno de mano, con la intención de detener el coche. Al precio que fuera.

Bosco se revolvió como una fiera acorralada.

Intentaba que Julia no llegara hasta la palanca. Forcejearon. Ella no podía creer lo que le estaba pasando. Parecía un sueño. O una pesadilla. Y se fue tan rápido como había llegado. A los pocos segundos el profesor salió de su estado hipnótico:

—¿Qué pasa?

—¡Frena! ¡Frena! —gritaba la mujer.

—Tranquila. Ahora paro el coche.

—¡Páralo ya! —gritó Julia.

Los neumáticos del vehículo chirriaron, dejando su marca sobre el asfalto durante varios metros. Los dos ocupantes, tras resistir, gracias a sus cinturones de seguridad, la embestida de la frenada seca, repentina, salieron del coche, rápidamente. Julia desenfundó su pistola. Cualquier cosa era posible. Y esa luz rojiza había estado a punto de matarlos.

—Llegas tarde, pistolero —bromeó Víctor.

Se miraron, asombrados. Delante del vehículo no había nada. La extraña luz se había volatilizado con la misma rapidez con la que apareció.

Capítulo
32

Los Alquimistas nos siguen llevando ventaja —dijo el general O'Connor, con frialdad—. Y créanme, no los culpo por no atraparlos. Esto nos sobrepasa a todos. Esta vez le ha tocado al Museo McGill Rutherford, en Montreal, Canadá.

Julia y Víctor sabían que les tocaba viajar hacia el norte.

—Bien, como no dicen nada, les explico cuatro cosas que deben saber: el Museo McGill Rutherford pertenece al Departamento de Física de la universidad McGill, y contiene los aparatos usados por el científico cuando era profesor en el centro entre 1898 y 1907.

—¿Son importantes? —dijo Bosco.

—Juzgue usted mismo: con ellos se investigó la radiactividad y se estableció la naturaleza de los rayos alfa. Con esta teoría, Rutherford recibió el Premio Nobel en 1908.

—¡Vaya! —exclamó Julia.

—Creo que el pobre A debe de tener un archivo reservado para este científico.

O'Connor parecía contrariado.

—Bosco, después de lo que ha descubierto, creo que le debo una disculpa. Ahora sabemos que A tenía alguna relación con los robos y con los Alquimistas. Usted lo intuyó antes que nadie, merece nuestro reconocimiento. Aunque no llego a entender qué ganaba A colaborando con esa gente.

—Señor, no se culpe por la traición de A. —Julia no estaba dispuesta a que el general cargara con las culpas de la conducta del hacker—. Creo que ni él mismo estaba contento con su doble juego. Piense que él nos ha proporcionado las pistas sobre los científicos. Sigo creyendo que A nos ayudará a resolver el Enigma Galileo aun después de muerto.

El general esbozó una leve sonrisa. *Sí, quizás el chaval no era tan malo,* pensó para sí mismo.

—Todo depende de ustedes. Quizás los tres siguen formando un equipo.

—Gracias, señor. Ahora investigaremos el archivo de Rutherford.

—Manténganme informado. Gracias, muchacho.

El trabajo de A era tan detallado como de costumbre:

ERNEST RUTHERFORD

Nació en Brightwater, Nueva Zelanda, el año 1871, y murió en Cambridge, Inglaterra, en 1937.

Estudió física y matemáticas en la universidad de Nueva Zelanda, donde se graduó en 1893. Construyó un detector de ondas de radio. Dos años más tarde va a estudiar a Cambridge.

Allí descubre los rayos alfa (núcleos de helio con dos protones y dos neutrones) **y beta** (electrones rápidos), generados en la radiación del uranio, **y deduce la existencia de los electrones.**

En 1898 es profesor de la universidad McGill de Montreal (Canadá), donde estudia la radiactividad y descubre que cuando un átomo sufre una desintegración radiactiva pierde alguna partícula y se convierte en un átomo de un elemento diferente.

Las técnicas de la alquimia parecían resucitar.

En 1907 se traslada a Manchester, y crea un centro de estudio internacional que investiga la radiación, con el que consigue prestigio mundial.

Bombardea delgadas láminas de oro con partículas alfa, y descubre que algunas se desvían 90° de su dirección inicial y que, incluso, algunas llegan a rebotar.

Se le concedió el Premio Nobel de Química en 1908.

Su cuerpo descansa en la bahía de Westminster, junto a Isaac Newton.

- Le llamaban «Cocodrilo», un apodo inventado por un alumno ruso porque en ese país ese animal es símbolo de la fuerza.

  Quizás por eso existe un bajorrelieve en forma de cocodrilo en las paredes del laboratorio Cavendish, donde Rutherford fue director.

- No le gustaban las matemáticas, y se cree que la fórmula que explica cómo se desvían las partículas cuando pasan a cierta distancia de los átomos la desarrolló un joven matemático que cortejaba a su hija.

- En algunos de sus inventos utilizó materiales caseros, una solución que aprendió de su padre.

- Está enterrado en la abadía de Westminster al lado de Isaac Newton, lo que prueba que era considerado un gran científico.

¿Qué son los átomos?

Primero se pensó que los átomos eran esferas macizas.

Hoy sabemos que los componen tres partículas: protones y neutrones en el núcleo, y electrones, que giran a su alrededor. Además, están «casi» vacíos.

Si pudiéramos encogernos hasta que un átomo tuviera el tamaño de un campo de fútbol, podríamos hacer la siguiente comparación: cuando el núcleo del átomo tuviera el tamaño de un balón de fútbol, los electrones serían como guisantes que giran en órbitas situadas en las últimas graderías del campo.

Rebotes «imposibles»

Bombardeó delgadas láminas de oro con partículas subatómicas y observó que la mayoría las atravesaban. Pero ocurrió algo extraordinario: observó que unas pocas rebotaban hacia atrás. Al ver esto, dedujo que los átomos no podían ser macizos. Dijo que este fenómeno era tan increíble como «si dispararas un proyectil de 40 centímetros contra una hoja de papel y rebotara de vuelta hacia ti».

Calculó que los rebotes sólo eran posibles si casi toda la masa y la carga positiva se concentraba en una pequeña región del espacio dentro del átomo: el **núcleo.**

Que la mayoría de estas partículas no se desviase, o lo hiciese un poco, sólo podía significar que la mayor parte del átomo era espacio vacío. Y supuso que los electrones eran pequeñas partículas, con carga negativa, que giraban a grandes distancias del núcleo, en la zona del espacio llamada **corteza,** que abarca la mayor parte del volumen del átomo. **Consideró al átomo como un sistema solar en miniatura:** el núcleo en el centro y los electrones orbitando a grandes distancias.

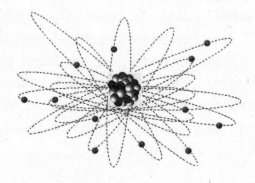

Representación de un átomo donde se ha exagerado el tamaño del núcleo.

Sigue el misterio

Rutherford había resuelto un problema, pero descubría otro. Aunque su modelo atómico parecía correcto había desvelado un nuevo enigma. Hay una ley física que dice: cualquier carga eléctrica que gira, o se acelera, tiene que emitir energía en forma de radiación. Esto también se aplica a los electrones que giran dentro del átomo, y que, según esta ley, tendrían que perder rápidamente toda su energía y precipitarse hacia el núcleo. El átomo se colapsaría y la materia, tal como la observamos, no podría existir. Los físicos de la época se enfrentaban a un nuevo enigma.

Pero Niels Bohr dio con la solución.

Después de estudiar el archivo del científico a fondo, los dos investigadores se desplazaron al aeropuerto para coger el primer vuelo disponible hacia Montreal. El general O'Connor les dijo que se pusieran en contacto con la máxima autoridad en seguridad de la capital, que resultó ser un antiguo amigo personal suyo.

Una vez en la ciudad canadiense, los agentes comprobaron la importancia que se había dado en los medios locales al incidente del Museo McGill Rutherford. El lugar del robo está situado en la prestigiosa universidad McGill, que tiene veintiuna facultades y trescientos programas de bachillerato, licenciatura y doctorado.

Algunos programas sensacionalistas de las cadenas de televisión aventuraban hipótesis descabelladas sobre el caso, desde la presencia de extraterrestres, hasta una conspiración de magia negra para destruir la ciudad. Nada nuevo bajo el sol.

El jefe de policía de Montreal los recibió con escepticismo.

—Miren, acabo de hablar con su jefe. El bueno de O'Connor. Yo no le doy importancia a lo que ha pasado —les dijo, casi sin mirarles a la cara.

Julia, como un lobo de presa, saltó.

No le gustaba la indiferencia que demostraba su interlocutor.

—¿Considera que no tiene importancia un resplandor verdoso que se ha podido ver desde varios kilómetros alrededor?

—Mire, sé que O'Connor es un excelente profesional, y seguramente ustedes también lo son —les dijo en tono fatigado, mientras ojeaba unos documentos que tenía ante él, sobre su mesa—. ¡Pero hoy en día, la gente ve cosas muy raras! Sin ir más lejos, la semana pasada, mi vecina vino gritando que su marido la quería matar..., y es soltera y vive sola. Cada vez tenemos más problemas. Y los combatimos en soledad. Sin la ayuda de nadie. Es demasiado duro. Hoy vivir es demasiado duro. Y solemos confundir el trastorno psicológico con la realidad.

—Pero, señor... —quiso decir Julia.

—Su gobierno tiene bastantes experiencias con los ovnis, que después resultan ser globos meteorológicos o luces de origen terrestre. No quiero —dijo, en un tono solemne— que piensen que menosprecio su trabajo. Pero aquí estudiamos el caso sin dejarnos llevar por sensacionalismos.

Julia permaneció imperturbable:

—Entiendo. Pero hablamos de algo que ha sucedido en el Museo de Rutherford, ¿no podría existir alguna relación entre los dos hechos?

Su interlocutor se acarició la barbilla, buscando, quizás, una explicación que no tenía. Saldivar siguió:

—Este caso parece tener conexiones con otros similares alrededor del mundo. No nos inventamos nada. Investigamos y hemos encontrado conexiones interesantes.

—¡Oh, señorita, no pretendía ofenderla! Pero aquí hay más de tres agentes que investigan sucesos extraños, y que jurarían que esta luz tiene relación con sus casos. Nosotros, por ahora, no damos demasiada importancia a relaciones difíciles de establecer. Créame, tenemos varias patrullas vigilando el museo e investigando.

Y mientras les decía esto, asió mecánicamente un dossier, que pasó con aparente desgana a sus visitantes.

—Tómenlo, tenemos una copia. Es todo lo que sabemos del caso.

Al salir del despacho del amigo de O'Connor, Víctor comentó:

—¡Esto es lo que se llama pasarnos el muerto! No sé cómo no le has respondido como se merece.

—¿No has visto que es un viejo zorro como O'Connor? No sabríamos más de lo que sabemos ahora ni torturándole. Además... tenemos el dossier, esto nos pone al mismo nivel que la inteligencia del país. ¿No te parece?

Bosco no dijo nada, ahora entendía que las cosas no eran como había creído que eran.

En ninguna otra ciudad del mundo habían tenido acceso a los informes secretos del caso.

—Bueno, al fin y al cabo, es amigo de O'Connor. Y le debe algún que otro favor.

* * *

Era pronto para ir al aeropuerto. Por eso decidieron pasear por la orilla del San Lorenzo, el río que divide la ciudad de Montreal.

Cerca de donde se hallaban en esos momentos estaban las instalaciones de la Exposición Internacional de 1967.

Julia se acercó a la orilla.

—¿Crees que el agua está muy fría? —preguntó a Víctor, por pura curiosidad, mientras miraba las aguas que discurrían a unos metros por debajo de donde paseaban. Ella sabía perfectamente que él ya conocía la respuesta. Cuando eran jóvenes, le llamaba, irónicamente, «Enciclopedia Ambulante».

Y la geografía era uno de sus puntos fuertes.

—Sabes que eso no lo puedo saber. No soy A —le dijo, con aspereza—, pero creo recordar que el río también pasa por la ciudad de Quebec, y tiene algo más de tres mil kilómetros de longitud. Está cerrado al tráfico marítimo durante cuatro meses al año, a causa del hielo.

Víctor no le comentó nada más. Notaba aquella sensación tan embarazosa que se siente cuando crees que alguien te observa y no sabes quién.

Miró a un lado y a otro.

Pero sólo vio parejas de ancianos y pacíficos ciudadanos que paseaban a sus perros con las bolsas de plástico para recoger los excrementos. Todo muy civilizado.

Sentado en uno de los bancos de madera, un *heavy* con ropa negra y auriculares en las orejas aullaba al ritmo de su música preferida. *Bueno*, pensó Bosco, *supongo que su cuerpo necesita una descarga de adrenalina.*

—Sabía que no me fallarías. Eres un cerebrito —dijo ella, al tiempo que se abalanzaba distraídamente sobre la barandilla del paseo, desde donde se contemplaba una magnífica vista del río.

Todo pasó demasiado deprisa. Víctor no vio nada sospechoso, pero hacía rato que notaba algo indefinido en el ambiente. Algo inexplicable.

Su mente viajó varios años hacia el pasado. Recordó una sensación similar cuando, en un plácido día de verano, salió a navegar con su pequeño velero y, en medio de una calma irreal, en la que no soplaba ni la más ligera brisa, se desencadenó una terrible tormenta que casi lo hizo naufragar. Con el mástil destrozado, consiguió llegar a puerto con la ayuda de un pequeño motor auxiliar.

Un viejo pescador de la zona, el vivo retrato de un viejo lobo de mar, con la cara cubierta por una espesa barba blanca que dejaba entrever mil arrugas y mil decepciones, y unos ojos del azul más brillante que jamás había visto, le dijo al volver a puerto, cuando vio el estado en que había quedado el bote: «Has tenido mucha suerte, jovencito. Hoy el mar te ha perdonado la vida. Intenta ser digno de él y agradecerle el regalo. Te lo dice alguien que ha sentido el aliento de la muerte muy cerca. Desconfía mucho más de la gran calma que precede a la tempestad que de la peor tormenta. El mar es como la vida, recuérdalo».

Desde aquel día miraba con recelo los cielos más apacibles. Como hoy. Y por la vida se conducía con pies de plomo. Esperando ver llegar las tormentas por las esquinas.

Entonces sucedió. Fue como si alguna de las personas que paseaban tranquilamente a su lado hubiera empujado a Julia. Pero nadie movió un solo dedo, ni se acercó a ellos a menos de un metro.

Sólo una cosa era cierta: Julia había caído al río, agitando los brazos, frenéticamente, como si un fantasma la hubiera empujado.

Bosco creyó estar en un sueño. Unos segundos antes había tenido la sensación de que alguien o algo los acompañaba. Y los vigilaba. Había notado una presencia a su lado, enganchada a sus espaldas. Un aliento extraño en el cogote. Pero al girarse de improviso, para coger desprevenido al imaginario enemigo, comprobó, estupefacto, que nadie los seguía. Únicamente vio tres familias jugueteando con sus niños pequeños y, algunos metros más allá de donde estaban ellos, una inofensiva pareja de ancianos que trataba de pasear a su gran danés, que, literalmente, les arrastraba mientras parecía galopar.

El científico reaccionó en décimas de segundo. Su cuerpo estaba alerta, y presentía el peligro. Su sexto sentido, como lo solía llamar, funcionó.

Se quitó la gabardina y la lanzó al agua, aunque agarrada de una manga, para que su compañera se pudiera asir.

Julia intentó llegar, luchaba contra la temperatura extremadamente fría del agua, y se agarró a la manga como un náufrago se ase a una madera flotante.

Entonces Víctor empezó a tirar de la ropa de ella mientras pedía socorro, con todas sus fuerzas. Un par de jóvenes corrieron en su auxilio. Entre los tres pudieron sacar a Julia de las frías aguas del río.

—¡Que alguien llame a una ambulancia, por el amor de dios! ¡Esta mujer está congelada! —gritó la anciana, que se peleaba con el gran danés, mientras su marido sacaba el teléfono móvil del bolsillo. Con tan mala suerte, que acabó sobre el césped.

El perro, excitado por el accidente, empezó a aullar, desconsolado, y girando el cuello de un golpe seco, arrancó la correa de las manos de su amo, que cayó de bruces al suelo.

El enorme animal salió huyendo, siempre al galope.

A los diez minutos llegó una ambulancia de un hospital cercano. Para entonces, Julia estaba arropada con varios abrigos de los paseantes y se había congregado a su alrededor una pequeña multitud.

—No necesito una ambulancia —gritó, mientras su cuerpo se agitaba espasmódicamente, reclamando justo lo contrario.

—No discutas, mujer. Debes pasar una revisión porque puede haber riesgo de hipotermia.

—Estoy bien. Sólo necesito ir al hotel y descansar un poco. Sólo eso.

Mientras los dos hablaban, los enfermeros le hicieron una revisión superficial. Y uno de ellos, que parecía el responsable del equipo, les dijo:

—Parece que no hay ningún tipo de lesión, pero para su seguridad, debe acompañarnos al hospital. Si ahora se van a casa, no nos responsabilizamos de las consecuencias.

—Mire —dijo Julia, con la voz más autoritaria que pudo hacer salir de la garganta, aunque bastante entrecortada—, tenemos un trabajo entre manos que sólo voy a dejar si me matan. ¿Me he explicado bien? Y como parece que no estoy muerta, seguiré con mis asuntos.

—¡Vaya genio gasta su mujer! —exclamó el jefe de la unidad de urgencias, mientras pensaba que había topado con dos ejecutivos en viaje de negocios, y que los turistas estadounidenses eran unos adictos irrecuperables al trabajo.

Mientras subían al taxi que los llevaría al hotel donde se alojaban, el profesor vio cómo el joven *heavy* seguía gritando y gesticulando con los ojos cerrados, mientras golpeaba el suelo con las plantas de los pies, indiferente al espectáculo que se había producido a su alrededor.

Parecía que aquel rincón del mundo había vuelto a su estado normal y todo lo que había sucedido era parte de una pesadilla de la que todos acababan de despertar.

Y el gran danés volvía, mansamente, hacia sus preocupados dueños.

* * *

—No quería comentártelo, Víctor, porque me sentía ridícula, pero cuando paseábamos por la orilla del río, he notado que algo no iba bien... —dijo Julia, mientras permanecía tapada bajo una sábana térmica, en su habitación del hotel.

—¿Qué quieres decir? —preguntó Bosco, aunque intuía a lo que ella se refería.

—No sé qué decirte. Era como si, aparte de nosotros, alguien más nos acompañara y siguiera nuestros movimientos. Pensarás que estoy loca.

—No, yo también lo he notado, y si no te hubieras caído al río, no te habría comentado nada.

—No me he caído al río, Víctor. Me han empujado. Quién y cómo, no lo sé.

—¿Cómo dices?

—Lo que oyes. He notado que una fuerza me arrojaba por encima de la barandilla.

Los dos se miraron. ¿Qué estaba pasando? Había muchos detalles en la investigación que no encajaban. Misterios sin resolver. ¿Estarían dejando de lado pequeños detalles, aparentemente sin importancia pero cruciales en la investigación?

Entonces, Víctor, sin saber muy bien por qué, recordó una frase que tiempo atrás le había dicho A, con su habitual prepotencia: «En el detalle está la solución».

¿Les estaría dando una pista desde el más allá?

33

E l hombre uniformado cruzó a paso rápido las salas del museo. Llevaba la cabeza inclinada hacia delante, de manera que la visera le tapaba el rostro. De hecho, si alguno de los demás vigilantes de la antigua casa de Niels Bohr reconvertida en museo, donde el científico danés había vivido con su familia de 1926 a 1932, hubiera visto la cara del recién llegado, entendería por qué se ocultaba.

Pertenecía al cuerpo de seguridad del Instituto Niels Bohr, situado en el este de Copenhague, una zona habitualmente tranquila, pero esa noche algo parecía no ir bien: la faz del recién llegado estaba completamente transfigurada. No se podía leer ninguna emoción en su rostro, que parecía más el de una estatua que el de un ser humano.

Su tez, pálida, enmarcaba unos ojos desmesuradamente abiertos, que si alguien hubiera contemplado el tiempo suficiente, se habría dado cuenta de que ni parpadeaban ni se movían.

Siguiendo un plan preciso y trazado hasta el más mínimo detalle, entró en el despacho que había pertenecido al genial científico danés. Buscó algo en su bolsillo derecho de la americana. Extrajo un pequeño aparato que proyectaba una luz azulada con la que alumbró el mobiliario.

Tras cumplir con su extraño cometido, fue hacia una de las ventanas del edificio, y abrió los ventanales de par en par. Casi al instante, la alarma de seguridad sonó con un pitido continuo y estridente. Con un ademán brusco, lanzó el aparato, que, en lugar de caer hacia el suelo, pareció desafiar las leyes de la gravedad, y se perdió entre las sombras de la noche.

El guardia permaneció inmóvil, mirando el horizonte. Como si esperara del vacío alguna orden que nunca llegó.

* * *

—¡No había visto un caso igual en mi vida! —exclamó la psiquiatra jefe del hospital de Copenhague. Una mujer menuda y entrada en carnes, de cabellera larga y morena, con un rostro sorprendentemente alegre.

Bosco notó enseguida que la mujer estaba encantada con que alguien se interesara por su trabajo. Había que explotarlo. Y tenía una intuición.

—¿Cree que se puede tratar de un caso de hipnosis? —inquirió.

—No me atrevería a afirmarlo. Pero es increíble que alguien lleve una semana convertido en un vegetal sin que hayamos detectado ningún trastorno físico.

—¿Puede tratarse de algún tipo de enajenación mental?

—No lo creo. Hay ocasiones en que el individuo, cuando experimenta una situación que lo supera, tiende al bloqueo emocional. Aunque no sea una definición demasiado técnica, sería como si se desconectara. ¿Entienden el concepto? Hay otro tipo de trastornos mentales que provocan que el individuo quede anclado en una situación determinada, especialmente emotiva. Quedan bloqueados y se encierran en sí mismos, como un caracol en su concha. Pero este caso es diferente. No parece que su cerebro tenga ningún tipo de alteración y, sin embargo, no responde a ningún estímulo exterior.

»Y todavía sorprende más porque sus compañeros de turno nos han explicado que habían hablado con él unos minutos antes del incidente. No parece que hubiera recibido una mala noticia las semanas anteriores, de hecho, estaba de muy buen humor.

»Ahora se pasa las horas muertas mirando al techo con los ojos muy abiertos. Lo alimentamos con suero. Le hemos hecho pruebas de sueño, y tiene la fase REM muy alterada. De hecho, casi no parpadea.

—Perdone, no soy médico, ¿me puede explicar qué significa la fase REM? —preguntó Julia.

La doctora sonrió y, satisfecha de poder explicar algo sobre su tema favorito, que era su profesión, añadió:

—Cuando dormimos, pasamos por distintas fases del sueño, llamadas REM y NOREM. La primera de ellas corresponde al sueño más ligero, y se caracteriza por un parpadeo muy rápido de los ojos. De aquí el acrónimo de REM *(Rapid Eyes Movement)*, que, traducido del inglés, significa «movimiento rápido de los ojos». Durante esos periodos somos capaces de recordar buena parte de lo que soñamos. En algunos pacientes hemos detectado alteraciones en la fase REM, pero nunca había visto nada como esto.

—¿Puede resumir lo que quiere decir? —preguntó Julia, un poco secamente.

—Claro. El sueño es la suspensión periódica de la conciencia, durante la cual los animales superiores se recuperan de la fatiga. En el caso de este paciente parece que se haya desconectado de la vida. Que haya dejado de existir. No presenta fase REM y, por lo tanto, parece que no sueña. Es como si se hubieran interrumpido los procesos integrantes de la corteza cerebral. Me extraña que siga vivo, porque nuestro cerebro necesita desconectarse durante el sueño para continuar sus rutinas diarias.

—A ver si lo entiendo... —aclaró Bosco—, ¿me está diciendo que parece un muerto?

—Si lo quiere llamar así... El cerebro es un gran misterio. El paciente no está muerto, porque presenta actividad cerebral, aunque sea mínima. A niveles mucho más bajos de lo normal. En otras culturas dirían que le han robado el espíritu. Únicamente había visto casos parecidos en personas que no han despertado de un proceso de hipnosis.

Los tres callaron. No se había cometido ningún robo en el museo, y la conducta del vigilante de turno, con quince años de antigüedad en la casa, era intachable. ¿Qué le había pasado? ¿Estaban los Alquimistas involucrados en el caso?

—Entonces —dijo Bosco—, ¿puede estar sometido a algún tipo de control mental?

—Es posible. El cerebro es un gran enigma. Si ha sido sometido a un proceso de hipnosis, la gente que lo ha inducido no tiene ningún tipo de piedad.

—¿Por qué? —dijo Julia.

—El proceso lo ha convertido en un vegetal, y no sabemos cuánto tiempo puede vivir un ser humano en su estado. Naturalmente, lo alimentamos por vía intravenosa.

—Gracias por su ayuda, doctora.

—No es ninguna molestia contestar sus preguntas. Vengan cuando quieran —dijo ella, encantada.

Los agentes subieron a un taxi y se dirigieron al hotel, situado en el casco viejo de la ciudad, para intentar hallar alguna pista en la biografía del científico.

Uno de los investigadores pioneros en el estudio de la estructura del átomo.

NIELS BOHR

Nació el 7 de octubre de 1885 en Copenhague, Dinamarca.

En 1911 se doctoró y marchó al laboratorio Cavendish de Cambridge, uno de los centros más prestigiosos del mundo.

Partiendo de los resultados de Rutherford, en 1913 publicó su modelo del átomo en el *Philosophical Magazine* inglés, y aunque sus ideas desconcertaron, fueron aceptadas gracias a los experimentos.

Tres años después regresó a Copenhague, y **fundó el Instituto para la Física Teórica** en 1920, una institución de primera línea en el campo de la física atómica.

Su trabajo revolucionario en mecánica cuántica y sus aportaciones a la teoría atómica, junto a sus trabajos sobre radiación, lo hicieron merecedor del **Premio Nobel de Física de 1922.**

Su carácter bonachón y sus excentricidades lo convirtieron en el típico sabio despistado.

Años más tarde **se trasladó a Estados Unidos, al Instituto de Estudios Avanzados de Princeton, Nueva Jersey, donde colaboró en las investigaciones que llevarían a la construcción de la bomba atómica.**

De vuelta a Copenhague, en plena Segunda Guerra Mundial, recibió en 1941 la visita de uno de los físicos más importantes.

El alemán Werner Heisenberg, un antiguo discípulo, sorprendió a Bohr al explicarle que la mayoría de los científicos alemanes deseaban investigar sobre física nuclear —a pesar del peligro que representaba el régimen nazi—, aunque se oponían a la construcción de la bomba atómica.

Nunca se ha sabido si Heisenberg visitó a Bohr para que le informara sobre sus descubrimientos y colaborara con él, o fue a avisarle del peligro que representaba la energía nuclear en manos de Hitler.

Años después, Heisenberg dijo que su visita pretendía convencer a Bohr de la amenaza que suponía la posible construcción de armamento nuclear bajo control nazi.

En 1943 Bohr sufre la persecución del régimen nazi por su origen judío.

Huye a Suecia y Londres, y **apoya la coalición anglo-americana para desarrollar armamento nuclear. Vuelve a Estados Unidos para colaborar, bajo la dirección de Oppenheimer, en el proyecto Manhattan,** en el centro de investigación de Los Álamos, Nuevo México, **donde se fabricaría la primera bomba nuclear.**

Finalizada la Segunda Guerra Mundial, es un fervoroso defensor de la tecnología atómica para fines pacíficos. En 1958 ganó el premio Átomos para la Paz.

En 1962 moría uno de los grandes genios del siglo xx. Einstein lo consideraba «uno de los grandes científicos de nuestro tiempo».

- Era un gran cinéfilo. Pero no entendía los argumentos, y no paraba de hacer preguntas.
- Una obra de teatro retrata su conversación con el físico alemán Heisenberg, lo que hablaron como científicos y seres humanos en medio de un mundo en guerra.

Esta obra se ha representado con éxito en numerosos países, y ya es un clásico: *Copenhagen,* del dramaturgo inglés Michael Frayn.

- Le costaba muchísimo escribir: nunca encontraba las palabras exactas.

- Cas Casimir, físico holandés y escalador aficionado, volvía de una cena con Niels Bohr. Al pasar ante la fachada de un banco, trepó por la pared hasta la segunda planta.

Bohr no quiso ser menos, y le imitó. Cuando subía, dos vigilantes lo vieron y fueron a detener al «ladrón». Al identificar a Niels Bohr, conocido por sus rarezas, dijeron: «¡Ah, bueno, sólo se trata del profesor Bohr!» Y siguieron la ronda.

El gran salto

Cuando Bohr leyó las conclusiones de Rutherford sobre la estructura atómica, se sorprendió. De ellas se deducía que los átomos están formados por una nube de pequeños electrones que giran alrededor de un núcleo más pesado y cargado positivamente, pero existe una ley física que ya estaba descubierta y que dice: cualquier partícula cargada eléctricamente emite radiación al girar y, en consecuencia, pierde su energía.

Siguiendo este principio, los electrones se precipitarían hacia el núcleo en una pequeñísima fracción de segundo y la materia, tal como la conocemos, no existiría. No sucede así, pero el enigma continuaba, desafiante, ante los ojos de los desconcertados científicos.

Y Niels Bohr halló la solución. El danés pensó que si la energía de la luz está cuantizada, es decir, que se transmite en forma de pequeños paquetes, entonces, ¿por qué no podía aplicarse la idea del cuanto también a los átomos?

Supuso que la energía mecánica de los electrones que giran alrededor del núcleo también podía estar cuantizada. Esto significa que un electrón no puede tener cualquier valor de la energía. Ni tampoco todas las órbitas están permitidas.

Un electrón sólo puede moverse en las órbitas asociadas a ciertos valores determinados de la energía. Y además, no pierde energía cuando gira; la emite cuando salta a una órbita de menor energía.

Las órbitas que describen los electrones alrededor del átomo se parecen a las estanterías de una biblioteca: un libro puede colocarse en una repisa o en otra, pero nunca entre las dos.

El modelo de Bohr revolucionó la física: fue el primero en explicar lo que ocurre dentro de los átomos: podía haber cambios de energía cuando se producían saltos entre las órbitas. De aquí viene la expresión «salto cuántico» *(quantum leap).*

Capítulo
34

El general O'Connor colgó el teléfono con un gesto enérgico que no podía ni quería disimular su disgusto. No hacía falta que guardara las formas. Se había labrado una reputación. De hecho, el senador Falcroft aún estaba explicándole las consecuencias ocultas del caso, cuando colgó sin previo aviso, tras dedicarle un adjetivo poco delicado.

¡Qué se habían creído! No necesitaba que nadie le maquillara la realidad. En tantos años de carrera, no había visto nada parecido. *¿Tanto esfuerzo, tantas muertes, no han servido para nada?*, se preguntó. Y la pregunta volvió hasta él como un boomerang que le cortaba el amor propio y la dignidad.

Cerró los puños con rabia.

No le quedaba otro remedio: debía hablar con el grupo de investigación y explicarles la situación. Fijó la videoconferencia para una hora después, y pasó la siguiente hora encerrado en su despacho, fumando. Sin moverse.

Había dejado de fumar doce años antes.

* * *

Cuando le informaron de que sus agentes estaban en línea, escondió con un gesto de culpabilidad la caja de puros de importación, y sin hacer ninguna introducción, les dijo:

—Oficialmente, no debería decirles lo que van a escuchar, pero me trae sin cuidado.

—Mi general, no diga nada de lo que se pueda arrepentir.

Para la centroamericana, O'Connor era algo más que un jefe. Siempre lo había considerado un segundo padre que, en sus peores momentos, la había ayudado a seguir adelante. Con una asociación de ideas inconsciente, recordó el momento en que había notificado a sus superiores que dejaba la organización. Entonces él le habló en privado y le dijo: «Jovencita, sé reconocer el talento en cuanto lo veo. No pierdas tus fuerzas en peleas absurdas de poder. Desde aquí puedes hacer muchas cosas buenas para la gente. No lo olvides». Y cuando ella le explicó que no estaba de acuerdo con algunos métodos de la agencia, él le hizo comprender que desde que personas como él tenían el mando, la agencia era una organización mucho más humana que años antes.

—Julia, sabes que eres casi una hija para mí. Prefiero mil veces perder mi puesto que dejaros en la estacada...

Ella sabía que sólo en momentos muy especiales, cuando lo embargaba una intensa emoción, el duro militar se permitía mostrar rasgos de humanidad.

—... Y si me dejáis continuar —miró a Saldivar y Bosco desde la pantalla, frunciendo el entrecejo—, os diré que el Enigma Galileo se ha cerrado... oficialmente. La investigación ha concluido sin resultado. Como tantas otras de la casa. A partir de ahora, seguís solos. Por vuestra cuenta y riesgo. Aunque me podréis llamar cuando queráis, y yo no tengo por qué dejar de escuchar a mis amigos... Oficialmente, estáis de baja indefinida.

—Entendido. Y gracias por la franqueza —aventuró Bosco.

—Entonces vamos al grano —continuó el general, tratándoles de usted nuevamente— y no debería decirles nada, pero voy a hacerlo: tenemos un nuevo robo. En el castillo de la familia De Broglie, en el valle de la Charentonne, en Normandía, Francia. Ahora les paso el dossier. Mírenlo con lupa porque yo cada vez entiendo menos lo que está pasando. Vayan con cuidado, hay gente en las altas esferas que está muy nerviosa.

O'Connor se despidió.

—No entiendo nada —dijo Bosco.

—Ya lo has oído, los altos cargos del Pentágono quieren su cabeza, y si fracasamos en la investigación, les ofrecemos la cabeza del general en bandeja de plata. Ahora más que nunca debemos llegar hasta el fondo del misterio.

Capítulo
35

Según el informe de O'Connor, que Bosco y Julia consultaban, el robo en el castillo de la familia De Broglie seguía la misma tónica que el resto de los misterios del Enigma Galileo: el cuidador del recinto, un enorme castillo rodeado de un parque bellísimo, en esos momentos podaba el seto del jardín. Y explica cómo aparecieron volando ante sus ojos toda clase de objetos: cucharillas, alfileres, tazas, teteras que salieron a través de una ventana que se abrió como por arte de magia.

El hombre, en una escena que seguramente parecería cómica, los persiguió a través de los campos circundantes, hasta que perdió el resuello; pero los objetos, incansables, desaparecieron en el horizonte.

Cuando la policía llegó, no hallaron ninguna huella, ni ninguna señal aparente que permitiera deducir que la propiedad había sido forzada. Pero lo que estaba claro era que la costosa vajilla que decoraba el mueble rústico del comedor había desaparecido. Al llegar a este punto del informe policial, Bosco hizo una composición mental de la escena. El cuidador del lugar explicaba la extraña desaparición de los objetos, ante la mirada entre escéptica y acusadora de los agentes. Entonces el hombre perdió los estribos.

El científico siguió leyendo el informe policial, pero no pudo evitar esbozar una sonrisa. Julia, al instante, pareció leer la mente de su compañero y dijo:

—Yo de ti no me reiría. Aquí tengo el informe psicológico del jardinero. Escucha: dicen de él que es «un individuo serio, huraño y solitario. Tiene fama entre sus vecinos de no mentir jamás, y de ser un hombre honrado que nunca falta a su palabra. Hace años que no frecuenta los bares de la localidad, y el análisis no ha detectado ningún tipo de estupefacientes ni alcohol en sangre. Algunos de los vecinos consultados dicen de él que va a trabajar hasta cuando está enfermo. Parece descartarse la hipótesis de una alucinación transitoria o una crisis de identidad pasajera».

—¡Vaya, un tipo estricto! Son los peores, cualquier día se les cruzan los cables y son capaces de hacer lo que no han hecho en toda su vida.

Saldivar lo miró fijamente. Víctor tragó saliva. ¿Se había excedido en el comentario? Prefirió no añadir nada más, y seguir con la lectura. Pero no pudo evitar pensar que Julia y el vigilante tenían un punto en común: su obsesión por el trabajo.

El extraño suceso había servido para engrosar la lista de leyendas que rodean a cualquier castillo que se precie. Las autoridades etiquetaron el caso bajo el epígrafe de «inexplicable». El informe se completaba con unas extrañas señales detectadas por el radar de un aeropuerto cercano. Se trataba de unas ondas de muy baja frecuencia.

Tras estudiar el caso, Víctor y Julia siguieron con la biografía del científico. Él abrió el archivo que contenía las carpetas que A les había proporcionado a través del colgante de Julia. Mentalmente, repasó las 50 carpetas que aparecieron ante sus ojos, con los nombres de físicos famosos y, como esperaba, halló entre ellas la de Louis de Broglie.

Apretó la tecla ENTER:

LOUIS DE BROGLIE

Nació en Dieppe, Francia, el 15 de agosto de 1892, en una de las familias más aristocráticas del país.

En 1909 se matriculó en la Sorbonne, para entrar en el cuerpo diplomático. Pero optó por la física, licenciándose en 1913.

Un año más tarde estalla la Primera Guerra Mundial, y abandona sus investigaciones para ingresar en el ejército como telegrafista.

Trabajó en la estación de la Torre Eiffel: luego explicaría que pasó la mayor parte de la guerra pensando en problemas técnicos, pero que después se interesó por la física teórica.

En 1920, mientras su hermana Maurice investigaba los efectos de los rayos X, hizo una tesis doctoral que trataba sobre la dualidad onda-partícula: los cuerpos con masa tienen asociada una onda y estos cuerpos pueden comportarse como ondas.

Tras el doctorado impartió clases en la Sorbonne, para ir después al instituto Henri Poincaré en 1928. Un año más tarde, recibió el **Premio Nobel de Física,** lo que le permitió ejercer como profesor de física teórica en la Sorbonne desde 1932 hasta su jubilación, 30 años más tarde.

Se dedicó a la física y la investigación. Escribió unos 25 libros que sentaron las bases de la **mecánica cuántica.**

Recibió muchos premios, y sus investigaciones respondían a una pregunta fundamental: ¿la teoría estadística es el conocimiento más exacto que podemos tener del microcosmos? O, al contrario, ¿existe una teoría más profunda en la que ya no existe la incertidumbre?

- Fue soltero toda su vida. Decía que estaba «casado con la física».
- Durante la Primera Guerra Mundial fue telegrafista militar en la Torre Eiffel.
- El castillo de la familia se comenzó a construir en 1716, y la población en la que se sitúa, el pequeño pueblo llamado Broglie, recibe su nombre del apellido familiar.

¿Ondas de materia?

Su tesis doctoral fue una de las más revolucionarias de la historia de la ciencia: expuso los fundamentos de la última teoría de la física, la mecánica cuántica. De Broglie pensó en una «descabellada» teoría: ¡que las partículas de la materia se pueden comportar como las ondas!

Esta idea era tan innovadora que cuando presentó su tesis en la Facultad de Ciencias de la universidad de París, la aceptaron por su corrección y originalidad, pero **no la tomaron realmente en serio ante la falta de pruebas experimentales.**

Sería Einstein quien reconocería su valor, y a partir de ese momento, su trabajo interesó a la comunidad científica.

La naturaleza ondulatoria de la materia implica, además, que **no se puede conocer exacta y simultáneamente la posición y la velocidad —momento— de una partícula.** Lo único que podemos tener de las partículas del universo microscópico es un conocimiento estadístico que se expresa en términos de probabilidades.

Víctor Bosco se quedó estupefacto. Pero no por la información sobre De Broglie, sino por algo inesperado: al llegar al final de la carpeta, y sin que nada lo anunciara, encontró en el archivo de A otro nombre y otro apellido inesperados. Y que daban un vuelco a la investigación:

Erwin Schrödinger.

—Julia, ven; ¡mira esto!

La mujer dejó los papeles que estudiaba y levantó la cabeza por encima de los hombros de Víctor, hacia la pantalla de su portátil. Tal y como él le indicaba.

—¿Pero qué rayos significa esto? —dijo.

—¡Vaya, pretendía que me lo explicaras tú, Julia! —bromeó.

Los dos pensaron lo mismo: el bueno de A parecía hablarles desde allá donde estuviera. Y guiarles hacia un lugar muy peligroso. Víctor rompió el silencio pensativo que le provocaba el descubrimiento.

—Si A nos tiende la mano, agarrémosla y dejemos que nos guíe por el laberinto de la ciencia hasta el final.

En la pantalla aparecieron las letras en negrita que precedían a la biografía de los científicos. En este caso, el austriaco Schrödinger.

Erwin Schrödinger

Nació en Viena el 12 de agosto de 1887. Era el hijo único de Rudolf Schrödinger, un erudito que estudió química y, además, fue pintor y botánico. Los intereses del padre influirían en el joven Erwin.

Durante la enseñanza media, el hijo de los Schrödinger se interesaba por todo: desde las disciplinas más científicas hasta la gramática antigua.

Pero odiaba memorizar datos no relacionados con un proceso lógico.

Estudió en Viena de 1906 a 1910. Y demostró una habilidad sorprendente para las ciencias. En esta época resolvió varios problemas de física de una manera muy original.

Durante la Primera Guerra Mundial sirvió en el ejército como oficial de artillería.

En 1920 se convierte en profesor ayudante del académico Max Wien.

Fue profesor en las universidades de Stuttgart, Breslau y Zúrich, donde estuvo seis años.

Realizó trabajos sobre termodinámica, espectros atómicos y estudios fisiológicos sobre el color.

Fue un auténtico don Juan, aunque se trataba de un hombre delgaducho. Y no demasiado apuesto.

Era un mujeriego empedernido que tenía romances en todas las ciudades que visitaba. Cuando se casó a los 32 años, con Annemarie Bertel, sorprendió a todo el mundo.

Los que lo conocían se preguntaban: ¿por qué se ha casado Erwin? Más tarde confesaría que lo hizo ¡para tener más oportunidades con otras mujeres!

Nunca disimuló sus asuntos amorosos: no dejaba de adular en público a sus conquistas.

Su mujer le pagó con la misma moneda al tener un romance con uno de sus colegas. Y procuró que Erwin lo supiera, pero el físico respondió con el mayor de los desprecios: la indiferencia.

Pasó unas navidades solitarias en uno de sus lugares favoritos: una cabaña del valle de Arosa, en Suiza. Allí tuvo la genial idea de volver a unir el nuevo *puzzle* que planteaba la mecánica cuántica..., pero no fue la típica hazaña intelectual del genio solitario.

Según sus palabras, su teoría fue un acto de «imaginación erótica». Más tarde confesaría que en su retiro recibió la visita de una mujer de gran belleza y que entre sus brazos encontró la inspiración.

Su mayor contribución a la física cuántica, la ecuación de Schrödinger, se desarrolló en 1926.

- A diferencia de la mayoría de científicos, trabajaba siempre solo.
- Compartió el Premio Nobel de 1933 con el inglés Paul Dirac.
- De joven le gustaban todas las asignaturas que estudiaba. Tanto de letras como de ciencias.
- Su padre había sido pintor, botánico y químico.

¿Desaparece la incertidumbre?

Relacionó la ecuación del movimiento, propia de la mecánica clásica, con las nuevas teorías cuánticas, y consiguió desarrollar una ecuación capaz de describir el movimiento de una partícula subatómica, que nos dice la probabilidad de encontrar una partícula en una determinada región del espacio, pero nunca su posición exacta.

El gato fantasma

Otro concepto clave: **el papel del observador.** En la teoría cuántica se admite que una partícula pueda existir en una superposición de diferentes estados y solamente cuando es observada adquiere uno de ellos. Y este valor es el que registra el científico en el laboratorio.

Para explicarlo, Schrödinger propuso un experimento mental conocido como la paradoja del «gato de Schrödinger».

Imaginemos un gato dentro de una caja cerrada en la que hay un frasco de veneno taponado por una partícula radiactiva, de manera que, si se desparrama el veneno, el animal muere. Y esta partícula tiene un 50% de probabilidades de desintegrarse en un corto espacio de tiempo.

Según las leyes de la mecánica cuántica, el gato y la partícula coexisten en una superposición de estados. Mientras no se abra la caja y sea observado, el animal estará vivo y muerto a la vez —en un extraño limbo entre la vida y la muerte— y la partícula radiactiva existe y, a la vez, se ha desintegrado.

Solamente si abrimos la caja sabremos si el animal está vivo o muerto. Y en consecuencia, si la partícula se ha desintegrado o no.

Éste es uno de los grandes misterios del universo cuántico.

Richard Feynman, Premio Nobel de Física en 1965 por sus trabajos sobre física cuántica, dijo: «Nadie entiende la mecánica cuántica».

Tras la lectura de la carpeta, los dos investigadores vieron que en la pantalla aparecía otro nombre. El segundo científico inesperado: WERNER HEISENBERG.

Bosco dijo:

—Siempre he sospechado que A jugaba con nosotros. Podía ayudarnos, y en cambio nos conducía hacia una trampa sin el menor remordimiento. Aquí tienes la prueba: si descubrimos que los siguientes robos serán de Schrödinger y Heisenberg, me tendrás que dar la razón en todo lo que dije de él.

Quizás por primera vez en su vida, Julia no supo qué decir.

No había argumentos para rebatir las sospechas de Víctor, ni tan siquiera los atenuantes derivados del bonito gesto de pasarles los archivos sobre los científicos para protegerlos, quizás. Todas las sospechas del profesor parecían reales ante estas pruebas casi definitivas.

Schrödinger y Heisenberg aparecían en los archivos de A, y ni Julia ni Víctor tenían noticias de la desaparición de ningún objeto relacionado con los investigadores.

El ordenador emitió un pitido intermitente, anunciando que acababa de recibir un correo electrónico.

—Noticias de O'Connor. Pero recuerda que ya no estamos en el caso —comentó Julia.

—Me juego mi bolsa de cacahuates a que nos anuncia el robo de Schrödinger.

Ella sonrió:

—Tienes la bolsa medio vacía, cuentista.

—Bueno, quiero decir que me juego la bolsa que tengo en el bolsillo. —Maquinalmente, el inglés puso la flecha del puntero del ratón sobre el símbolo de un sobre de correos.

El mensaje era del general: O'Connor no hacía ningún caso a las indicaciones de sus superiores de que el Enigma Galileo estaba cerrado.

El mensaje decía:

«Muchachos:

Acaban de informarme de que se ha producido un robo en el Instituto de Estudios Avanzados de Dublín (Irlanda). Afecta a las pertenencias de Schrödinger. El tipo se refugió allí cuando los nazis invadieron Austria. El primer ministro irlandés de la época, Eamon de Valera, lo invitó a unirse al equipo de investigación del centro. Allí, con pocos medios, se hicieron grandes descubrimientos.

No olvidéis que soy irlandés.»

El mensaje seguía con un archivo adjunto de la agencia, en el que se explicaba que un grupo de científicos del instituto vio cómo una de las mesas de los despachos parecía perder color, llegando incluso a transparentarse. Uno de los testigos fue hacia ella y, al tocarla, contempló cómo su brazo atravesaba la madera. ¿Sería un holograma? Nadie en el departamento sabía que se realizara un experimento que pudiera tener un efecto semejante: hacer que los átomos de un objeto dejen de ser sólidos y se conserve sólo su imagen.

El fenómeno duró casi dos minutos, en los cuales el mismo testigo llegó a pasearse dentro de la mesa. Mejor dicho, en el espacio que segundos antes ocupaba la mesa.

Afortunadamente salió enseguida, porque unos segundos después el mueble volvió a materializarse.

Bosco comió los últimos cacahuates de la bolsa que tenía en las manos y dijo:

—No entiendo nada, pero creo que estamos muy cerca.

—Sí —dijo su compañera—, te debo una bolsa, aunque no te conviene.

El cerebro del inglés pensaba muy rápido.

—El robo de los objetos de Schrödinger sucedió ayer. Y nosotros tenemos su archivo. Nos acercamos.

—Sí, es una lástima que no pudiéramos adelantarnos. Claro, no sabíamos el lugar del robo.

Bosco sonrió.

—Podríamos haberlo deducido. ¿No?

—No veo cómo. Las posibilidades de que nos adelantemos al siguiente robo son mínimas. Recuerda lo que decía Einstein: «dios no juega a los dados». Nosotros tampoco.

—Mira, Julia, me jugaría mucho más que una bolsa de cacahuates, estoy casi seguro de que el próximo robo será el de Heisenberg. Y no me preguntes por qué.

El científico metido a detective estaba ansioso por llegar al fondo del misterio. Quizá fuera por eso por lo que abrió la carpeta del científico alemán WERNER HEISENBERG.

WERNER HEISENBERG

Nació el 5 de diciembre de 1901 en Würzburg, Alemania.

Su padre, August Heisenberg, fue profesor de griego en la universidad de Würzburg y su suegro, el padre de Anna Wecklein, madre de Werner, era director del Maximilian Gymnasium de München, instituto donde Werner inició sus estudios secundarios en 1911.

En 1914 estalla la Primera Guerra Mundial y la escuela se convierte en cuartel militar.

Los alumnos fueron acondicionados en aulas improvisadas. A pesar de todo, Werner, de manera independiente, estudió física, matemáticas y religión. Y rápidamente alcanzó un alto nivel de matemáticas que le permitió ayudar en sus estudios a amigos de la familia. Con sólo veinticinco años era conocido por los científicos alemanes como una joven gran promesa (el *wunderkind* de la ciencia alemana).

Formuló la mecánica cuántica matricial (1925), teoría fundamental de la física cuántica con la que es posible, al igual que con la ecuación de Schrödinger, describir el movimiento de las partículas subatómicas. Al principio los científicos estuvieron divididos entre los partidarios de una u otra teoría, hasta que se demostró que son equivalentes. A pesar de que se obtienen los mismos resultados, no se impuso el método desarrollado por Heisenberg porque era demasiado complicado.

Por este descubrimiento **le concedieron el Premio Nobel de Física en 1932.**

En 1927 formuló su famoso principio de indeterminación.

Durante la Segunda Guerra Mundial dirigió el Instituto Max Planck. Y se dijo que colaboraba con el gobierno nazi, acusación que siempre negó. Murió en 1976.

- Se le acusó de colaborar con los nazis. Y se dijo que visitó a su colega danés, Bohr, para conseguir informaciones sobre el desarrollo de la bomba atómica para el régimen nazi. Pero los detalles del encuentro siguen siendo un misterio.
- Junto con Otto Hahn, uno de los descubridores de la fisión nuclear, dirigió el programa nazi de reactor nuclear,

con el que el III Reich intentó conseguir la supremacía atómica durante la Segunda Guerra Mundial.

• El encuentro Bohr-Heisenberg fue tan conocido que inspiró una obra de teatro representada en los escenarios de Europa y Norteamérica: *Copenhagen*.

Por qué dios juega a los dados

Para resolver algunos problemas de la nueva teoría, introdujo un nuevo concepto, uno de los pilares de la teoría cuántica: **el principio de incertidumbre,** que nos dice que hay pares de variables que no se pueden conocer, a la vez, con exactitud.

Según las teorías de Newton o Einstein, el movimiento de una partícula se determina cuando se conoce su posición y su velocidad, pero el principio de incertidumbre dice que no es posible conocer con total precisión ambas variables al mismo tiempo.

El principio de incertidumbre sólo permite calcular probabilidades, nunca medidas exactas. Al principio, varios físicos se resistieron a aceptar estas nuevas ideas.

Einstein lo rechazó, diciendo: «¡dios no juega a los dados!»

No aceptaba que el conocimiento más profundo que el ser humano pueda tener de la naturaleza se redujera a la estadística, expresado en términos de vagas e indefinidas probabilidades. El principio de incertidumbre puede expresarse como:

Es imposible medir exactamente, y a la vez, la posición y la velocidad —momento— a escala atómica.

—¿Ves? —le dijo Julia a Víctor al acabar de leer la carpeta—, crees que Heisenberg será el siguiente en la lista de sucesos extraños. Y me parece muy bien. Tan bien como si hubieras elegido cualquier otro. Nada de lo que A nos explica nos lleva a deducir el lugar exacto donde se producirá el próximo robo. Créeme. Es imposible.

Bosco paseaba el puntero de su ratón por la pantalla. Meditaba. Se sentía nervioso, acorralado por los nervios. Tenía la sensación de estar enjaulado e impotente en las redes de los Alquimistas, perdido en el universo de datos que A les había ofrecido. ¿O quizás ésta era la última trampa: la peor y más terrible de todas las trampas que había ideado el niño presuntuoso y maleducado? ¿Y si las pistas de A fueran sólo una trampa más? Quizás lo único que quería era confundirlos con datos que no llevaban a ninguna parte.

Saber demasiadas cosas para no llegar a ningún lugar.

Pero su sexto sentido le decía que se les escapaba algo que podía dar la vuelta a toda la investigación. Una evidencia reveladora que no acertaban a descubrir. Intuía que había alguna cosa oculta en estos archivos que no habían sido capaces de ver. Pero estaba ahí. Ante sus ojos. Lo único que sucedía es que no sabían verla.

Bosco empezaba a pensar que A era mucho más inteligente de lo que nunca había admitido. Ahora, y sin ninguna razón objetiva para sustentar esta creencia, estaba seguro de que su compañero lo había previsto todo. Seguro de que, al hacer de su vida un enorme juego, había calculado todas las probabilidades y había jugado con ellos todo el tiempo.

Desde el primer día jugó con ellos.

Pasaban los minutos. Y no hallaba la salida del túnel. Cuando sentía esta frustración, se sumergía en un estado casi

hipnótico. Como si el laberinto de la investigación lo pose-
yera, y se sumergiera en el interior de sí mismo, buscando
una salida que no hallaba. Como un hámster frenético que,
por más vueltas y vueltas que dé en la rueda de hojalata de
su jaula, nunca llega a ningún sitio. Y para huir del callejón
sin salida, necesitaba repetir un movimiento mecánicamente. En este caso era el puntero del ratón, que describía círculos por la pantalla, alrededor de la última línea del archivo
de Heisenberg que había leído.

En momentos como ése perdía la noción del tiempo.

Y cuando se daba cuenta de que el mundo aún seguía
a su alrededor, era una zambullida súbita y desagradable
en la realidad. La realidad nunca se puede controlar totalmente.

Por eso nos da miedo.

Esta verdad frustraba al científico y lo colocaba ante
sus propios límites.

Sólo entonces vio que Julia movía los labios como una
loca. Parecía decirle algo. Pero él no oía. No podía oír. Y el
rostro de ella reflejaba sorpresa e impaciencia. ¿Qué rayos
estaba diciendo? No lograba entenderla.

El mundo exterior llegaba como un puñetazo imprevisto. La realidad. De nuevo.

—¿Estás ciego? ¿Pero es que no lo ves? —gritaba su
compañera.

—Ver. ¿El qué?

Entonces, sólo entonces, la realidad lo arrancó de su
mundo particular. Siguió el brazo de Julia, y llegó hasta
su dedo índice, con el que señalaba, excitada, una parte de la
pantalla.

—¡Despierta! ¡Haz pasar el puntero por aquí, vamos!
—exclamó.

Saldivar señalaba el extremo inferior de la pantalla. Cada vez que el puntero atravesaba esa zona, cambiaba ligeramente de color. Algo que no habría detectado sin el movimiento repetitivo de Bosco. El azar. El azar de nuevo.

—¿Por aquí? —preguntó él, despertando de sus cavilaciones.

—Exacto.

Entonces también él lo vio. ¿Cómo se le podía haber pasado por alto? Observó sorprendido que si paseaba el puntero en el lugar que le decía Julia, adquiría una tonalidad anaranjada, algo que no podía ser casual. Sobre todo si lo unía a la retorcida lógica de A.

Todo indicaba que alguien, seguramente el mismo A, les mostraba algo.

El inglés apretó el botón izquierdo de su ratón. Apareció ante ellos un nuevo cuadro de texto que se desplegó desde el centro de la pantalla.

Ambos lo leyeron a toda velocidad. Ávidos de nueva información. Y ni tan siquiera les pareció extraño que las letras en mayúscula parpadearan:

«ACERTIJO DESDE LA TUMBA:
si lo resuelves, conocerás la fecha y el lugar
del último robo»

Víctor, que se había acostumbrado al retorcido humor de A, ni siquiera se inmutó.

Pero Julia se estremeció, al comprobar que el fallecido pirata informático seguía retándoles incluso después de muerto.

A continuación, en la pantalla, aparecieron un extraño dibujo y otro mensaje:

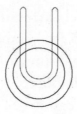

«Imagina que estás utilizando lápiz y papel, y usa el puntero con el ratón para dibujar esta figura, pero con una condición: ¡no puedes cruzar las líneas! Si te equivocas, porque el acertijo está muy por encima de tu nivel, este mensaje se autodestruirá.

Tienes 15 segundos. Tiempo más que suficiente para ti, ja, ja, ja...»

—¿Qué puede significar este dibujo? —se preguntó Julia, inquieta ante la posibilidad de perder una valiosa pieza del rompecabezas que podía significar descubrir el Enigma Galileo.

Pero su compañero no la oyó: el ordenador captaba toda su atención.

Tenía muy poco tiempo. Y un pitido procedente de la máquina le indicó que empezaba la cuenta atrás. Los dedos de Bosco ya trazaban rectas y curvas con la rapidez de la desesperación.

Aún faltaban 2 segundos para que terminara el tiempo, cuando el profesor se separó de la pantalla para que su compañera pudiera observar lo que había hecho:

Víctor había trazado cuatro imágenes que representaban el desarrollo de la figura.

Las flechas indicaban el camino que debería seguirse para dibujarla, cumpliendo la condición impuesta por el hacker asesinado.

Julia exclamó:

—¡Impresionante! Sabía que eras rápido, pero nunca habría imaginado que fueras capaz de resolver algo así en tan poco tiempo.

Entonces apareció en la pantalla otro mensaje:

«Es correcto. Obviamente te he subestimado hasta el final.

Felicidades..., aunque no creo que seas capaz de desvelar el verdadero enigma. Pero lo prometido es deuda.

Tienes mucha suerte. Aquí tienes:

OBJETO ESCOGIDO: RESTOS DE HEISENBERG

LUGAR DEL ROBO: CEMENTERIO DE MÚNICH (ALEMANIA)

FECHA: 28 DE OCTUBRE. 01 HORAS A.M.»

Bosco, sonrió y alzó los brazos en señal de victoria.

—Creo que me debes otra bolsa de cacahuates —dijo, triunfal.

—Te la pagaré en Múnich, pero ahora tenemos trabajo. Vamos. El robo ocurrirá mañana. Tenemos veinticuatro horas para aguar la fiesta a los Alquimistas.

Como siempre, las maletas ya estaban casi hechas. Sólo les faltaba dirigirse hacia el aeropuerto de Copenhague.

¿Y si todo era una trampa de A?

Quizás lo fuera, pero ninguno de los dos pensaba en esa posibilidad.

Capítulo
36

E s madrugada cerrada en la capital de Baviera. El cementerio de Múnich es una inmensa ciudad de los
muertos. Los dos agentes que investigaban el Enigma Galileo
avanzaban sigilosamente a través de sus hileras de lápidas, con
linternas tapadas con trapos para evitar ser vistos por posibles intrusos.

El panteón de la familia Heisenberg acoge al hombre que acuñó en 1927 el famoso principio de incertidumbre, según el cual es imposible medir al mismo tiempo los valores de dos variables conjugadas, como la energía
y el tiempo, o la posición y la cantidad de movimiento. En
definitiva, fijó el pensamiento moderno: dudar de todo y de
todos.

Como hacían ellos.

Pero tanto Julia como Víctor, no pudieron pensar demasiado en el polémico científico que permaneció en Alemania bajo el periodo más terrible del nazismo, porque nada más
llegar al lugar, y en medio del silencio más estremecedor que
se pueda imaginar, descubrieron cómo dos sombras furtivas
y encapuchadas con túnicas negras se movían alrededor del

monumento, ayudados por focos portátiles de potencia media que llevaban en la mano.

La nota del ordenador de A no les había engañado. ¡Por primera vez podían detener a los Alquimistas!

—¡Alto! —gritó Saldivar, al tiempo que sacaba de su americana la pistola reglamentaria.

¡Los tenían! Bosco no podía creer lo que estaba viendo. En apenas unos segundos uno de los encapuchados blandía lo que parecía un arma de fuego.

No se rendirían tan fácilmente. Julia arrojó al suelo a su compañero, al mismo tiempo que lanzaba las dos linternas que llevaban, para evitar ser un blanco fácil. Las dos luces trazaron una trayectoria errática hasta llegar al suelo. Su haz anárquico pareció enfocar durante unos instantes la pálida luz de las estrellas. En ese momento, el sonido de dos disparos rompió la tranquilidad del cementerio.

La trayectoria de las balas pareció silbar cerca de ellos, y resquebrajaron una lápida próxima.

El combate seguiría en semipenumbra. En medio de unas sombras poderosas y opacas que lo envolvían todo. Donde sería mucho más importante la percepción de las cosas que no su imagen real. Era casi como si estuvieran luchando en la cueva imaginada por Platón. Aunque los ojos de los agentes todavía no se habían acostumbrado del todo a la oscuridad reinante, creyeron distinguir que las dos sombras enemigas se abalanzaban sobre ellos a una velocidad casi imposible.

A no ser que fueran guerreros muy bien entrenados.

El voluminoso inglés recibió una patada de judo en pleno estómago que lo hizo caer hacia atrás. Su compañera resistió mejor el primer ataque, se zafó de la embestida de su antagonista y le propinó un codazo donde suponía que el encapuchado debía de tener el rostro. Continuó con un golpe de rodilla al estómago y, sin darle tiempo a reaccionar, se lanzó sobre él y lo agarró por el cuello.

Entonces sonó una detonación. La tercera. El compañero del que estaba siendo machacado por Julia intentaba protegerlo. Bosco debía hacer algo para evitar que volviera a disparar o de lo contrario la guapa pelirroja podía ser herida.

Desde el suelo, y medio aturdido, lanzó una patada con más entusiasmo que eficacia hacia su enemigo, que intentaba apuntar hacia la mujer. ¿La habría herido con el primer disparo?

El Alquimista, desestabilizado y sorprendido por el golpe del profesor, se giró hacia él, dispuesto a eliminarlo. Pero Bosco tenía otros planes. Ya medio incorporado, se lanzó de cabeza al estómago del rival. El movimiento dio resultado.

—¡Uf! —Un grito entrecortado y sordo surgió de la garganta del atacado, mientras los dos caían al suelo, fundidos en un extraño abrazo.

Bosco golpeó repetidamente el rostro de su antagonista. Una, dos, tres veces. Primero con el puño izquierdo, después con el derecho. Con una furia que no creía haber sentido jamás en la vida: ahora luchaba por sobrevivir.

El inglés tenía todo el cuerpo bañado en sudor y las manos, ensangrentadas, le dolían. Pero debía resistir y continuar. A unos metros, Julia y su compañero de baile forcejeaban. Como si ejecutaran una extraña danza, la pistola de ella rodó por el suelo.

El atacante se lanzó entonces de cabeza tras el arma, con la misma energía con la que un niño se sumerge en la piscina en un día de verano.

Saldivar estaba en forma. En muy buena forma. Dando una voltereta sobre el suelo, consiguió ponerse junto a su sorprendido antagonista, cuando éste asía el arma, y, sin darle tiempo a que alzara el revólver, le propinó una patada con sus dos piernas, mientras se reincorporaba gracias al mismo impulso.

Para entonces, el profesor había vuelto a la dura realidad. El Alquimista le propinó un golpe seco en la frente con el canto de su mano izquierda, y, en pocos segundos, estaba a su merced. Ya había recogido el arma del suelo, de nuevo.

Entonces sonó un disparo.

Parecía que en esa madrugada todas las balas buscaban un único cuerpo: el de Julia.

Ahora él asió con sus brazos las piernas del Alquimista. Éste, sorprendido de nuevo, se desestabilizó y, al caer, el arma se disparó. Y salió despedida unos metros más allá de donde estaban ellos. Ninguno de los dos antagonistas la volvió a ver, como si las sombras de la noche la hubieran devorado.

Su propietario salió huyendo. Bosco fue tras él, al menos trató de seguir su estela. Atravesó lo más velozmente que pudo calles de tumbas y lápidas en medio de la negrura más absoluta. Apenas tenía resuello, y su perseguidor ganaba distancia a cada nueva zancada.

Enfrascados como estaban en los golpes, los contraataques y la lucha, ninguno de los presentes prestó atención al sonido no muy lejano de las sirenas de la policía que, alertada por los habitantes de la zona, aparcó los vehículos en la entrada del recinto. Y mucho menos se dieron cuenta del murmullo de voces sigilosas que se acercaban hacia donde se encontraban.

—¡No se muevan, quedan detenidos! —avisó un sargento de policía de voz grave. A su alrededor se distinguían hasta cuatro compañeros de cuerpo, vestidos con su uniforme verde y sus cazadoras del mismo color.

El espectáculo había acabado.

—¡No me cogeréis vivo! —gritó el encapuchado que peleaba con Julia, mientras escapaba.

—¡LA POLICÍA! ¡Víctor, huye! —gritó la centroamericana a su compañero. Un grito ensordecedor que desgarró el vestido opaco de la noche.

Un aviso de huida, donde quiera que Bosco estuviera. La mujer hizo su último movimiento: palpó el terreno que pisaba, y tras encontrar un trozo de mármol de forma irregular, lo lanzó hacia la sombra que empezaba a alejarse.

No sucedió nada. ¿Había errado el tiro? Los pasos del fugitivo seguían oyéndose con un martilleo irregular. A los pocos segundos, el Alquimista se desplomó como un edificio dinamitado para su demolición controlada.

Había dado en el blanco.

Para entonces la agente era esposada por los guardias mientras les rogaba, en un alemán perfecto, que se pusieran en contacto con la embajada estadounidense.

* * *

El grito de Julia se propagó por todo el cementerio y llegó hasta los oídos del profesor, al que, a unos doscientos metros de su compañera, cada vez le costaba más seguir la estela de su enemigo.

Bosco se detuvo. No le costó demasiado entender la gravedad de su situación. Estaba solo.

Capítulo
37

Nada en la estación de tren de Múnich parecía indicar que se acababa de celebrar la Octoberfest, la fiesta más importante de Baviera y una de las más concurridas del mundo, en la que los alemanes y seis millones de turistas seducidos por su fama dejan los problemas de lado y las obligaciones del trabajo, para lanzarse, con la pasión de la celebración, a los brazos de la cerveza, la comida y la fiesta.

Ya no había ni rastro de los cinco millones de litros de cerveza consumidos. Nada, excepto unos pocos carteles turísticos en las paredes, donde orondas y risueñas camareras rubias con mejillas sonrosadas, y tocadas con los vestidos tradicionales bávaros, miraban alegres al espectador mientras sostenían con sus fuertes brazos un número inverosímil de jarras de cerveza. Algunas trasportaban hasta nueve de esos enormes tanques con una facilidad pasmosa.

Ningún otro signo parecía hacer recordar al muniqués de a pie la fiesta pasada. Excepto la silueta rígida y bastante desastrada de un individuo moreno, con el cabello desordenado y gafas de sol, que intentaba pasar desapercibido en un banco del vestíbulo.

Era Bosco. Llevaba un abrigo con las alas subidas, tiznado de tierra y restos de hierbas. Y tenía más miedo en el cuerpo del que había sentido en toda su vida, porque ahora, por primera vez en toda esta aventura, estaba solo y no sabía qué hacer.

El hombre bajaba la cabeza como lo suelen hacer los individuos ebrios que, agotados, duermen la mona en lugares públicos, en un banco del parque o las estaciones de tren.

Pero se desperezó al ver pasar, entre la gente que iba y venía de los andenes, una patrulla de la policía. Se levantó como si tuviera un resorte y se dirigió hacia el bar más próximo.

En la barra, algunos parroquianos y viajeros degustaban *bradfurts* regados con cerveza, o las pastas saladas que preceden en Alemania a las comidas.

Él se sentó junto a una anciana y pidió un café con leche.

De regreso al hotel donde se hospedaba en Berlín, Víctor Bosco no se podía quitar de la cabeza la frase del Alquimista: «Hay universos dentro de universos y acertijos en el interior de acertijos».

¿Era una frase hueca o una pista lanzada al aire, para que la agarraran? Escribió todos los acertijos que le había ido pasando A durante la investigación en unos folios en blanco. Gracias a su memoria, casi fotográfica, y a las notas de su libreta, los recordaba con detalle.

Tras hacer esta operación, los colocó sobre el suelo de la habitación en el mismo orden en que habían sido formulados por el gran A.

¡Muy bien! Ahora tengo un universo de acertijos a mis pies, pensó Bosco. Observó los documentos que tenía en el suelo y descubrió que las cifras que aparecían en los cuatro primeros enigmas le recordaban algo, pero no sabía lo que era. Las había visto juntas en otra parte. En cambio, el último dibujo lo había visto hacía poco. Pero no consiguió recordar dónde.

Pensó en voz alta:

—Veamos..., dos círculos exteriores atravesados por una especie de herradura. Parece una representación.

Víctor se conectó a Internet para buscar información sobre Stonehenge. Lo que descubrió le dejó estupefacto. Todos los números que aparecían en los acertijos con los que le desafió A parecían guardar relación con el monumento megalítico.

En el primer acertijo, las dos series de números eran:
A) 21, 23, 27, 33...
B) 21, 23, 27, 35...

—Los números que se repiten en las dos series son: 21, 23, 27. El solsticio de verano precisamente corresponde al día 21 de junio —pensó en voz alta Víctor.

El antiguo modelo descubrió que esta fecha es especial en Stonehenge por una razón: si uno se coloca en el centro del monumento y mira hacia el horizonte en la dirección en que se encuentra la piedra *Heel Stone* («piedra del talón»), observará cómo el Sol aparece justo por encima de esta piedra.

El encanto tan especial del lugar inspiró a un grupo llamado Antigua Orden Unificada de Druidas a realizar sus rituales durante el amanecer del solsticio de verano. ¿Un precedente de los Alquimistas que viene de la Prehistoria? En 1985 el gobierno británico se hizo cargo de la conservación del monumento, prohibiendo cualquier tipo de ritual en él.

Durante los solsticios el Sol cae verticalmente sobre los paralelos correspondientes a los Trópicos de Cáncer y Capricornio, que se encuentran, cada uno de ellos, a 23°27' del Ecuador. ¡Los mismos números que aparecen en el primer acertijo! Bosco recordó que en el segundo acertijo se planteaba este problema: si las dos manecillas de un reloj señalan las 12 en punto (es decir, el Norte geográfico), ¿en qué dirección apuntará el minutero cuando la aguja horaria ha recorrido un ángulo de 3'75°?

La respuesta era el noroeste.

—En Stonehenge, en esa dirección se encuentra la «piedra del altar», o «piedra de la matanza», aunque se trata sólo de un monolito caído que yace sobre el suelo. Si desde allí miramos hacia el noroeste, como nos indicaba el acertijo, encontraremos un camino en el que se halla la impresionante «piedra del talón» *(Heel Stone)*, de 6,1 m de altura y un peso superior a las 35 toneladas.

Todo parecía encajar:

—El día 21 de junio, durante el solsticio de verano, la «piedra del talón» se encuentra en la recta definida por el Sol y la «piedra del altar», con un pequeño margen de error de 56 segundos de arco.

El tercer acertijo giraba alrededor de una serie de números, aparentemente, sin conexión. Había que descubrir el siguiente número de un listado, que resultó ser el 92. La secuencia de números era:

{19, 15, 60, 30, 26, 104, 52, 48, 192, 96...}

Una vez descifrado el código, con las siguientes operaciones:

$$19 \rightarrow 15 \,(19-4), \, 60 \,(15 \times 4), \, 30 \,(60 \div 2)$$
$$30 \rightarrow 26 \,(30-4), \, 104 \,(26 \times 4), \, 52 \,(104 \div 2)$$
$$52 \rightarrow 48 \,(52-4), \, 192 \,(48 \times 4), \, 96 \,(192 \div 2)$$

Víctor se percató de que el monumento de Stonehenge está formado por una serie de trilitos y monolitos colocados en dos circunferencias concéntricas, en cuyo interior se encuentran dos herraduras.

Los primeros cuatro números de la serie se corresponden con la cantidad de bloques de piedra que, originariamente, estaban en cada una de las principales estructuras de Stonehenge.

Bosco miró el enigmático dibujo formado por círculos y herraduras:

El profesor comparó la información que tenía sobre el origen de Stonehenge con el dibujo de A, viendo que en la parte más interior del monumento se podían encontrar 19 menhires formando una herradura. En la herradura exterior, podía ver 15 columnas, agrupadas en grupos de tres, o trilitos. El primer anillo que encontramos caminando desde el centro estaba formado por 60 monolitos. Y siguiendo hacia fuera, en el anillo más exterior existían 30 columnas.

¡Claro! Precisamente 19, 15, 60, 30; los 4 primeros números que aparecen en la serie. Víctor estaba entusiasmado.

Le quedaba por resolver el acertijo número 4, donde A pedía que se descubrieran los valores de las letras que aparecían en unas sumas para ver el resultado de la última operación:

$$
\begin{array}{r}
21 \\
ab \\
\hline
+90
\end{array}
\qquad
\begin{array}{r}
cded \\
4633 \\
\hline
+\ aed0
\end{array}
\qquad
\begin{array}{r}
ab5 \\
c50 \\
\hline
+\ \boxed{......}
\end{array}
$$

Una vez resuelta la operación, recordó Víctor, *nos quedan los siguientes pares de números: (21, 90), (1.737, 6.370) y (695, 150).*

En el monumento, durante el solsticio de verano, que se produce el 21 de junio, el Sol parece formar un ángulo de 90° con la Luna. ¡Aquí tenemos el primer par de números! —Continuó—: Si seguimos teniendo de referente a la Luna, el segundo par de números, 1.737 y 6.370, corresponden a los radios de la Luna y la Tierra. Y el último par de cifras es una clara referencia al Sol.

El enigma final se encerraba en la siguiente figura:

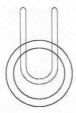

Bosco contempló el dibujo. Sobraban las palabras. La relación con Stonehenge parecía clara.

—La verde Inglaterra me espera —se dijo el científico.

Víctor Bosco contempla la imagen más fascinadora e inquietante que haya visto en su vida. Hasta el punto de creer que sufre una alucinación producida por el cansancio y la ansiedad de tantas noches pasadas en blanco, intentando resolver el Enigma Galileo.

Una serie de figuras encapuchadas han aparecido, como por arte de magia, caminando en fila de a uno, hacia el anillo interior de megalitos. Han surgido ante él como la niebla llega a las verdes colinas. En un abrir y cerrar de ojos. Los lugareños dicen que la niebla es la única mujer que nunca sabes cuando llega, te besa y se va.

Quizás se ha dormido y no ha detectado su llegada, pero no lo cree. No los ha oído llegar: es como si siempre hubieran estado allí. O hubieran aparecido de la nada.

Están apenas a veinticinco metros de donde se esconde, protegido por la noche y las brumas, agazapado bajo uno de los megalitos exteriores.

No se lo piensa dos veces. El científico saca la mano derecha del bolsillo lateral y busca en el interior del compartimiento el teléfono móvil. A tientas, marca la tecla de emergencia del aparato. Saldivar y la agencia deben socorrerlo. Al menos, eso espera. Es en ese momento de soledad e indefensión cuando se arrepiente de haber decidido resolver el caso él solo.

Se desabrocha la cazadora y la arroja al suelo. Sin perder un segundo, pero tratando de hacer el mínimo ruido posible, se dirige tras el último individuo.

Reacciona por instinto, sin una razón lógica poderosa, como ha hecho toda su vida. Y nota el mismo miedo que lo invadió durante la persecución en los grandes almacenes de Londres.

De un golpe seco, deja inconsciente al último de los miembros de la fila, aprovechando que se había separado unos metros del penúltimo encapuchado. Sin perder un segundo, lo despoja de su vestimenta y arroja el cuerpo inconsciente hacia unos matorrales, donde permanecerá oculto. Se coloca el ropaje sin detenerse y se suma al grupo, como una sombra más, provisto de su capucha y su túnica roja.

Hasta ahí todo funciona según sus planes.

* * *

La extraña procesión rodea ahora el anillo interior de megalitos. Lo rodea, pero sin traspasar en ningún momento el círculo imaginario que conforman las grandes piedras silenciosas. Las siluetas permanecen en el umbral, como si temieran o esperaran alguna cosa, inmóviles, trazando un círculo.

Una figura majestuosa y cubierta con una túnica blanca y la cabeza inclinada se mueve hacia el centro del templo. Tampoco ha visto de dónde ha surgido exactamente. Se diría que se ha materializado en medio de la nada. Se mueve con tanta facilidad y sigilo que parece flotar en el aire.

Mientras la figura camina entre los intrusos, el resto de los miembros del grupo, vestidos con su túnica de un color rojo sangre muy llamativo, y también con la cabeza gacha, con los brazos entrecruzados y las manos protegidas por los pliegues de la ropa, en un gesto muy parecido al de los monjes de clausura, producen un sonido repetitivo, incansable. Como un susurro.

El sorprendido científico no tarda en darse cuenta de que no se trata sólo de sonidos. Sería más apropiado describirlos como una especie de eco fónico que rebota en sus cabezas, algo que no pertenece al espectro de los sonidos convencionales. Sería más parecido a una estática. Las interferencias a las que los radioaficionados están tan acostumbrados. Un lenguaje donde la mayor parte de la información pasa directamente al cerebro; una combinación de telepatía y sonido transmitidos a una velocidad vertiginosa. Algo que para un observador normal sería una olla de grillos, pero no para Bosco.

* * *

Cuando consigue descifrar los sonidos de la reunión, y trasladarlos, con todas las dificultades del mundo, a sílabas inteligibles, halla un mensaje sorprendente:

Iniciador, Iniciador, Iniciador, Iniciador, Iniciador, Iniciador, Iniciador.

* * *

De pronto, los presentes acallan su soniquete repetitivo. Aunque en ningún momento han despegado los labios para pronunciar una palabra. Y entonces, en la llanura mecida por las tinieblas y las brumas, resuena la voz poderosa del Iniciador.

Al menos, eso cree escuchar Bosco:

—Miembros de la Hermandad de los Alquimistas...

¡Eureka!, exclama para sí Víctor, al oír el comienzo del discurso de bienvenida.

—... El 31 de octubre es el último día del calendario celta. Era uno de los dos días más importantes de su pequeño mundo, porque comenzaba la estación del frío, las tinieblas y el decaimiento. El invierno. Hasta 1752 el 31 de octubre del año juliano se celebraba unos días antes. Durante la noche del 31 de octubre, celebraban la Vigilia de Samán, en honor del dios de los muertos, invocando los espíritus y las almas condenadas y atormentadas.

»Como sabéis, nuestros antepasados creían que Samán permitía a las almas de los muertos retornar a sus hogares en la tierra, en esa única noche, para buscar calor y buena voluntad. Creían que algunos de estos espíritus, los más malignos, se escapaban, para irse de ronda con las brujas y demonios del lugar, que aprovechaban la ocasión para atormentar al pueblo. Secuestraban niños y destruían sembrados y animales. Para protegerse de esos demonios, los hombres hacían fogatas en las colinas. De esta manera guiaban a los espíritus hacia los hogares de sus parientes, y alejaban a las brujas y los fantasmas malignos.

»Pero la sangre sólo conoce sangre. Con el fin de aplacar la ira del dios Samán, ofrecían sacrificios humanos para expiar los pecados de los muertos.

En este punto, el interlocutor hizo una pausa estudiada. Para continuar:

—Hermanos Alquimistas. Estamos aquí, como cada once años, para rendir homenaje a los orígenes de la ciencia, que, como los del hombre, se pierden en la noche de los tiempos. Los hombres sin rostro ni apellidos que levantaron estas piedras merecen ser recordados. Como también merecen serlo los alquimistas que lucharon, siglos después, contra la superstición y el rodillo de la religión, intransigente y mezquina. Ellos son nuestros padres. Nosotros somos sus hijos, y les debemos un respeto ceremonioso. A través de los tiempos y los misterios, nos unen muchísimas cosas. Porque el hombre, que se une a otros hombres y se comunica a través de los signos, es el signo máximo. Y la Ciencia es su guía suprema.

Tras el discurso, el Iniciador camina hacia uno de los presentes. El silencio más estremecedor que Bosco haya experimentado jamás reina a su alrededor. Como si el mismo sonido hubiera sido arrancado de la faz de la tierra, y todo, la tierra, las constelaciones que pueblan el universo, la hierba húmeda que pisan, la niebla que todo lo tiñe de brumoso y opaco, estuviera sumergido bajo una gran campana de vidrio que hiciera desaparecer cualquier ruido.

El encapuchado llega hasta la posición del discípulo. Entonces éste se arrodilla ante él y alza la vista hacia el hombre de la túnica blanca.

El profesor no consigue descifrar el contenido de la conversación. Aunque cree intuir que desgrana un informe sobre los últimos once años de su vida. Pero no está seguro. Solamente escucha con claridad una frase final, que, como en un soniquete de oración, el interrogado repite tres veces:

«Protegerás el gran secreto de nuestra Hermandad por encima de todo.»

Su interlocutor le coloca su mano derecha sobre la frente, y el discípulo asiente. Ese que llaman el Iniciador vuelve hacia el centro del grupo y repite la operación.

Esta vez se dirige hacia el punto opuesto del escogido por primera vez. El discípulo cumple el ritual y recita:

«Mantendrás a toda costa la realidad inalterable.»

¡Sabía que eran capaces de modificar la realidad! Poco a poco, el inglés descubre los secretos que tanto tiempo había ansiado conocer.

De vuelta al centro geométrico, el sacerdote camina hacia otro de los miembros de la Hermandad. Éste se arrodilla y con una voz sorprendentemente joven, dice algo que hace que el inglés sienta un escalofrío:

«Pagarás con la muerte cualquier acto de desobediencia al Iniciador. A quien debes pleitesía eterna».

Al concluir la segunda repetición de la frase, Bosco se sorprende de nuevo. Todo el grupo recita este pasaje. Supone que para resaltar su importancia.

Una vez más, en el centro del grupo, el guía repite la operación. A cada movimiento en el círculo de encapuchados que le rodea, le sigue otro situado en su opuesto geográfico. Y vuelta a comenzar, desde cualquier otra coordenada. Esta vez, la suerte hace que el que se postra con las rodillas en el suelo sea el individuo situado a la izquierda de Bosco.

La nueva consigna:

«Adquirirás conocimientos cada día. Porque el conocimiento es el único camino para conseguir la sabiduría de la Ciencia».

Con cada consigna de lo que parece ser un catecismo para iniciados, Bosco tiene más claro que sus oportunidades de continuar sin ser descubierto se reducen. Ha contado hasta diez discípulos, y desconoce el número de preceptos de la Hermandad. Si, en el peor de los casos, son diez, o más de diez, se ha equivocado al añadirse al grupo.

Y equivocarse significa morir.

La figura de blanco permanece en el centro. Expectante.

Aunque apenas ve el hueco oscuro que define la capucha, como una rejilla peligrosa. Víctor cree que el Iniciador le mira sólo a él. Entonces nota algo extraño en su mente. ¿Intuición?, ¿alucinación? ¿Un aviso de la mente contra algo irreconocible? El inglés nota algo tan poco habitual como si una voluntad ajena tratara de entrar a través de algún pasadizo oculto de su mente. ¿Un extraño intenta influir en su voluntad?

El profesor se concentra en su defensa. Está en una guerra donde de nada sirven los puños o la fuerza física. Necesita defender su mente del ataque de un enemigo desconocido. Imagina la palma de la mano que frena el impacto de un objeto indefinido. Un ejercicio que realizaba en clases de yoga para vencer cualquier tipo de enemigo desconocido y mantener la mente alerta. Se trata de intentar detener lo indefinible, mediante la creación de un objeto real en la mente que actúa de protección.

Bosco se imagina a sí mismo rodeado por un escudo impenetrable que lo protege de cualquier ataque, físico o psíquico. Y el peligro parece desaparecer.

El nuevo escogido por el Iniciador es la figura situada al lado derecho de Bosco.

El mensaje:

«Sacrificarás tu propia vida para salvar a un Hermano».

Así, hasta cuatro repeticiones más.

El Iniciador vuelve a hablar:

—El Decálogo de los Alquimistas nos une, Hermanos..., repitamos.

Todas las voces repiten la misma cantinela que, traducida a palabras, dice:

—Primero: Protegerás el gran secreto de nuestra Hermandad por encima de todo.

»Segundo: Mantendrás, a toda costa, la realidad inalterada...

Esta vez, con el extraño lenguaje que resuena en sus cabezas, los discípulos acompañan al Iniciador en su recitación oral.

—... Tercero: Pagarás con la muerte cualquier acto de desobediencia al Iniciador. A quien debes pleitesía eterna.

»Cuarto: Adquirirás conocimientos cada día. Porque el conocimiento es el único camino para conseguir la sabiduría de la Ciencia.

»Quinto: Sacrificarás tu propia vida para salvar a un Hermano.

»Sexto: Usarás con juicio y criterio nuestra inagotable fuente de riqueza.

»Séptimo: No matarás, a menos que sea necesario para la Hermandad.

»Octavo: Aunque has nacido hombre, morirás por encima de ellos.

»Noveno: Un día, te integrarás en el universo.»

Ajá, así que hay nueve preceptos. Muy bien. Bosco respira aliviado.

Pero al momento, el Iniciador recupera la cadencia de sus movimientos ceremoniosos y el profesor descubre, con horror, que se dirige hacia él.

¡El último mandamiento debe recitarlo el mismo Víctor Bosco! ¡Son diez discípulos para diez mandamientos! ¡Debió haberlo imaginado antes de arriesgarse a penetrar en la organización!

Cuando el Iniciador está a punto de llegar hasta donde se halla el intruso, una torrente de emociones se despiertan en el cerebro del inglés. Quiere arrodillarse, pero descubre, horrorizado, que las piernas le flaquean y duda que sea capaz de realizar el movimiento ritual que ha visto en nueve ocasiones hasta entonces.

Capítulo
40

Víctor nunca había estado tan cerca de descubrir los secretos de los Alquimistas como ahora. Creía que podía apresarlos, y han sido ellos los que lo han cogido. Había conseguido introducirse en una reunión secreta de los Alquimistas en el antiguo santuario de Stonehenge, pero algo había fallado. Lo habían descubierto, y ahora parece que no tiene escapatoria. El Guía Supremo se había detenido ante él, mientras sus acólitos lo mantenían inmovilizado, y lentamente, se había retirado la capucha que mantenía su rostro oculto.

¡Ahora tiene ante él al Guía Supremo! Y lo que descubre al ver el rostro de su enemigo lo deja helado. El cerebro oscuro que movía los hilos del Enigma Galileo ¡es Griffith! ¡El protector de los desfavorecidos, el amigo de infancia de Julia! ¡Esa imagen tan bella del personaje era la tapadera perfecta para un asesino despiadado! ¿Cómo no lo pensó antes?

Bosco piensa en la encerrona que está sufriendo en Stonehenge, pero su cerebro va más allá. Está a merced de la secta. Entonces lo entiende todo. Todo lo que ha vivido estaba preparado. Desde el principio. Todo. Griffith quería de él que estudiara el pasado de la ciencia, que, paso a paso, revisara la historia de la ciencia, que ambos amaban por encima de todas las cosas. Desde Aristóteles hasta la actualidad.

El gran A, el genio de la informática que después había sido asesinado, sin duda por orden de su jefe, había sido el encargado de llevarlo hasta la trampa. Lo había llevado hasta el anzuelo y lo había hecho picar. ¿Pero, por qué? ¿Qué ganaba Griffith con hacerle jugar al gato y al ratón a través de medio mundo, y de los descubrimientos más importantes? ¿O simplemente era eso, jugar? ¿Sólo jugar?

—¿Ha jugado conmigo todo este tiempo?, ¿desde el principio?

—Si quieres llamarlo así... Jugar es una forma de saber. De descubrir y rechazar hipótesis. De profundizar en el conocimiento. El saber está ligado al azar. ¡No imaginas cuántos inventos han nacido gracias al juego! Entre el juego y el reto científico existe una relación muy interesante.

»Has alterado mi relativa paz. No, la eternidad no es algo grato, jovencito. Está llena de dudas. Y de inconvenientes. Los mismos fantasmas, los errores del pasado vienen a ti una y otra vez. Sin piedad. El alma tiene mucho tiempo para reflexionar y dolerse por todo lo que no ha sabido hacer. Créeme. Es un esfuerzo durísimo, porque las mismas cosas, los mismos rostros del pasado, las mismas conversaciones, vuelven a ti de manera interminable. Una y otra vez. Con sus reproches y sus ataques. Como rogándote que vuelvas a deshacer lo andado, que enmiendes el error, que emprendas otro camino. Que seas débil. Y eso nunca puedes hacerlo. No le deseo a nadie que experimente este proceso.

De improviso, uno de los encapuchados le arremangó el hábito a Bosco y lo pinchó con un objeto metálico: era una aguja hipodérmica. O al menos eso creyó distinguir el inglés. Pensó que le habían sedado. Pero no, aquello no era una jeringuilla: eran unas simples pinzas. Entonces abrió los ojos desmesuradamente. ¡Unas pinzas! Ahora creía entender lo que podía ser verdad: Griffith lo quería a él.

¡Su código genético completaba el ciclo de todos los científicos de la historia!

Y, quizás, el sacrificado del SAMÁN, este 31 de octubre, sería él.

Tal y como mandaban las antiguas leyes druídicas. La sangre que todo lo purifica...

Capítulo
41

E stán a cien metros debajo de la llanura sobre la que se levanta Stonehenge. En una estructura que parece ser un laboratorio. No muy lejos del centro físico del templo druídico. El anfitrión de Víctor viste un traje tipo túnica, con un cordón a modo de cinturón. Con su barba plateada, solemne, parece uno de aquellos reyes poderosos y magnánimos surgidos de la época medieval. ¿Este atuendo es una réplica de su vestido original? Bosco lo ignora.

—Griffith, ¿quién eres realmente? —pregunta Bosco.

—He sido y soy mucho más de lo que nadie pueda imaginar.

—¡Déjate de acertijos y dime quién eres de una vez!

—Soy alguien a quien todos creen muerto hace mucho tiempo. Soy el sabio que desde un pasado lejano ha revelado vuestro futuro. Y os acompaño desde hace siglos sin que os deis cuenta. Mi nombre es Michel de Nostre Dame, pero se me conoce como Nostradamus.

En el rostro de Bosco se mezclan el asombro y la incredulidad. Y la siguiente pregunta que hace brota de su garganta casi de una forma automática, como un acto reflejo:

—Nostradamus. ¿El brujo de la Edad Media?

—¡Brujo! Hace mucho tiempo que algunos ignorantes me llamaban así...

La figura solemne y mayestática se dobla sobre sí misma y rompe a reír.

—... Hacía tiempo que no me reía tan a gusto. Para algunos es magia lo que no es más que el reflejo de su propia ignorancia. Fui un adelantado a mi época, un científico incomprendido a quien no quisieron escuchar y, mucho menos, comprender.

βosco ha llegado muy lejos para rendirse ahora. Y aunque las atenciones de Nostradamus son exquisitas, intenta que su voluntad no se resquebraje. Mientras habla con él, y está muy cerca, nota que las palabras y los sentimientos de su anfitrión penetran en su cerebro como una cuña psicológica. Como si al mismo tiempo que tratara de convencerlo con palabras y argumentos, lo hiciera en el plano psicológico y el alma de su anfitrión se fuera adueñando poco a poco, poco a poco, de todos los rincones y recovecos de su ser.

La misma situación que había vivido durante la noche de la extraña ceremonia en Stonehenge. ¿Era éste el poder oculto de Nostradamus? ¿O le aguardaban más sorpresas?

—Percibo que posees una capacidad de resistencia mental extraordinaria. Ni yo mismo podría entrar en tu cerebro sin la ayuda de este pequeño aparato.

Nostradamus introduce la mano en el bolsillo izquierdo de su túnica, y le enseña un pequeño objeto que cabe en la palma de su mano. Una esfera dorada de reducidas dimensiones, que refleja la luz de la habitación en forma de haces luminosos, que le proporcionan un brillo extraordinario.

—¿Con este aparato amplificáis la fuerza mental? —pregunta Víctor, intrigado.

—Aprendes rápido.

—Entonces... —la voz de Bosco se entrecorta, dejando ver su inquietud—, ¿podéis controlar la voluntad de otras personas?

—Sí, aunque con un gran esfuerzo. Y es necesario establecer un contacto visual con la persona controlada. Además, es probable que al desaparecer el control mental, ésta recuerde lo sucedido. Y es un riesgo que no podemos asumir.

—¡Por eso matasteis al profesor japonés que robó el cerebro de Einstein en Osaka!

Su anfitrión parecía divertirse con el enojo repentino de su prisionero.

—¡Vamos, Víctor, no seas tan estrecho de miras! Tienes carácter, por eso estás aquí y tienes acceso a nuestros secretos. Pero dime, ¿qué es una simple vida comparada con las maravillas infinitas que te mostraré? —le dice, levantando los brazos, y encogiéndose de hombros con indiferencia.

Bosco está horrorizado, pero incluso este sentimiento queda en un segundo plano ante las revelaciones de alguien que, por ley natural, tendría que estar muerto hace más de cuatrocientos años.

—¿Y tu disfraz de Griffith es una simple pantalla? ¿No te preocupan los desfavorecidos y la educación de los niños, esos niños que gracias a ti se forman en tus escuelas?

Nostradamus sonríe, y su gesto es de una indiferencia pasmosa, como si hiciera mucho tiempo que esperara una pregunta como aquélla, y en el fondo, no le importara en lo más mínimo la labor que lo había convertido en candidato a Premio Nobel de la Paz.

—Es una buena manera de saber qué niños tienen un potencial como Alquimistas. Hay que pensar en el futuro. Sí; tienes razón, también es un buen disfraz. Como ves, no somos tan malos como te debemos parecer. Además, mi aprecio por Julia es sincero.

—Sí, claro, y es sólo una casualidad que sea la tercera persona más inteligente del mundo. ¿Verdad? ¿Pero es que no tienes ningún tipo de moral?

—¡La moral! ¡Yo me río de la moral! ¿Acaso la naturaleza tiene moral? Hace muy poco que el ser humano ha salido de la selva. ¿En la selva existe otra ley que no sea la supervivencia? ¿Qué es la moral, comparada con la Ciencia? ¡Me refiero a la Ciencia con mayúsculas! Yo te diré qué es la moral, una cosa pacata, ridícula; una cosa ínfima y miserable de mentes cuadriculadas que no deja huella, ni en las civilizaciones, ni en el tiempo. La moral cambia según la época, lo que para unas culturas es maligno, en otras puede ser una virtud. Pero... ¡ah, la Ciencia! La necesidad de saber, de descubrir, de ir más allá, es inamovible. Sólida. Eterna. Es ese algo indefinible que hace que un científico, que un Alquimista, entregue su vida para descifrar los misterios del universo.

»Pero sé que tú me comprendes. Eres como yo. Eres un Alquimista auténtico. Has recorrido cielo y tierra ansiando conocer la verdad. Has superado todas las pruebas. Has aprendido la historia de tus iguales y la evolución de la Ciencia. Y yo ahora te ofrezco la verdad en bandeja. Lo que llevas buscando tanto tiempo. Aquí, en este laboratorio, la conocerás. Y conocerás tu destino. Te ofrezco cosas que nunca habrás podido soñar. Pero antes, déjame que te enseñe...

Antes de que Bosco pueda responder, Nostradamus lo lleva ante una sala repleta de aparatos extraños, que el inglés no ha visto en su vida.

Viendo la cara de asombro de su acompañante, el Guía Supremo le pregunta:

—Ahora empiezas a entender lo que somos: somos los elegidos. ¿Ves este aparatito?

Bosco contempla un cilindro de color negro opaco, del tamaño de una mano extendida, hecho de un material parecido al vidrio, y encajado en el centro de la tapa del objeto, del que sobresale un tubo mucho más fino de un blanco transparente y de la misma longitud.

—No veo ningún botón.

—Simplemente tienes que presionar en los lugares adecuados —le dice, sonriendo, como si hubiera cometido un error habitual en los no iniciados.

El inglés se siente como un alumno novato en su primer día de clase.

—¿Y para qué sirve? —acierta a preguntar.

—Sabes que un rayo láser se propaga en línea recta por el espacio... —El otro asiente—. Pues este aparato puede torcer su rayo láser un ángulo de 90° a la distancia que desees.

—¡Así cortasteis las teselas del mosaico en el Museo de Pella en Macedonia!

—Eres tal como imaginaba. —Y siguió caminando hacia otro aparato extraño, situado a su derecha. Bosco no salía de su asombro.

Llegan entonces hasta un artefacto parecido al anterior, con la diferencia de que éste está acoplado a una caja rectangular de un material parecido al vidrio, pero de un color grisáceo.

—¿Qué me puede decir de esto el genial Víctor Bosco? —pregunta de forma teatral.

—Los dos cilindros son idénticos a los de antes, por lo que deduzco que se trata de un rayo láser, pero lo que no puedo adivinar es la función del aparato al que están acoplados. Seguro que me sorprenderás.

—Tienes ante ti un desintegrador molecular. He convertido este artefacto que ves, que en tu mundo sólo aparece en las películas de ciencia-ficción, en una realidad. Pero bien mirado, este nombre no le hace justicia. No sólo desintegra, sino que reconstruye cualquier objeto. Es una máquina de gran utilidad.

—¿Así robasteis el dedo de Galileo?

—Exacto. Primero enfocamos el láser hacia el cristal de la vitrina e hicimos dos agujeros, uno en el ventanal del Museo di Storia della Scienza, y otro en el expositor donde se encontraba el dedo. Pero este láser no es como los que tú conoces. Esta caja de color ceniza que ves es en realidad un potente ordenador capaz de almacenar las posiciones de los átomos del objeto que desintegra. Enfocando de nuevo el láser en el mismo sitio, se puede volver a reconstruir el objeto.

—¡Increíble! Pero esto no explica cómo os deslizasteis por el agujero sin romper todo el ventanal, y sin que saltaran las alarmas.

—No corras tanto. La verdad se desvelará a su tiempo.

Víctor nota cómo los ojos de su anfitrión brillan de alegría. Algo que le confiere un tono humano, casi conmovedor. *Me gustaría saber qué motivos se esconden tras tantas atenciones,* piensa Víctor. Casi al instante, nota que el rostro de Nostradamus cambia ligeramente. Como si se enojase, aunque trata de disimular su enfado súbito.

¿Hasta dónde llega su capacidad para leer la mente humana?

Atraviesan la sala rectangular hacia una de las dos esquinas que no han visitado todavía. *¡Es un recorrido turístico muy instructivo! ¡Increíble!,* se dice a sí mismo Bosco, esperando el nuevo comentario sobre un aparato desconocido.

En esta ocasión se trata de un disco grueso, situado encima de una gran mesa de madera de nogal, del que sobresale la mitad de una esfera que, de lejos, tiene el aspecto de un sombrero mexicano. Con la diferencia de que está hecho de un material semitransparente y de un color plateado y liso. No más grande que un reproductor de DVD.

Víctor no tiene ni la más mínima idea de su utilidad, y piensa que seguramente Nostradamus no debe de ser tan fanático del cine como para coleccionar películas.

—Aquí tienes otra maravilla de los Alquimistas. La humanidad mataría por tener algo así. Y nosotros hacemos un uso racional de todo este saber. Eso es lo que quiero compartir contigo. La Ciencia con mayúsculas. Este aparato puede mover objetos a través del espacio sin las barreras impuestas por la distancia o el tiempo... —La cara de Bosco es todo un poema—. No me estoy riendo de ti. Créeme. Sé que es difícil aceptarlo, pero tú más que ningún otro habitante del planeta conoces los efectos de estos inventos y puedes entender los grandes beneficios que representan para la humanidad. Tienes la mente abierta. ¿Recuerdas las cucharillas voladoras del castillo de la familia De Broglie? Los campesinos franceses todavía se mueren de miedo recordándolo. ¿O la bicicleta que salió volando del Museo de Sadi Carnot? ¿Recuerdas a aquella anciana que todos tomaban por loca?

—Sí.

—Tenías que haberle visto la cara cuando la bicicleta se levantó ante sus narices. Hemos conseguido mover los objetos a través del espacio sin ningún contacto físico aparente. La gravedad de la Tierra hace que un objeto sea atraído hacia «abajo». Pero ya sabes que en el espacio no existen conceptos como arriba, abajo, izquierda o derecha. Son convenios que utilizamos para entendernos. ¿Verdad? Los Alquimistas invertimos la curvatura del espacio, y hacemos que el objeto se mueva hacia donde queremos. Hacia delante y hacia arriba, por ejemplo. Así movemos las cosas por el aire. Pero todavía no te lo he enseñado todo.

Nostradamus le hace un gesto cómplice, invitándolo a que lo siga. Al parecer, aún quedan cosas por descubrir.

Víctor ve entonces un pequeño cubo de un color amarillento metalizado, no mucho más grande que la palma de su mano. Pero no consigue distinguir en él ningún botón o hendidura para su manejo. Igual que en los otros artefactos. *Seguramente la única manera de manejarlo es saber exactamente dónde y con qué intensidad presionas,* piensa Bosco.

—Supongo que estás familiarizado con sucesos extraños precedidos de un resplandor amarillento.

—Y también rojizos y verdosos. Tenéis una gama de colores muy variada.

—Sí, pero de lo que te hablo ahora es de coger un objeto, manipularlo durante tres horas y devolverlo a su lugar de origen en décimas de segundos. Es algo increíble, ¿verdad?

—¿Eso explicaría el accidente del estudiante de la Universidad de Berlín, que apareció con la mano atravesada por un abridor de cartas?

—Razonas muy rápidamente, Víctor. Muy bien.

—El joven juraba y perjuraba que estaba jugando con el abridor y que, de golpe, se le clavó en la mano.

—Todo el mundo pensó que había sido un accidente. En cierto modo, así fue; no habíamos previsto que alguien manipulara el objeto cuando lo robábamos. No somos todopoderosos... todavía.

La sonrisa de Nostradamus es mucho más cínica ahora que cuando hablaba de la moral. Bosco siente un escalofrío que recorre su espina dorsal de arriba abajo.

Como si caminara con la reencarnación del Mal a su lado.

El Guía Supremo continúa su discurso, indiferente a la reacción de su acompañante:

—Los Alquimistas creamos una burbuja temporal alrededor del objeto. El aparato abre un túnel en el espacio y el tiempo, y esto nos permite trasladarlo venciendo las barreras del tiempo y el espacio. Llevamos el objeto a nuestro laboratorio y en una cámara especial lo manipulamos durante una hora; transcurrido ese tiempo, lo devolvemos a su lugar de origen. ¿Y sabes qué es lo mejor?: en el lugar de la desaparición sólo han pasado décimas de segundo. Aunque nosotros lo hemos manipulado sesenta minutos, para vosotros reaparece casi al instante.

—Pero el problema es devolver el objeto justo al mismo instante en que fue robado, ¿verdad? ¿Por eso se descubrieron dos palimpsestos de Arquímedes en el Museo Walters de Baltimore?

El Guía Supremo parece contrariado. No le gusta que le paseen sus errores ante las narices.

—Nosotros, al igual que dios, dominamos las fuerzas de la naturaleza, pero no podemos escapar a sus leyes. Ya sabes que existe el principio de incertidumbre del tiempo y la energía de Heisenberg. Cuando devolvemos el objeto a su lugar, no podemos precisar con exactitud el instante en que es restituido.

—Así comenzó el Enigma Galileo.

Nostradamus sonríe.

—Así empezó todo.

El señor de los Alquimistas se detiene en la cuarta esquina de la gran sala subterránea. Bosco le sigue como si viviera un sueño. El poder de seducción de su acompañante está dando resultado. Pero Víctor resiste al control mental. La única duda es saber cuánto tiempo va a poder soportar su influjo. Su sentido común le dice que tendría que salir de allí lo antes posible para evitarlo.

¡Pero el mundo que le ofrece Nostradamus es mucho más interesante de lo que nunca hubiera llegado a imaginar!

Se detienen otra vez. ¿Qué nueva maravilla le espera? De hecho, éste es el primer objeto que ha atraído su atención al entrar en la sala. Su forma ovalada y su gran tamaño, que puede superar los tres metros de altura por dos metros y medio de amplitud, le llamaron la atención a simple vista. Tanto, que el científico inglés pensó que era una cámara de descompresión parecida a las que existen en las embarcaciones de investigaciones submarinas.

—Este ingenio que ves ante tus ojos permite traer y devolver en un instante cualquier objeto que se encuentre sobre la superficie terrestre. Incluidas unas estatuas de la zona sumergida del puerto donde estaba la famosa biblioteca de Alejandría.

—Sí, recuerdo el testimonio de los pescadores de la zona, y el estado lamentable de la celda de la comisaría egipcia de donde nos sacaste. Encerrados no éramos útiles, ¿verdad? ¿Para qué me necesitabas?

—Todo a su tiempo, discípulo. Los Alquimistas tenemos casi quinientos años de historia. Somos pacientes por naturaleza.

—Yo no tengo tanto tiempo.

—No te subestimes.

* * *

—¿Comprendes lo que digo? Hablo de unos inventos que cambian la concepción de la ciencia que conoces. Si alguna vez el mundo llega a conocerlos, nada volverá a ser como es hoy. He roto las barreras de la física cuántica, y domino los secretos que se esconden en el tejido del espacio-tiempo. ¿No te parece la alquimia más poderosa que puedas imaginar?

—Supongo que es como poseer la piedra filosofal de los alquimistas medievales. ¿No? Consiguiendo esto, convertir el plomo en oro parece un juego de niños. Pero hacer desaparecer un objeto de un lugar para llevarlo a otro supone un costo de energía increíble —el cerebro de Bosco va a cien por hora—, no existe ninguna tecnología humana capaz de conseguirlo.

—Tienes razón, los Alquimistas estamos por encima de los seres humanos. ¿Sabías que el espacio no está vacío?

Bosco piensa en la teoría que dibuja Nostradamus. Algo que en el mundo de la ciencia actual pertenece al terreno de las hipótesis.

—En el vacío se aniquilan continuamente partículas y antipartículas, en una danza sin fin. Poesía pura, Víctor. Como resultado se produce una gran cantidad de energía que no nos afecta.... pero que, disponiendo de los aparatos adecuados, se puede aprovechar para tus intereses. De este modo se construyen aparatos que, a pesar de consumir mucha

MOISÈS DE PABLO Y JOAQUIM RUIZ

energía, pueden hacer cosas increíbles y, además, como ya conoces, la energía equivale a la masa. —Sonrió—. Ya sabes, la fórmula del amigo Einstein, tan famosa como la coca-cola. Además, si consigues crear grandes concentraciones de masa, en un instante y en reducido volumen, se puede doblegar el espacio y el tiempo. Igual que lo haría un minúsculo agujero negro.

—Esa teoría no está probada.

—No, de momento, pero estás de acuerdo en que un agujero negro es una gran cantidad de masa concentrada en un pequeño espacio, ¿no? Los agujeros negros producen una distorsión de la gravedad tan grande, que el espacio-tiempo se curva sobre sí mismo. La tecnología de los Alquimistas nos permite generar agujeros negros minúsculos que se crean y desaparecen en fracciones de segundo. Parece cosa de ciencia-ficción, pero no lo es. Esto nos permite realizar dos cosas. Una, si lo hacemos explotar, aprovechamos su inmensa energía. Y la segunda, si lo mantenemos estable el tiempo suficiente, nos permite doblegar el espacio-tiempo. Es decir, podemos manipular el tiempo y la gravedad a nuestro antojo. Con ciertas limitaciones. Pero hacemos cosas que tú ni tan siquiera has podido soñar.

Nostradamus le abre la puerta de los secretos de una ciencia que la humanidad tardará muchos años en conocer. Y se lo ofrece ahora.

Pero aún le quedan más secretos por descubrir.

Y Bosco parece olvidar que ha llegado hasta aquí para descubrir el misterio que se encierra tras el Enigma Galileo.

Capítulo
43

Nostradamus y Bosco acaban de entrar en una gran sala circular. Su parte central está ocupada por trece asientos, de los cuales sólo quedan libres dos. Seguramente uno está destinado al Guía Supremo y el otro es el que habría ocupado A, si siguiera vivo.

Delante de cada uno de los asientos destaca un tubo que parece surgir del suelo, y finaliza en dos lentes oculares parecidos a los que se utilizan en los microscopios. Tanto los asientos como los aparatos están orientados hacia un amplio ventanal, donde unos brazos metálicos permanecen en reposo, como unos bailarines preparados para ejecutar una danza extraña y maravillosa.

La mitad de la sala está repleta de aparatos y pantallas cuya función ni tan siquiera se atreve a imaginar.

Detrás de la gruesa pantalla de vidrio hay un pequeño cilindro de cristal que contiene un líquido de color cremoso, muy parecido a la leche. El cilindro está sujeto por un par de brazos mecánicos y rodeado de varios tubos que parecen lentes y aparatos de rayos láser. Los Alquimistas se mantienen expectantes. Todos permanecen en sus asientos, mirándolos de soslayo. Con discreción.

Parecen una orquesta ansiosa por ejecutar la obra maestra ante su director.

El antiguo modelo inglés nota la ansiedad de los miembros de la organización.

—Ha llegado el momento —exclama su líder.

Nostradamus mira a Bosco fijamente. Su rostro se ensombrece unos instantes. Como si el peso de los años le cayera, de pronto, encima.

—Hijo —añade en tono paternalista—: quiero que sepas que éste es, con seguridad, el momento más feliz de mi larga vida. Pero incluso ahora, mi alegría no es total. La felicidad siempre va unida a la tristeza. Por eso soñamos, y por eso te ofrezco conocer el mayor secreto de la humanidad. Quiero que sepas que hay algo que surge de lo más profundo de los sueños de los hombres. Y ese algo nos hace avanzar hacia lo que somos. Hacia aquello en lo que nos convertiremos en el futuro. El hombre se parece a sus sueños. Y no sus sueños al hombre. ¿Comprendes el matiz?

Bosco no entiende lo que le dice su amable raptor.

—A veces los hombres no somos un sueño, somos una pesadilla —contesta, despectivamente.

—Quien dice eso no intuye la belleza de la pesadilla, si la ha creado el hombre.

—¿Qué tiene de beneficioso la bomba atómica, por ejemplo? —comenta el inglés, con sarcasmo.

—La pregunta correcta sería: ¿qué hubiera tenido de beneficioso la bomba atómica en manos de los nazis? Por eso mis cuartetas son un aviso permanente a los hombres. Un juego de científicos. Un toque de atención a la humanidad.

—¿Quieres decir que los Alquimistas intervinieron para que los nazis no consiguieran la bomba atómica?

—En los últimos cinco siglos hay pocos acontecimientos importantes en la historia de la humanidad en los que no hayamos intervenido. Pero no hablemos más del pasado. Lo que descubriremos hoy es la maravilla más importante de la ciencia.

La desazón de Bosco aumenta, y crece también un sentimiento de admiración hacia el Guía Supremo que intenta destruir al instante.

Pero esta simpatía inconsciente hacia su enemigo se abre camino en su cerebro. ¿La manipulación cerebral enturbia sus razonamientos?

No lo sabe.

El profesor ignora cuánto tiempo podrá seguir resistiendo. Pero necesita saber. Necesita entender por qué razón ha muerto tanta gente, y si ha valido la pena tanta sangre. Nada, por grande que sea, justifica tantas muertes.

Está desorientado.

Ahora más que nunca necesita saber la verdad del Enigma Galileo.

Todos en esa sala saben que ha llegado el momento.

Incluso Bosco, aunque no tiene ni idea de en qué consiste.

—Estaría bien que me explicaras el motivo de tantos robos, tanta muerte y tanto misterio.

—El círculo se cierra. La humanidad va a conocer la verdad.

—¿De qué estamos hablando? ¿Está relacionado con nuestro código genético?

—Ahora conocerás el motivo de esos extraños robos. Como casi todos los grandes descubrimientos de la historia, un hallazgo sorprendente se hizo por pura casualidad. Gracias a nuestro reproductor molecular, si llevamos hasta el laboratorio un objeto, tenemos la tecnología necesaria para reproducir el ADN de la persona que lo haya tocado, aunque sólo lo haya hecho una sola vez y durante poco tiempo. Como comprenderás, a medida que retrocedemos en el pasado, este proceso es mucho más difícil, y a veces es necesario traer objetos muy grandes, porque así es mayor la probabilidad de conseguir trazas de ADN intactas.

—Lo que me dices suena a ciencia-ficción, y en cualquier otra situación, pensaría que estás loco, pero después de lo que he visto, ya no sé qué pensar.

Nostradamus señala hacia alguno de sus colaboradores, que lo miran sin decir nada. Expectantes.

—Algunos de nuestros Hermanos están interesados en el funcionamiento del cerebro humano y, sobre todo, en descubrir qué diferencia a un genio de la gente normal...

—¡La pregunta del millón! —exclama Bosco.

Su interlocutor continúa, como si no le hubiera oído, concentrado en las explicaciones:

—... y, por lo tanto, creemos que analizando las combinaciones de los más de treinta mil genes que forman el genoma humano, podremos conocer el mecanismo de la inteligencia. Es una tarea de titanes. Cada gen se caracteriza por el orden en que están enlazadas las cuatro posibles bases: adenina, timina, guanina y citosina. Cada gen tiene una secuencia única de estas bases, que lo diferencia del resto, y que forma los peldaños de la escalera del ADN. La verdadera estructura de la vida. Estamos seguros de que analizando con detalle la réplica del ADN de los genios de la ciencia que hemos reproducido, siguiendo el orden en que aparecen estas bases, descubriremos el funcionamiento del cerebro de un genio.

—A ver si lo entiendo: ¿me estás diciendo que estudiando el ADN de diferentes científicos de la historia pretendéis descubrir el proceso que conduce a la genialidad?

—Sí, sí. Pero ésta no es la pregunta, créeme. Ya te he dicho que muchas veces los grandes descubrimientos se han realizado por azar. Lo que hemos descubierto es algo mucho más importante.

—¿Más importante que saber de dónde proviene el genio, la mayor manifestación de inteligencia que conocemos?

—Te hablo del origen de la vida y del universo.

Bosco se queda sin palabras. No tiene argumentos, porque las preguntas se agolpan en su cerebro como una cascada sin fin. Un río infinito de dudas e interrogantes.

—Sé que ahora, con lo que estoy diciendo, las palabras no son suficientes. Pero te hablo de hechos. De hechos demostrables que significan el avance más importante de la ciencia. Y te diré más...

El tono de voz de Nostradamus se hace más y más enérgico a medida que habla.

—Es lo que el hombre ha buscado desde que tiene conciencia de sí mismo. ¿Es que hay algo más importante que saber de dónde venimos? ¿No es éste el privilegio de Dios, y lo que deseamos desde la noche de los tiempos? Ni la poesía, ni la literatura, ni la música, ni cualquier otro arte, te puede dar lo que yo te voy a conceder esta noche. Tú, Víctor Bosco, vas a conocer la verdad, y la vas a conocer gracias a que formarás parte de los Alquimistas. ¿Hay algo más grandioso a lo que yo te ofrezco?

Nostradamus, con los brazos alzados, se vuelve hacia Víctor, y le mira con los ojos desorbitados, y el rostro enrojecido. Las arrugas se tensan en su cara, como un mar embravecido y terrible. Arrugas que denotan la excitación que recorre todas las fibras de su cuerpo.

Su gran momento ha llegado. Y nadie excepto él puede hablar.

—¿Qué es lo que vas a ver hoy, me preguntas? Vas a ver el origen de la vida, del universo... Incluso, quizás veas a dios. Hemos llegado a la cumbre.

Por un momento el rostro del hombre que se hace llamar Griffith se ensombrece. Aunque no deja de hablar:

—Créeme, hoy es el día más grande de la historia. Y la verdadera razón de mi larga vida. —Su tono de voz se convierte casi en un susurro—. Pero por poderosa que sea mi ciencia, no puede evitar que mis días estén contados. Me muero, Víctor. Me quedan pocos meses. Mi ciclo llega a su fin. Hasta mi poder para alargar la vida tiene un límite. He intentado mejorar mi fórmula de rejuvenecimiento, pero casi quinientos años de vida es una eternidad, y no consigo prolongarla más. Si te soy sincero, creo que no lo quiero. Ahora me doy cuenta de que durante todo este tiempo sólo he vivido para presenciar este momento. Lo que ocurra después ya no me importa. Que otros continúen mi obra.

Y entonces, los ojos del Gran Guía se posan, incisivos, como dos clavos ardiendo, en el rostro de Víctor. Su mirada es tan potente que su antagonista se ve obligado a bajar la vista.

¿Nostradamus me quiere como conejillo de Indias o como sucesor?, se pregunta el inglés.

El resto de miembros de la Hermandad permanecen en silencio, estáticos como figuras de cera, escuchando la lección del Gran Maestro.

—¡Ah, Bosco! ¡Qué ignorante eres! ¿Te has dado cuenta de que hemos realizado los robos en orden cronológico, y agrupando a científicos que trabajaban sobre el mismo tema?

—Bueno, ésa es una de las cosas que hemos descubierto.

—Por eso eres digno de estar aquí con nosotros, Bosco. Mientras uno de nuestros Hermanos investigaba los genes, se le ocurrió elevar la temperatura de la muestra hasta seis mil grados centígrados. Al principio no distinguía lo que veía por el microscopio, pero se dio cuenta de que era un fenómeno extraño. Si no hubiéramos podido reproducir el experimento y observar con nuestros propios ojos lo que nos decía, no lo hubiéramos creído.

»Tanto yo mismo como los Hermanos pudimos verlo. Con un microscopio de efecto túnel capaz de aumentar la imagen millones de veces, vimos cómo dos rocas chocaban entre sí formando una gran nube de polvo. Más tarde entendimos que eran asteroides. ¡Qué espectáculo de destrucción tan fantástico, Víctor! No conseguíamos entender lo que acabábamos de ver, pero era fascinante. ¿Pero qué significaba? Estuvimos meses enteros sin saber qué hacer. Hasta que a uno de los Hermanos se le ocurrió la idea de mezclar esa muestra de genes con la de otro científico que había nacido pocos años después de la muerte del primero.

»Lo que vimos a través del ocular fue asombroso: vimos planetas girando alrededor de una estrella que, de pronto, se deshacían en cientos y miles de rocas que formaban anillos, alrededor de una bola de fuego. Tardamos algunos instantes en reaccionar, pero comprendimos que era como si viajáramos hacia atrás en el tiempo y fuéramos capaces de ver el proceso de formación de un sistema solar a la inversa. ¿Entiendes? Primero vimos el Sol y los planetas, y luego los anillos de materia previos a su formación. Al revés de lo que ocurre en realidad. Fuimos testigos del proceso de formación de un sistema solar, con el Sol en el centro y la materia que daría lugar a los planetas girando a su alrededor, tal como debió de ser nuestro Sistema Solar antes de la formación de la Tierra. Hace más de 4.500 millones de años.

Víctor no puede creer lo que oye.

—Después de lo que he visto estoy dispuesto a aceptar muchas cosas, pero todo tiene un límite. —El cerebro de Bosco está a punto de estallar—. ¿Me estás diciendo que elevando miles de grados la temperatura de unas muestras de ADN de grandes científicos habéis conseguido ver parte del proceso de formación del universo?

—Exacto. —La sonrisa de Nostradamus, de oreja a oreja, es casi de demente—. Ni yo mismo lo hubiera expresado mejor. Pero eso no es todo. Combinando el ADN de los genios que han descifrado el movimiento del cosmos, vimos que no sólo se formaban sistemas solares. Por el microscopio hemos presenciado la formación de galaxias, e incluso cúmulos galácticos formados por miles de galaxias. Te diré más: mezclando el ADN de científicos que han descubierto cuestiones relativas a la energía, hemos asistido a la formación de soles, a la explosión de supernovas y a la formación de agujeros negros. Es como rebobinar una película del cosmos que te permite viajar hacia atrás en el tiempo.

—¿Quieres decir que has visto fenómenos del universo desde su final hasta el inicio?

—Así es. Pero aún no lo hemos visto todo. ¿Comprendes el inmenso poder que encierra?

Bosco guarda silencio. Tras el discurso de este hombre con cerca de quinientos años de vida a sus espaldas, el inglés permanece con la boca abierta, con la misma actitud que tendría si hubiera visto un fantasma.

—Te aclararé algo más —dice el líder de los Alquimistas—, hemos realizado los robos por orden cronológico porque las muestras de ADN que obtuvimos al principio eran inestables: se desintegraban a los pocos días de forma espontánea. No sabíamos mantenerlas estables. Pero tras muchos intentos fallidos, tras ensayos y pruebas que nos conducían a un punto muerto, no sólo conseguimos que se mantuvieran inalterables, sino que hemos reproducido las muestras que se habían disuelto tiempo atrás.

¡Claro, por eso los Alquimistas necesitaban efectuar los robos en orden cronológico! Al principio era la única manera de enlazar los diferentes códigos genéticos. ¡La única manera de no romper la cadena!, piensa el profesor.

La coherencia de los actos de los Alquimistas era impecable.

—¿Te das cuenta, Víctor? En lo más íntimo de nuestros genes, se produce un gran milagro. Cuando el cerebro de un ser humano descubre una pieza esencial del funcionamiento del cosmos, este hecho queda registrado y se reproduce en su ADN. No tiene por qué sorprendernos. Somos una parte de la materia del universo que ha conseguido tener conciencia de sí misma y hacerse preguntas sobre el cosmos.

El brazo derecho de Nostradamus señala ahora, triunfal, hacia el centro de la gran pantalla de vidrio, donde un cilindro blancuzco se encuentra rodeado de varios tubos que a Víctor le recuerdan lentes oculares de microscopio y potentes cañones láser.

—Este líquido blanco que ves es la mezcla del ADN de los veintisiete físicos más importantes de la historia de la humanidad. Es la cadena del ADN que nos llevará a la comprensión del cosmos. Elevaremos la temperatura del cilindro hasta seis mil grados, y esperamos ver el origen del universo. Nuestro origen.

¿Su secuestrador le revela que van a ser testigos del momento único, anterior al *Big Bang,* la gran explosión que sacudió las entrañas del universo y originó todo lo que existe?

Nostradamus, como si se hubiera olvidado de su huésped forzado, se dirige hacia uno de los dos asientos vacíos de la sala. Sonríe como un niño ante un juguete nuevo. Al mismo tiempo uno de los Alquimistas le hace un gesto a Víctor, invitándole a sentarse.

¿Es posible que el ser humano, tras una larga secuencia de descubrimientos, fracasos y sueños, se encuentre cara a cara con la verdad? ¿Es posible que el hombre viaje hacia atrás unos quince mil millones de años, y asista al nacimiento del huevo cósmico, el mismo instante del nacimiento del tiempo y la creación? ¿Nostradamus está en condiciones de ver un ser supremo, una inteligencia infinita o, quizás, la ausencia de dios? ¿No será todo lo que le ha explicado Nostradamus una gran ilusión, o la creencia desquiciada de un grupo de fanáticos? Todas estas preguntas complejas se agolpan en el cerebro de Bosco, pero sólo se le ocurre una frase.

Y no está demasiado a la altura de las circunstancias:

—Que comience el espectáculo.

βosco imita al resto de los integrantes del grupo, y mira a través del ocular de su microscopio. El silencio en el recinto es ahora sepulcral. Lo que ve no se puede explicar con palabras. Porque las palabras suenan huecas y falsas, y parecen simples marionetas desnudas de imágenes al lado de todo aquello que tendrían que definir y representar.

Ve una especie de peonza de luz blanca achatada por los polos. Su intensidad dota a la imagen de una atmósfera hipnótica. Nunca ha visto nada parecido. Progresivamente la imagen aumenta de tamaño al ser enfocada. A medida que la visión se aproxima, adquiere un tono azulado. Y entonces, en lo que parecía una superficie perfecta, empiezan a aparecer pequeñas zonas sin luz.

Como centenares de grietas en un lienzo gigantesco.

El científico tarda unos instantes en comprender que observa nuestro universo desde fuera. La luz que ve es la que desprenden los miles de millones de estrellas. Y las zonas en negro que aparecen al aumentar la imagen no es nada más que espacio vacío.

Una visión que ningún ser humano se habría atrevido a imaginar.

—Ya tenemos enfocada la imagen. ¡Entramos en el misterio! —grita Nostradamus.

¿A qué se refiere?, se pregunta el inglés.

Ahora la panorámica se encoge. El universo se contrae, y la luz adquiere un tono rojizo. *Es el efecto Doppler,* piensa Bosco: al igual que el sonido de la ambulancia que se acerca a un observador es más agudo, al alejarse de éste se va haciendo más grave. De la misma manera, una fuente de la luz en el espacio presenta un tono azulado si se acerca a nosotros y rojizo si se aleja.

Viajan hacia el pasado a una velocidad increíble.

No ha transcurrido ni un minuto desde el inicio del proceso, y todo el universo no es más que un pequeño punto de luz en el centro de la escena.

—¡Estamos a sólo diez mil millones de años de la explosión inicial! Hemos retrocedido casi cinco mil millones de años. Vuelvo a aumentar la imagen —informa el Gran Guía.

La zona luminosa aumenta de tamaño y se torna azulada, ante los ojos asombrados de Víctor. Una señal más de que se acercan al objetivo.

Unos segundos después la imagen abarca ya casi todo el ocular, pero a diferencia de antes, hay muchos menos espacios oscuros. *¡Vemos menos vacíos interestelares porque el universo empezó a expandirse desde un único punto!*, piensa el inglés.

—Estamos a mil millones de años. Es el tiempo en que se formaron las primeras estrellas —dice Nostradamus, con la voz entrecortada por la emoción.

Como si rebobinaran una película, vieron cómo millones de diminutas estrellas se iban apagando ante sus ojos.

—¡Cien millones de años! Ahora aparecieron las primeras galaxias.

Nostradamus no deja de recordarles que viajan hacia el pasado a un ritmo frenético.

Bosco ve varias formas gaseosas, espirales, elípticas, en forma de disco..., que se deshacen y unen formando una única e inmensa nube de gas. Sabe que ninguna de ellas es nuestra galaxia, la Vía Láctea, porque aunque se trata de una galaxia espiral, como algunas de las que acababan de desaparecer, se había formado cuando el universo tenía más de mil millones de años de edad.

Víctor mira el reloj del tiempo y ve que quedan menos de ochenta millones de años. La Vía Láctea ya había desaparecido. Piensa que acaba de asistir a uno de los fenómenos más espectaculares del universo, algo que nadie había visto hasta entonces y que confirma muchas de las hipótesis científicas que él conoce.

Entiende que están viendo cómo todas las galaxias del universo convergen hacia un mismo punto, recorriendo en unos minutos un viaje alucinante que ha durado miles de millones de años y que aún no ha concluido.

Pero no tiene apenas tiempo para calibrar las consecuencias de todo ello porque resuena de nuevo la voz del jefe de los Alquimistas:

—Sigamos hacia atrás.

La imagen de luz blanca vuelve a ocupar la pantalla del microscopio de los Alquimistas. A medida que se hace más y más pequeña, adquiere un color rojizo.

Entonces Bosco confirma que la luz en forma de lágrima que ha visto en la pantalla, es decir, el mismo universo, se aleja de ellos a grandes velocidades, al empequeñecerse.

Nostradamus grita, casi con éxtasis:

—Estamos a sólo trescientos mil años. Y vemos el instante en que la materia y la radiación dejan de estar unidas. Al separarse surgió una radiación tan intensa que invadió el espacio. Sus residuos todavía se detectan en la actualidad.

Víctor sabe que se refiere a la radiación cósmica de fondo. Que fue detectada en 1965 por los físicos A. Penzias y R. Wilson. Al calibrar una antena de telecomunicaciones, descubrieron, por casualidad, que captaban una señal llegada desde todas las direcciones del espacio. Sin pretenderlo habían encontrado la prueba más concluyente del *Big Bang*. Y por ello recibieron el Premio Nobel.

El tamaño de la imagen vuelve a aumentar.

Víctor no puede creer lo que ve, la belleza del espectáculo sobrepasa todo lo imaginable, porque no se corresponde al nacimiento de un ser vivo aislado, o de un accidente geográfico concreto, sino que son testigos de la creación de todo el cosmos. De todo lo que incluye a los seres vivos y los objetos que conforman el todo.

Siguen más allá. Siempre hacia atrás, en un viaje enloquecido.

Y descubren una escena maravillosa. De la peonza empiezan a surgir haces de luces de diferentes colores que se expanden como racimos, como si el creador cósmico se entretuviera salpicando de colores el lienzo de la materia.

Bosco entiende que las diferentes tonalidades cromáticas corresponden a zonas con más o menos densidad de materia. Pura poesía en movimiento. En las regiones donde se acumula más densidad de átomos, la fuerza de la gravedad hizo que la materia se condensara formando las galaxias.

Cuando Nostradamus informa de que se hallan a sólo 30 minutos del instante inicial, el profesor casi ya lo intuía.

La visión que contempla ahora es de una tonalidad uniforme, pero indefinida.

Lo que ve ya no es materia formada por los átomos que conocemos.

Lo que ven sus ojos y los ojos de los presentes es plasma: un estado de la materia diferente al que existe sobre la Tierra, aunque es el más común del universo visible.

Muchas estrellas y nebulosas están formadas de plasma.

Al contrario que en la materia ordinaria, en el plasma las partículas flotan libremente.

La imagen que se veía a través del cristal encoge por momentos.

Cuando todo el universo fuera un minúsculo punto, faltarían pocos segundos para llegar al final del proceso.

El inglés sabe que a medida que se acercan al momento cero, la materia, tal y como la conocemos, al igual que el tiempo y el espacio, se está formando. Y a la velocidad a la que retroceden en el tiempo, dentro de poco se encontrarán ante el Muro de Planck.

Como si Nostradamus le hubiera leído el pensamiento, grita:

—¡En pocos segundos llegamos al Muro de Planck! —Su voz resuena como un cuchillo desgarrando papel de lija.

Apenas los separa del Muro de Planck una pequeñísima fracción de segundo, es decir: cero coma cuarenta y dos ceros y un uno.

El Guía Supremo está emocionado.

El Muro de Planck define el instante preciso desde el que podemos explicar la formación del universo con las leyes físicas que conocemos. Después de este instante, existía una única superfuerza de la naturaleza, y a medida que el universo se expandió, se separó en las cuatro fuerzas conocidas: gravitatoria, electromagnética, nuclear fuerte y débil.

El profesor no esperaba que llegaran tan rápido a este punto.

Están en el umbral en el que las teorías actuales de la física no pueden explicar la formación del universo. Los científicos calculan que este instante se encuentra a segundos del estallido inicial. Es decir, una coma seguida de 42 ceros y un 1.

Una fracción de segundo pequeñísima, casi inimaginable.

¿Qué existía antes? Más allá sólo podemos hacer especulaciones, palabras vacías y teorías que se confunden con el misticismo.

En la mente de Bosco fluyen, a velocidad de vértigo, todas las posibilidades. ¿Verán la formación del huevo cósmico que, al estallar, originó el universo? ¿Descubrirán la imagen del dios creador antes del instante inicial? Si es así, ¿cómo será? ¿O sólo nos espera la fría soledad del espacio?

¡Demasiadas preguntas!, piensa, sobrecogido, Víctor.

Centenares de sofisticados sensores de los Alquimistas apuntan hacia ese minúsculo cilindro que ocupa el centro de la pantalla, registrando todos y cada uno de los procesos que se suceden a velocidad de vértigo. El análisis de todos estos datos permitirá responder a todas las preguntas.

¡Cuántos sabios y científicos hubieran dado su vida por presenciar este instante!, pensó Bosco.

¿Él era uno de ellos?

L as acciones más impensables son las que surgen de lo más profundo de las personas. Las que definen nuestra manera de ser. Por eso Víctor Bosco se levanta como un rayo, coge un cilindro metálico que está sobre la mesa y golpea con todas sus fuerzas la pantalla que preside la sala donde se realiza el gran experimento del Enigma Galileo.

El grito de Nostradamus es sobrecogedor.

Miles de minúsculos cristales caen sobre los desprevenidos Alquimistas que siguen el proceso. Como una imagen a cámara lenta, Víctor ve cómo el cilindro se desploma en medio de una explosión que arroja al suelo a todos los presentes.

El inglés trata de alejarse de la zona y busca una salida.

Los gritos son ensordecedores. Hay gente herida. Lamentos y juramentos.

El único ser humano que permanece inmóvil es Nostradamus, con la ira y la sorpresa reflejadas en su rostro. En medio del humo y del caos reinante, el Gran Guía grita:

—¿Por qué lo has hecho? Confiaba en tu inteligencia de científico. Tú, más que nadie, deberías haber valorado este instante. ¡Era la obra de mi vida!

Y Bosco cree ver que los ojos de su interlocutor se humedecen. Pero ya no siente ninguna compasión hacia un asesino sin sentimientos.

Es el asesino de A, de Abbot, de Yoshi y de tantos otros.

Ahora lo único que le debe preocupar es buscar una salida. Nota que alguien trata de agarrarlo del brazo. Pero se deshace de su rival, corre sin rumbo.

Tras avanzar unos segundos como un sonámbulo, descubre la puerta que conduce al pasadizo por donde llegaron.

¿Será la salida?

De pronto, entre la humareda cree distinguir uniformes del ejército británico. ¿Sufre alucinaciones? Y entonces alguien grita por un megáfono:

—¡Quietos! ¡Arrójense al suelo con las manos sobre la cabeza!

Ahora ya lo entiende todo: llega Julia con los refuerzos.

Pero antes de que pueda pensar en nada más, Bosco descubre una presencia a su lado.

Es Nostradamus, que lo mira a los ojos con el rostro desencajado. ¿Cómo ha llegado hasta él sin que lo notara? Parece como si hubiera aparecido de la nada.

—No me has contestado, Bosco.

Él se limita a sonreír, y mira a un lado y a otro, buscando la salida que tanto necesita. Ve cómo los soldados, entre ráfagas de ametralladora, entran en el laboratorio para tomar el control.

Algunos de los Alquimistas les hacen frente, y otros tratan de huir.

Hay cuerpos desparramados por el suelo. Vísceras. Sangre. El panorama de destrucción es sobrecogedor.

—Como dice el Eclesiastés, uno de los libros del Antiguo Testamento, hay un tiempo para morir y un tiempo para vivir. Ha llegado tu hora.

Entonces Bosco, que ya se ha alejado unas decenas de metros de su rival, nota que una fuerza invisible levanta su cuerpo y, como si fuera una pluma, lo arroja contra una pared repleta de aparatos electrónicos.

El golpe es brutal. Casi pierde el conocimiento. Su espalda parece haberse partido en dos. Tumbado sobre el suelo, percibe la misma presencia espectral a su lado.

Los ojos de Nostradamus son dos carbones encendidos sobre un paisaje de hielo.

Su rostro es gélido. Muy gélido.

—Me has defraudado y vas a morir.

A estas palabras las sigue un dolor agudo en la garganta. Se ahoga. Es como si una mano invisible le apretara el cuello.

Justo en ese instante, el tableteo de las ametralladoras parece acercarse.

Nostradamus dibuja una sonrisa glacial en su rostro.

—Tus amigos llegan tarde. ¡Habrías sido mi digno sucesor!

Bosco trata de verbalizar una frase, pero la presión sobre su garganta es tan intensa que sólo logra emitir una serie de gemidos incoherentes.

Al Guía Supremo no parece importarle lo que tiene que decirle.

—¡Vaya, así que no soy digno de conocer a dios y los secretos de la naturaleza! Creía que sabías que la ciencia está por encima de todo. Sólo eres un hombre…, me das asco.

En el mismo instante en que pronuncia estas palabras, un oficial inglés le ordena que se eche al suelo con las manos en la cabeza. Nostradamus inclina la cabeza y le mira fijamente. Aunque sólo por un instante.

El oficial parece levantarse del suelo y sale despedido, como había sucedido con Bosco unos segundos antes.

Su cabeza choca con el borde de una mesa, y queda sin sentido. ¿O acaso ha muerto?

En un acto reflejo de protección, los soldados que acompañan al oficial disparan con furia sus armas, que repiquetean con estrépito.

Pero las descargas de bala, que hubieran deshecho a un ser humano, parecen no afectar a Nostradamus.

Los soldados siguen disparando.

El Gran Guía se acerca al inglés. Parece flotar. Arrodillándose, le dice:

—Esta vez habéis ganado la partida, pero hay otras batallas y otros tableros. Siempre recordarás que te perdoné la vida. —Y tras pronunciar en voz baja estas palabras, la silueta de Nostradamus se desdibuja entre el humo del incendio.

Tan sigilosamente como había aparecido.

* * *

—¡No pensaba que fueras capaz de conseguirlo! Pero admito que eres un soldado —le dice O'Connor, dándole unas palmaditas en la espalda, mientras con la otra mano lo levanta del suelo con una fuerza que el científico nunca hubiera esperado del general.

Julia se arroja a sus brazos, temblando de emoción.

—No confiabas en mí, ¿verdad? —Víctor se palpa la dolorida espalda.

La mujer pelirroja está radiante. Pletórica. Alza los brazos y aplaude a cada frase de su compañero. O'Connor, vestido con el uniforme de campaña y empuñando un M-16, tiene un aspecto terrorífico.

—Cierto, nunca he creído en tu capacidad para ser James Bond. Pero ahora debo admitir mi error —dice Julia.

Víctor les explica el experimento de los Alquimistas. Los dos están perplejos.

—Muchacho, si no lo hubiera visto con mis propios ojos, no le creería. Pero viendo este laboratorio, sé que lo que dices es verdad. Por cierto...

—¿Sí, general?

—Yo hubiera hecho lo mismo que tú, ¡qué diablos!

Entonces Julia lo coge de la mano y lo arrastra hacia fuera.

—Ven, huyamos de toda esta destrucción y todo este caos.

—¿Es una proposición deshonesta? —pregunta Víctor con ojos de niño travieso.

—Puedes hacer teorías sobre ello, pero, de momento, sólo quiero hacerte una pregunta.

Ahora los dos están en el exterior del laboratorio, en la cima de una pequeña colina de la campiña inglesa. El aire fresco del amanecer no puede calmar su excitación.

—Sí, ¿qué me querías preguntar?

—¿Por qué?

—No te entiendo.

—Vamos, Víctor, eres un científico. Y sé que tenías tantas ganas de conocer el momento cero como Nostradamus..., ¿por qué has arruinado el experimento?

Víctor presentía la pregunta. Y tenía una respuesta convincente.

—La explosión que originó nuestro universo liberó una cantidad de energía increíble. Aunque fuera a una escala reducida, tuve miedo de que la onda expansiva pudiera matarnos a todos, o destruir el planeta.

Los dos caminan en silencio, escuchando los sonidos de la naturaleza. Algún pájaro diurno y los pasos, casi insignificantes, de pequeños roedores que pronto estarán en sus madrigueras.

Julia, que camina apenas unos pasos tras él, le propina una pequeña patada cariñosa.

—¿Qué haces? Ahora soy un héroe de guerra herido.

—No me engañas. Te conozco desde hace demasiados años. Pero ahora sé que tienes menos defectos de los que creía antes. Sé también que no eres un cobarde. No tenías miedo a la explosión. ¿Por qué lo hiciste?

Bosco la mira con la cara de un niño descubierto en su fechoría. Su sonrisa es irónica.

—Me has pillado, compañera. Si hubiéramos visto el instante cero, conoceríamos todos los secretos del universo. Responderíamos a todas las preguntas. Pero entonces, ¿cuál sería el papel del hombre y la mujer? Lo que nos distingue de los animales es la curiosidad, la curiosidad nos empuja a ir más allá de nuestros sueños. Y explorar lo desconocido.

—No has querido destruir nuestras ilusiones.

—Si quieres llamarlo así..., pero creo que he hecho algo más que eso.

—¿Ah, sí? —El tono de Julia es de ligera sorna.

—He tratado de mantener vivo el fuego de lo que nos distingue como especie.

En ese momento comienzan a aparecer, a lo lejos, los soldados que transportan los restos del laboratorio para analizarlos. Forman una procesión extraña, llevando el material hacia los camiones de transporte.

Saldivar sonríe.

—Creo que te has portado más que bien, y te mereces una recompensa.

Bosco le devuelve la sonrisa.

—Espero que no sea una bolsa de cacahuates.

—Te mereces algo más. ¿Qué tal un *roast-beef* con guarnición, en un restaurante acogedor?

—Sólo si puedo escoger el postre.

Julia lo mira, divertida y prefiere no responder, mientras los dos encaminan sus pasos, Víctor algo renqueante, hacia el automóvil de la agente.

Un mini rojo con el techo y los laterales negros.

La mujer se detiene de nuevo.

—¡Víctor, no sabía que fueras un fanático de los postres!

—¡Hay tantas cosas de mí que no conoces! —exclama el científico, mientras ella le propina un empujón cariñoso.

El cielo en esta parte de Inglaterra amanece radiante, casi como un presagio de tiempos mejores. O de nuevos retos.

Lugares de los robos

1. **Museo Arqueológico de Pella,** Macedonia, Grecia.
   En esta ciudad, edificada sobre la antigua capital del antiguo reino de Macedonia, vivió Aristóteles, maestro del conquistador Alejandro Magno.
   Objeto robado: mosaicos de la caza del ciervo y de Dionisio montando una pantera, siglo IV a.C., exhibidos en este pequeño museo local.

2. **Museo Walters,** Baltimore, Estados Unidos.
   Maryland, 600 north, Charles Street.
   Objeto robado: palimpsesto de Arquímedes, un pergamino único de más de mil años de antigüedad, donde se conservan las enseñanzas del sabio griego.

3. **Museo Instituto de Historia de la Ciencia** de Florencia, Italia.
   En él se guardan objetos de gran valor que pertenecieron a Galileo Galilei, como péndulos y balanzas, el termoscopio y el anteojo.
   Objeto robado: el dedo medio de Galileo, conservado como una reliquia.

4. Biblioteca Nacional Judaica de Jerusalén, Israel.
Espacio cultural donde se encuentran un buen número de manuscritos de Newton, descubiertos en 1930 en Inglaterra y donados a este centro por el comprador.
Objeto robado: manuscrito de Newton que fija la fecha del fin del mundo en el año 2060, según cálculos basados en la biblia.

5. Biblioteca del Instituto de Francia.
23, quai de Conti, 75006, París.
Templo del saber creado con espíritu ilustrado al calor de la Revolución Francesa. Conserva 12 cuadernos con notas y dibujos de tema científico de Leonardo da Vinci. Posee cincuenta mil obras de ciencia y técnica anteriores a 1895.
Objeto robado: manuscrito de mecánica y física de Lagrange.

6. Universidad de Osaka, Japón.
En este centro académico se conserva un fragmento del cerebro de Einstein. Gran parte del cerebro del genio permanece en la universidad de Princeton, Nueva Jersey, 08544, Estados Unidos, donde el sabio impartió cátedra. Existen otras muestras en un laboratorio de Berkeley, California, y el especialista Harvey, que realizó la autopsia del genio, guarda una parte en su casa de Titusville, Nueva Jersey.
Objeto robado: parte del cerebro de Albert Einstein.

7. Antiguo puerto de Alejandría, Egipto.
Objeto robado: estatuas y esfinges en la zona sumergida del antiguo puerto, dentro de los palacios reales. Se supone, aunque no se sabe con exactitud, que la famosa

biblioteca de Alejandría, donde Herón pasó parte de su vida y que fue destruida por el califa Omar en el siglo VII, se encontraba en este lugar.

8. **Museo Cadouin de bicicletas,** Le Buisson de Cadouin, Francia.
Una de las colecciones más importantes de bicicletas que se pueden visitar. Ocupa el ábside de una iglesia de esta población. Podemos ver, entre otras piezas, la bicicleta primitiva de Víctor Hugo o el velocípedo de Julio Verne. Lugar obligado para los fanáticos del ciclismo.
Objeto robado: bicicleta perteneciente al científico Sadi Carnot.

9. **Museo de la Ciencia de Londres,** Reino Unido.
Exhibition Road, South Kensington, Londres.
Uno de los museos de ciencias más importantes y espectaculares del planeta. Abierto los siete días de la semana. Tiene, entre otras piezas de su excepcional colección, la primera máquina de vapor de la historia: la de Watt.
Objeto robado: aparato de ruedas de palas de Joule, construido en 1849.

10. **Colegio Real de Oftalmólogos,** Londres, Reino Unido.
17, Cornwall Terrace, Londres.
Célebre centro de enorme prestigio que forma a los oftalmólogos del siglo XXI. Colabora con la universidad de Oxford. Tiene más de tres mil asociados de todo el mundo.
En el centro se expone la colección Keeler de oftalmoscopios.
Objeto robado: oftalmoscopio original de Helmholtz, perteneciente a la colección Keeler.

11. Universidad de Bonn, Alemania.

Regina Pacis, weg 3. D-53113, Bonn.

Centro académico que demuestra especial interés en la investigación científica, financiando diferentes equipos. Clausius ejerció varios años de profesor en este centro. Objeto robado: gran pizarra de la universidad de Bonn, donde probablemente Clausius impartió sus clases.

12. Universidad de Yale, Connecticut, Estados Unidos.

Una de las universidades más prestigiosas de Estados Unidos, con un completísimo programa de materias que abarcan del arte dramático a la economía, pasando por las ciencias y la religión. Entre sus estudiantes destacan el inventor Morse, el arquitecto Norman Foster o el ex presidente de Estados Unidos, Bill Clinton.

Objeto robado: la sala del claustro de la universidad de Yale, donde Gibbs cursó estudios.

13. Universidad de Berlín.

Linden, 6. 10099, Berlín.

Centro educativo de gran tradición en Europa, fundado por el científico Humboldt. Han sido alumnos suyos, entre otros: Marx, Engels, Schopenhauer o Einstein. Planck ocupó la plaza de profesor titular de la cátedra de física en este centro.

Objeto robado: material de escritorio utilizado por Planck.

14. Museo Curie, París, Francia.

11 rue Pierre et Marie Curie 75248, París.

Se conserva en perfecto estado la casa-laboratorio de los esposos Curie, situada en el Pabellón Curie del Instituto del Radio. A través de él se repasa la historia de la radiactividad en el siglo XX. El Instituto Curie, con más de dos mil colaboradores, es pionero en el tratamiento e investigación del cáncer.

Objeto robado: despacho y laboratorio de química de Marie Curie.

15. **Puertas de Mileto,** Turquía.

Una de las ciudades más florecientes de la Antigüedad, al ser un lugar de paso entre los imperios de Oriente Medio y Asia, y el mundo Mediterráneo.

Objeto robado: la puerta sagrada, situada al sur de la población, estaba flanqueada por imponentes torres, y era el punto de partida del camino sagrado hacia el templo de Apolo en Didyma. También desaparece la puerta norte, con dos filas de columnas a cada lado, que comunicaba el puerto con la ciudad, donde vivió el sabio Tales.

16. **Franklin Gallery,** Filadelfia, Estados Unidos.

Situada en el segundo piso del Franklin Institute Science Museum. 222, North 20th Street.

Objeto robado: armónica de cristal, que fue propiedad de Benjamín Franklin, a base de agua en vasos de diferentes formas.

17. **Templo de Alessandro Volta,** Como, Italia.

Un precioso edificio de líneas neoclásicas, cercano al lago alpino, que es, al mismo tiempo, ayuntamiento de la ciudad.

Objeto robado: cartas, medallas y aparatos eléctricos, como condensadores, que pertenecieron a Alessandro Volta, conocido inventor de la pila eléctrica.

18. **Deutsches Museum,** Múnich, Alemania.
    D-80306, Múnich.
    Edificio de tres plantas que repasa el desarrollo de las ciencias naturales y la tecnología desde sus orígenes. Incluida una sala dedicada a las cuevas de Altamira, en España. Tiene una sucursal en el aeródromo más antiguo del país, en Schleißheim.
    Objeto robado: instrumentos eléctricos pertenecientes a Hertz.

19. **Institución Real de la Gran Bretaña,** Londres, Reino Unido.
    21 Albermarle Street, Londres W1S 4BS.
    Sociedad con cerca de 200 años de antigüedad que trata de difundir la ciencia entre el gran público. Posee el Laboratorio de Investigación Davy Faraday, y alberga el Museo Faraday, con tres plantas dedicadas a la ciencia.
    Objeto robado: el primer generador eléctrico y una batería regalada por Volta al científico Michael Faraday.

20. **Laboratorio Cavendish,** Cambridge, Reino Unido.
    Madingley Road, Cambridge, Re CB3 0HE.
    El laboratorio Cavendish es el departamento de física de la universidad de Cambridge. Uno de los centros de investigación más importantes de Europa y del mundo. El departamento forma parte de la escuela de ciencias físicas, y fue dirigido por el investigador Maxwell.
    Objeto robado: aparato para medir la viscosidad de los gases, formado por un tubo sobre un recipiente de cristal.

21. **Lugar Histórico Nacional Edison,** West Orange, New Jersey, Estados Unidos.
    La que fue la fábrica y laboratorio más importantes del inventor norteamericano Alva Edison, símbolo del espíritu emprendedor, es monumento nacional. En su época de esplendor trabajaron en los laboratorios más de dos mil científicos y diez mil colaboradores. Fue durante la Primera Guerra Mundial.
    Objeto robado: librería del laboratorio original de Thomas Alva Edison.

22. **Ruinas de Abderea,** Macedonia, Grecia.
    En las siete pequeñas colinas del cabo Balastra, en la costa griega de Tracia, aún se pueden ver las ruinas de la ciudad donde vivió Demócrito.
    Objeto robado: ruinas de la ciudad de Abderea.

23. **Museo McGill Rutherford,** Montreal, Quebec, Canadá.
    845 Sherbrooke St. W. Montreal, Quebec, Canadá H3A 2T5.
    Objeto robado: aparatos y materiales usados por Rutherford en sus investigaciones, además de un buen número de documentos.

24. **Archivo Niels Bohr,** universidad de Copenhague, Dinamarca.
    Se encuentra en el Niels Bohr Institute, el instituto de física de la universidad danesa. Es la residencia donde Niels Bohr y su familia vivieron entre 1926 y 1932.
    Objeto robado: mobiliario de la oficina en la antigua casa-museo de Bohr.

25. Instituto de Estudios Avanzados de Dublín, Irlanda.
Creado en 1940, es un centro de referencia de la ciencia moderna. Dedicado sobre todo a la física teórica y la astrofísica.
Objeto robado: objetos de las dependencias ocupadas por Schrödinger en esa institución.

26. Castillo de la familia De Broglie, Normandía, Francia.
La fortificación, situada en el valle de la Charentonne, es un enorme castillo rodeado por un parque bellísimo.
Objeto robado: pequeños utensilios personales: alfileres, cucharitas de té... que pertenecieron al científico galo.

27. Tumba del Mausoleo Heisenberg, Múnich, Alemania.
La tumba del científico alemán Heisenberg, acusado de colaborar con los nazis en el intento de conseguir la bomba atómica para los ejércitos de Hitler.
Objeto robado: aparentemente, ninguno.

Nota de los autores

Los datos referidos a los científicos y las localizaciones de su obra son reales. La trama de la novela es ficticia y licencia de los autores.

LA LLAVE DE SARAH

Tatiana de Rosnay

París, julio de 1942. Las autoridades arrestan a 13 mil judíos ante la mirada de los parisinos, que guardan silencio por miedo, indiferencia o simple interés, pues esperan ocupar las viviendas vacías.

El pequeño Michel se oculta en un armario para huir de la redada. Su hermana Sarah cierra la puerta para protegerlo y guarda la llave, pensando que va a regresar en unas horas. Sin embargo, el destino de los Starzynski es protagonizar una de las páginas más luctuosas de la historia francesa. Los policías confinan a los miles de detenidos durante cinco días en el Velódromo de Invierno, cerca de la Torre Eiffel, sin comida ni agua, un asunto deliberadamente silenciado y que por fin sale a la luz en esta novela. Después envían a las familias a un campo de concentración francés, donde los separan como paso previo a su posterior traslada a Auschwitz.

París, mayo de 2002. Julia Jarmond, una periodista norteamericana afincada en Francia desde hace veinte años, recibe el encargo de preparar un reportaje con ocasión del sexagésimo aniversario de la redada. La reportera reconstruye el itinerario de los Starzynski y la lucha denodada de Sarah por salvar a su hermano, pero lo último que puede imaginar es que la investigación la conduzca hasta los Tézac, la familia de su marido.

La epopeya de la niña judía será un ejemplo a seguir para Julia y para quienes han vivido marcadas por el peso de la culpa. La llave de Sarah abre, entre otras cosas, la puerta de la redención.

LA ÓPERA SECRETA

Javier Urzay

Mozart y la partitura masónica

Viena, diciembre de 1785
Wolfgang A. Mozart es llamado a palacio para recibir del emperador José II el encargo de una nueva ópera en alemán que exalte los valores de la Razón y eduque al pueblo. El encargo forma parte de la política lingüística y cultural de José II, una pieza angular de sus reformas ilustradas impulsada con el apoyo de la masonería vienesa a la que Mozart pertenece. Pero nadie podía sospechar que el papa Pío VI pusiera en marcha todos los recursos de la Iglesia para hacer fracasar el proyecto...

Viena, noviembre de 2006
Paul Rosenberg, un funcionario encargado del sistema de reservas de la Unión de Teatros Federales de Austria y frustrado musicólogo, se topa con una carta de Wolfgang Amadeus Mozart. Una joven que le recuerda su pasado le pondrá sobre la pista de una osada hipótesis de la investigación mozartiana, según la cual Mozart habría compuesto una ópera que se perdió sin llegar a estrenarse. La carta podría demostrar la existencia de esa obra, cuyo descubrimiento se convertiría en un acontecimiento mundial en el 250 aniversario del nacimiento del compositor. Comienza la búsqueda de la partitura original, que llevará a los dos protagonistas por el mundo de Internet y la ciudad de Praga, donde encontrarán una prueba palpable de la existencia de la ópera. Llegará el momento de hacer público el hallazgo...

Suma de Letras es un sello editorial del Grupo Santillana

www.sumadeletras.com.mx

Argentina
Avda. Leandro N. Alem, 720
C 1001 AAP Buenos Aires
Tel. (54 114) 119 50 00
Fax (54 114) 912 74 40

Bolivia
Avda. Arce, 2333
La Paz
Tel. (591 2) 44 11 22
Fax (591 2) 44 22 08

Chile
Dr. Aníbal Ariztía, 1444
Providencia
Santiago de Chile
Tel. (56 2) 384 30 00
Fax (56 2) 384 30 60

Colombia
Calle 80, 10-23
Bogotá
Tel. (57 1) 635 12 00
Fax (57 1) 236 93 82

Costa Rica
La Uruca
Del Edificio de Aviación Civil 200 m al Oeste
San José de Costa Rica
Tel. (506) 220 42 42 y 220 47 70
Fax (506) 220 13 20

Ecuador
Avda. Eloy Alfaro, 33-3470 y Avda. 6 de
Diciembre
Quito
Tel. (593 2) 244 66 56 y 244 21 54
Fax (593 2) 244 87 91

El Salvador
Siemens, 51
Zona Industrial Santa Elena
Antiguo Cuscatlan - La Libertad
Tel. (503) 2 505 89 y 2 289 89 20
Fax (503) 2 278 60 66

España
Torrelaguna, 60
28043 Madrid
Tel. (34 91) 744 90 60
Fax (34 91) 744 92 24

Estados Unidos
2105 N.W. 86th Avenue
Doral, F.L. 33122
Tel. (1 305) 591 95 22 y 591 22 32
Fax (1 305) 591 91 45

Guatemala
7ª Avda. 11-11
Zona 9
Guatemala C.A.
Tel. (502) 24 29 43 00
Fax (502) 24 29 43 43

Honduras
Colonia Tepeyac Contigua a Banco Cuscatlan
Boulevard Juan Pablo, frente al Templo
Adventista 7º Día, Casa 1626
Tegucigalpa
Tel. (504) 239 98 84

México
Avda. Universidad, 767
Colonia del Valle
03100 México D.F.
Tel. (52 5) 554 20 75 30
Fax (52 5) 556 01 10 67

Panamá
Avda. Juan Pablo II, nº15. Apartado Postal
863199, zona 7. Urbanización Industrial
La Locería - Ciudad de Panamá
Tel. (507) 260 09 45

Paraguay
Avda. Venezuela, 276,
entre Mariscal López y España
Asunción
Tel./fax (595 21) 213 294 y 214 983

Perú
Avda. Primavera, 2160
Surco
Lima 33
Tel. (51 1) 313 4000
Fax. (51 1) 313 4001

Puerto Rico
Avda. Roosevelt, 1506
Guaynabo 00968
Puerto Rico
Tel. (1 787) 781 98 00
Fax (1 787) 782 61 49

República Dominicana
Juan Sánchez Ramírez, 9
Gazcue
Santo Domingo R.D.
Tel. (1809) 682 13 82 y 221 08 70
Fax (1809) 689 10 22

Uruguay
Constitución, 1889
11800 Montevideo
Tel. (598 2) 402 73 42 y 402 72 71
Fax (598 2) 401 51 86

Venezuela
Avda. Rómulo Gallegos
Edificio Zulia, 1º - Sector Monte Cristo
Boleita Norte
Caracas
Tel. (58 212) 235 30 33
Fax (58 212) 239 10 51

Este libro terminó de imprimirse en abril de 2008 en Editorial Penagos, S.A. de C.V., Lago Wetter núm.152, Col. Pensil, C.P.11490, México D.F.